■ 見開き2ページの構成

大きな絵や写真と第1セクションには，歴史のできごとや人びとの姿などを，くわしくえがいています。細かいところまでよく見てみましょう。感じたり，疑問に思ったりしたことを出しあいましょう。

タイトル・学習課題

地図で位置を確認しましょう。この教科書の地図は，原則として，現在の地形をもとにしています。

■ フォーカス Q

歴史の舞台に焦点をあてて，くわしく書いています。〈例 p30〉

■ 章をふりかえる・部の学習のまとめ

章のあと・部のおわりにおかれています。学習したことをふりかえって，関連づけて考えたり，意見を交換したりして，学習を深めましょう。どのような特色の時代だったかをまとめましょう。

■ 歴史を体験する

さまざまな体験学習を紹介しています。また，インターネットや博物館などを利用した調べ学習・体験者からの聞き取り・討論の方法など，学習のしかたを紹介しています。

p34 火おこし体験　　p132 地域の博物館で調べる

■ 年表　（p282〜293）

日本のできごとを，世界のうごきと関連づけてつかめます。政府のしくみ図や，系図があり，経済や文化などの写真も豊富にのせています。学習を整理したり，深めたりするときに役立ちます。

■ 索引　（p294〜299）

ことがらや人物が，あいうえお順にならんでいます。数字はページをしめしています。調べたいことが，どのページに書かれているかがわかります。

もくじ

①「平和の礎」で手を合わせる家族（2018年6月23日）〈沖縄タイムス社提供〉

歴史と出会う ― 6月23日、沖縄で

沖縄では，6月23日は「慰霊の日」で，学校も役所も休日です。

1945年3月下旬，アメリカ軍が50万の兵力で，沖縄に総攻撃を加え，はげしく日本軍と戦いました（沖縄戦）。戦争は3カ月もつづいて，6月23日ごろに終わり，沖縄の住民をはじめ，日米両軍の兵士など，20万人をこえる死者を出しました。

沖縄では毎年この日に，沖縄戦のすべての死者を追悼する行事をおこなっています。

■ 遺骨と出会う、歴史と出会う

毎年この日は，高齢の人たちが車いすで，あるいはつえをつき，孫の手を引いたり，引かれたりしながら，沖縄島の南端にある大きな慰霊塔におまいりします。

沖縄は，どの町も村も戦場となり，特に南部では亡くなった住民や兵隊のたくさんの遺骨が，風雨にさらされたまま散らばっていました。

人びとは，1946年2月から，これらの遺骨に「失礼します」などと声をかけながら1カ所に集め，この慰霊塔を建てました。ここにほうむられた戦死者の数は，約3万5000人にのぼります。

70年以上たった今でも，遺骨は沖縄各地に，野に山にう

②戦場に散らばる遺骨を集めてつくった慰霊塔（魂魄の塔）／おとずれる人びとと，そなえ物がたえない。

③土にうまっている遺骨を見つける高校生
〈沖縄タイムス社提供〉

④遺骨の収集を見学する子どもたち／
「遺骨の人の名まえはわからないのですか」など質問があいついだ。〈具志堅隆松／合同出版〉

もれて散らばっています。沖縄の高校生たちが，これらの遺骨をさがして集める活動に参加しました。木々や草のあいだで土をはらいのけると，歯や指の骨，頭蓋骨の一部などが出てきます。遺骨を集めた高校生たちは，「戦争は終わっていない」と感じました。

■ 名まえを指でなぞる

5　また，この日，80歳近い女性が，「平和の礎」をおとずれました。毎年，「慰霊の日」には必ず来ています。「平和の礎」には，この戦争で亡くなった人たち一人ひとりの名まえが，石にきざまれ，その数は24万人にのぼります。戦死したアメリカ兵の名まえもきざまれています。

　女性は，石にきざまれた父，母，祖母，弟の名まえを指でなぞってい
10　ました。「父たちの名まえを見ると涙がとまらない」と，孫たちと花をそなえました。女性は戦場を逃げながら，あいついで家族を失い，一人だけ残され，孤児となりました。

　「でも，おばあちゃんが生きのびたおかげで，みんながいるんだよ」と，孫たちに語りかけていました。

⑤家族の名まえをなぞる女性〈沖縄タイムス社提供〉

― 首里城の再建 ―

■ 沖縄は，19世紀後半まで琉球王国でした。国王は，首里城で政治をおこなっていました。首里城のすがたは，その後も，港を見下ろす丘の上に見られましたが，沖縄戦で破壊され，焼け落ちてしまいました。沖縄戦から50年近くたって，その正殿が復元されましたが，2019年に焼失しました。再建を期待する声が高まり，とりくみが始まっています。

■ 身近な地域で，昔のことを調べると，小学校で学んだ歴史のできごとや，人びとの歩みに関係することに出会うことがあります。

⑥首里城正殿／2019年焼失

歴史を楽しく学ぼう

1. 小学校では，たくさんの人物やできごと，文化遺産について学習しました。
そのなかから，くわしく調べてみたい人物を選び，カードにまとめてみましょう。

・小学校の教科書では，政治家や武将が多かったね。
・中学の教科書には，どんな人が出てくるのだろうか。
・外国の人も，調べてみたいね。

・女性で活躍した人には，どんな人がいたのかな。
・文学や医学，社会運動などで活躍した人物には，どんな人がいるかな。
・選んだ理由も，書くといいね。
・教科書に出てこない人も，調べてみたいね。

たとえば，こんな人たちはどうだろうか。

卑弥呼

〈いつ〉 弥生時代

〈どんな人〉 邪馬台国の女王。倭国の戦乱をしずめるために王となり国を治めた。

〈時代〉 中国の皇帝に使いを送った。「魏志倭人伝」に記録されている。

紫式部

〈いつ〉 西暦1000年ごろ

〈どんな人〉 平安時代を代表する女性作家。かな文字を使って，『源氏物語』を書いた。

〈時代〉 藤原氏を中心とする貴族の政治がおこなわれていた。

平塚らいてう

〈いつ〉 _____

〈どんな人〉 _____
_____
_____

〈時代〉 _____
_____
_____

---

3. 興味がある人物が活躍した時代，できごとがあった時代を年表に書き込んでみましょう。

世紀	1	2	3	4	5	6	7	8	9	10
時代	弥生時代			古墳時代			飛鳥時代	奈良時代		平安時代
できごと			卑弥呼が王になる	卑弥呼が魏に使いを送る						

2. できごとや文化を調べてみよう。

・テーマを決めて，調べるのもおもしろいよ。
・たくさんのできごとや人物を，まとめて調べられるね。
・調べる方法は，教科書・資料集・図書館の本など。
　地域の資料やインターネットも使えるね。

わたしは，
縄文土器と弥生土器を
比べてみるわ。

ぼくは，
寺子屋と明治の学校を
比べてみたいな。

縄文土器と弥生土器

〈縄文土器〉　縄目のもようから名ま
　えをつけた。ぶあつくて，力強い
　もようがあるものもある。
　　木の実や魚・肉をにて食べられ
　るようになった。

〈弥生土器〉　東京の文京区弥生町
　から見つかった土器から名まえを
　つけた。形が整っていて，もよう
　はすっきりしている。
　　種を保管したものもある。

自分の好きな
テーマを見つけて
調べてみると，
新しい
発見がありますよ。

寺子屋と明治の学校

〈寺子屋〉　　　　　〈明治の学校〉

①何さいから　　　　①

②どんな勉強を　　　②

③どんな教科書を　　③

11	12	13	14	15	16	17	18	19	20	21
		鎌倉時代		室町時代	戦国時代／安土桃山時代		江戸時代		明治／大正／昭和	平成
紫式部が活躍する										

年代のあらわし方、時代の区切り方

あなたは，何年の生まれ？

＿＿＿＿＿＿＿＿＿年の生まれです。

「西暦年」：世界で広く使われています。

1. 現在は多くの国や地域で使っています。

2. ヨーロッパで使われはじめました。

3. 紀元○年，ふつうは紀元を省略して，○年とあらわします。

4. 紀元1年より前は，紀元前をつけてあらわします。

紀元1年の前の年は，0年ではなく紀元前1年，10年前の年は紀元前10年……と，古くなるほど数字が大きくなります。前1年・前10年などとも書きます。

❗ 確認しよう

「紀元前221年・秦の始皇帝が中国をはじめて統一する」から，「57年・倭の奴の国王が中国（漢）に使いを送り，金印を授けられる」までは何年間？

……（　　　　　）年間

＊右の図を参考に計算してみよう。

● 紀元前を B.C.（Before Christ，キリスト誕生以前），紀元後を A.D.（Anno Domini，主の年）とも書きます。

「西暦年」	紀元前 B.C.	「世紀」
		紀元前10世紀
紀元前200年		紀元前9世紀
紀元前199年		紀元前8世紀
〜		紀元前7世紀
紀元前102年		紀元前6世紀
紀元前101年		
紀元前100年		紀元前5世紀
紀元前99年		紀元前4世紀
〜		紀元前3世紀
紀元前3年		
紀元前2年		紀元前2世紀
紀元前1年		紀元前1世紀
紀元1年		紀元1世紀
紀元2年		紀元2世紀
紀元3年		
〜		紀元3世紀
紀元99年		紀元4世紀
紀元100年		紀元5世紀
紀元101年		紀元6世紀
紀元102年		紀元7世紀
〜		紀元8世紀
紀元199年		紀元9世紀
紀元200年		紀元10世紀
		紀元11世紀
		紀元12世紀
		紀元13世紀
		紀元14世紀
		紀元15世紀
		紀元16世紀
		紀元17世紀
		紀元18世紀
		紀元19世紀
		紀元20世紀
	紀元 A.D.	紀元21世紀

「元号」：日本で使われています。

1. 日本では，中国から政治のしくみを取り入れて国の制度がつくられた7世紀に定めました。

2. 中国などいくつかの国で，それぞれに元号を定めて使っていました。現在も使っているのは日本だけです。

＊歴史上のできごとの名に，元号をつけてよぶ場合もあります。
　[例]　正長の土一揆　応仁の乱　元禄文化　明治維新

「世紀」：世界で広く使われています。

1. 西暦年で 100 年を単位に年代を区切ってあらわします。

2. 紀元1年から紀元 100 年までは1世紀，101 年から 200 年は2世紀です。

3. 紀元前1年からさかのぼって紀元前 100 年までが紀元前1世紀です。紀元前 101 年からさかのぼって，紀元前 200 年までが紀元前2世紀です。それぞれ，前1世紀，前2世紀とも書きます。

❶ 確認しよう

1901 年「八幡製鉄所が操業をはじめる」は ………（　　　）世紀
1600 年「関ヶ原の戦い」は …………………………（　　　）世紀
794 年「都を平安京にうつす」は …………………（　　　）世紀
紀元前 221年「秦の始皇帝が中国をはじめて統一する」は

………（　　　）世紀

旧石器・縄文・弥生・古墳・飛鳥・奈良・平安・鎌倉・
南北朝・室町・戦国・安土桃山・江戸・明治・大正・
昭和・平成・令和

● 日本列島の歴史について使われる時代区分です。

原始・古代・中世・近世・近代・現代

● 社会のしくみの特徴で，時代を区分しています。

＊地域により，研究者の見方により，区切る時期は異なります。

＊「中世は○年〜○年」などと，区切りよくあらわすことはできません。

＊この教科書の年表ページでは，色の変わり方や斜線で，少しずつ変わっていったことをあらわしています。

【参考】　年代・時代のあらわし方は，ほかにもあります。

1. 干支：古代中国で生まれました。
十干（甲・乙・丙・丁など）の 10 文字と，十二支（子・丑・寅・卯など）の 12 文字を組み合わせて，甲子・乙丑・丙寅……とあらわします。61 年目で元にもどります。
＊歴史上のできごとの名に，干支をつけてよぶ場合もあります。
［例］　壬申の乱　戊辰戦争

2. イスラム暦・マヤ暦・仏暦
世界の各地で生まれた文明は，それぞれ独自の暦を生み出しました。現在でも，これらの暦をもとにして，祝日や宗教上の行事を定めている国もあります。

3. いろいろな○○時代：「石器時代」「鉄器時代」など。
新しい道具が広まるなどして，くらしや社会が大きく変わったことを，「○○時代」とよぶ場合もあります。

紀元前1000年

紀元前500年

紀元

500年

1000年

1500年

2000年

第1部　原始・古代

第1章 文明のはじまりと日本列島

動物とともに生きる

> 第1章の扉ページでは，
> 動物とともに生きてきた人類のすがたに目を向けました。

カリブーやサケの群れとともに

1万5000年前，人類は動物の群れを追って，ユーラシア大陸からアメリカ大陸にわたりました。自然に感謝し，えものを必要以上に捕らないようにして生きていました。

▲カリブー

▲水鳥の彫刻（ホーレ・フェルス洞窟出土）〈チュービンゲン大学蔵〉

空を飛ぶ鳥を見つめて

ドイツのほら穴で，3万年以上前の，水鳥をかたどったマンモスの骨が見つかりました。自由に空を飛ぶ鳥は，古くから，世界各地で絵・彫刻や物語の題材にされてきました。

北アメリカ大陸

死後も動物とともに

エジプトの人びとは，5000年前，人間だけでなく動物のミイラもつくりました。ネコやイヌをはじめ，タカやフンコロガシなども，不思議な力をもっていると考えて，ミイラにしたと考えられます。

▲ネコのミイラ〈大英博物館蔵〉

南アメリカ大陸　　大西洋

赤道　　アフリカ大

さまざまな家畜とともに

メソポタミアの人びとは，9000年前にはヤギやヒツジを家畜にしていました。古くから麦を育ててパンをつくり，ミルクを飲み，肉を食べてきました。

▲モザイクでえがかれた家畜（『ウルのスタンダード』）〈大英博物館蔵〉

自然のなかで生きてきた人類は，農耕や牧畜をはじめ，古代文明を生みだしました。遺跡や昔の書物などから，歴史を探っていきましょう。朝鮮半島や中国大陸と交流するなかで，日本列島の政治や人びとの生活は，どのように変わっていくでしょうか。疑問に思ったことを出しあいながら，学んでいきましょう。

さまざまな動物とともに

6000年前ごろ，日本列島の人びとは，春は貝や山菜，夏はマグロ，秋は木の実，冬はイノシシをとっていました。自然環境によって，サケを食べる地域，クリを食べる地域などさまざまでした。

太平洋

赤道

日本

オーストラリア大陸

ユーラシア大陸

インド洋

▲イノシシの土偶〈弘前市立博物館蔵〉

▲黄河(中国)

▲玉でつくったゾウ〈北京故宮博物館蔵〉

中国にゾウがいた

黄河の流域には，ゾウのすむ森が広がっていました。気候が変わったり，人びとが森をきりひらいたりしたため，2000年前には，森が失われました。川には土が流れ込んで，黄色くにごった水になりました。

▲えさに群がるマグロ

海のめぐみとともに

東ティモールの人びとは，4万2000年前には，小舟に乗って沖に出て，マグロを捕っていました。オーストラリア大陸には，1万年前の貝塚がのこされています。

▲コブウシの土偶〈岡山市立オリエント美術館蔵〉

コブウシとともに

インダス川流域の人びとは，4000年前に，コブウシをあらわす土偶や土器をつくっていました。コブウシは，現代のインドでも，神の使いとして，また家畜として大切にされています。

① ラミダス猿人（想像図）

② ラミダス猿人の復元された骨格／身長120cm・脳の大きさ300〜350ccの女性のもの。

（1）木から下りたサル ―人類の誕生―

猿人たちは木から下りて二本足で歩いた。その後，人類はどのようにして歩んでいくのだろう。

③ 人類のはじまり

④ 現在までに発見されたなかで最古の石器／エチオピアで発見された約260万年前のもの。

■ 森林から草原へ

　人類の祖先は，チンパンジーの祖先から分かれて，約700万年前に誕生したと考えられます。このころの人類を猿人とよびます。

　1992年，約440万年前の人類の化石人骨が，アフリカのエチオピアで発見され，ラミダス猿人と名づけられました。この猿人の手足の骨を調べると，二本足で歩きながら，サルのように木のぼりもしていたことがわかります。

　このころ，地球の環境が変化して，森が少なくなってきたため，猿人たちは，木から地上の草原に下りて，食料をえるようになりました。

　猿人たちは，森の木の上と草原の両方を，生活の場にしていました。草原に出たとき，食料を見つけようと，体をまっすぐにのばして，二本足で立ち上がるようになったと思われます。また，食料を運ぶためにも，前足（手）を使う必要がありました。

■ 道具をつくる

　体をまっすぐ起こし二本足で歩くこと（直立二足歩行）は，人類の生活を大きく変えました。自由に動かせるようになった手は，道具をつくり，使うために用いられるようになりました。

　約260万年前のものと考えられる，石を打ち欠いて先をとがらせた，

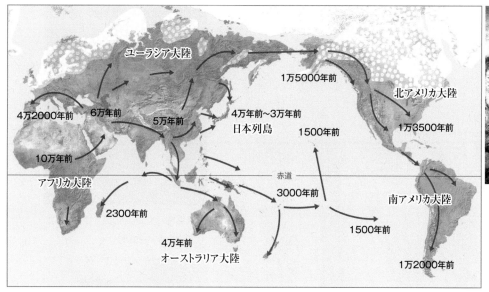

ユーラシア大陸

1万5000年前

北アメリカ大陸

4万2000年前　6万年前

5万年前

4万年前～3万年前
日本列島

1500年前

1万3500年前

10万年前

赤道

アフリカ大陸

3000年前

南アメリカ大陸

2300年前

1500年前

4万年前
オーストラリア大陸

1万2000年前

⑤現生人類の広がり〈海部陽介による〉

石器が発見されています。石器でつけたきずが残っているシカなどの骨も見つかり，人類が肉を食べるようになったことがわかります。このころから，地球は氷河期に入りました。

⑥ラスコー洞窟の壁画（フランス）／1万5000年前にえがかれた。1940年，近くの村の子どもたちが発見した。

■ アフリカから地球のすみずみへ

　今の人類の直接の祖先は，10万年前～6万年前にアフリカを出て，世界に広がったと考えられています。これを現生人類（ホモ・サピエンス）とよんでいます。

　現生人類は，火を上手に使いました。狩りにも使い，肉を焼いて食べました。たき火であたたまり，毛皮の服を着て，寒さのきびしい土地にも住むようになりました。まっ暗なほら穴の奥で，石製の灯り皿を使い，色あざやかな動物の絵をえがきました。穴を掘って，そこに動物の皮などをしいて水をため，焼いた石を入れて，あたたかい料理もつくったと考えられます。

　東南アジアにいた人びとは，舟をつくって，オーストラリア大陸にわたりました。ユーラシア大陸の北部には，ぶあつい氷河が広がり，海水面が下がって大陸がつながりました。1万5000年前ごろ，シベリアにいた人びとは，陸つづきになった北アメリカ大陸にも移動しました。南アメリカ大陸の南のはしにまで達したのは，約1万2000年前です。

⑦約7万5000年前に，現生人類が残したもよう（南アフリカ・ブロンボス洞窟）

氷河期

　地球全体の気候が長期に寒冷化した時期。一番最近の氷河期は，約250万年前から1万年前までつづいた。氷河期は，寒冷な氷期と比較的温暖な間氷期が何度かくり返された。

　2万年前には，日本列島付近では，年平均気温が現在より約7℃低く，海水面は100m以上低くなった。現在の日本列島も大陸と陸つづきとなり，本州中央部の山地は氷河におおわれた。

― 人類と火の使用 ―

　ラミダス猿人は，火を使っていなかったが，南アフリカで，約150万年前の石器といっしょに見つかった動物の骨には，焼けこげたあとが残されていた。そのころの人類は肉を焼いて食べたとも考えられる。

　約50万年前に中国に住んでいた北京原人は，ほら穴の中にたき火の灰や焼けた石・骨を残している。山火事などの自然の火を手に入れたと考えられる。

　約25万年前からヨーロッパなどに住んでいたネアンデルタール人は，ほら穴に炉をつくっている。火おこしの道具も見つかっている。死者をとむらったと考えられる遺跡も知られている。ネアンデルタール人は，現生人類と同じ時期に生きていたが，約3万5000年前に絶滅した。

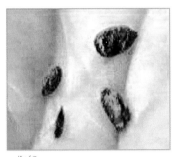

②栽培種のオオムギの穂と野生のオオ
ムギの穂〈武田和義提供〉

③発掘された野生のムギ（左）と栽培種
のムギ（右）

①栽培種のムギ（さまざまな品種のもの）

（2）種が落ちないムギ ― 農耕と牧畜のはじまり ―

野生のムギとはちがう種子が見つかっている。農耕や牧畜がはじまり人びとの生活はどうなったか。

■ 西アジアの２つの住居跡

④ガゼル

西アジアのアブ・フレイラ遺跡（シリア）では，年代が異なるいくつもの住居跡が，重なった状態で発掘されました。

1万1000年ほど前の住居からは，ガゼルなどの動物の骨と，草の実が見つかりました。その700粒のムギやマメなどは，野生のものと見られています。

これより新しい8000年前の地層からは，粘土のレンガを積んだ住居が出土しました。ここからは，栽培されたとわかるムギやエンドウマメなどの種が発見されました。動物の骨は，ヤギ・ヒツジのものが80％をしめるようになっていました。この時期は，氷河期が終わってあたたかくなった気候が，また一時すずしくなっていったころでした。

■ 野生のムギから、栽培種のムギへ

⑤石ウスとすり石／ムギなどをすりつぶして粉にした。〈アブ・フレイラ遺跡〉

自然にはえている野生のムギは，粒も小さく，みのると種が落ちて散ってしまいます。野生のムギを食べていた人びとは，集めやすく食料にしやすいものを選び出したことでしょう。

人びとが種をまいて育てるようになると，野生のムギにはなかった，いっせいに芽を出す性質も大切になりました。ムギの栽培を，長い期間つづけるなかで，人間につごうがよい性質をもつ栽培種に変えていきま

5

10

15

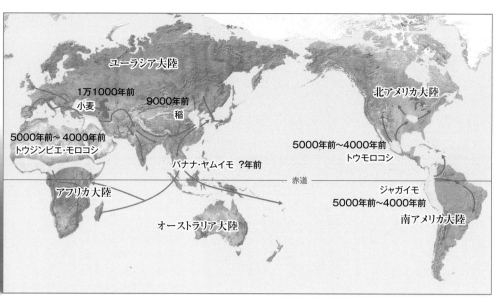

⑥農耕のはじまりと広がり〈ダイアモンドとベルウッドなどによる〉

⑦野生のバナナの実／1本の実の長さは10cmほど。

⑧家畜の粘土像（8000年前〜6000年前）
〈シリア　セクル・アルアヘイマル遺跡〉

した。同じころ，野生のヒツジなどを飼いならし，牧畜もはじまりました。

アブ・フレイラでは，人びとが一定の場所に住むようになってから，農耕と牧畜中心の生活になるまで，3000年以上の年月がたちました。

■ 世界各地で農耕と牧畜がはじまる

1万年から5000年ほど前に，世界のあちこちで農耕がはじまりました。野菜や果物，油をとる作物，せんいをとる作物もつくられました。

東南アジアでは，バナナやイモの栽培がはじまりました。タネが少ないバナナを見つけた人びとは，その茎や新芽を植えてふやしました。これらは，太平洋の島々やアフリカ大陸に広まりました。

中国では，9000年ほど前に，湿地にはえていた野生のイネから，栽培種のイネがつくり出され，水田稲作がはじまりました。

アメリカ大陸では，5000年ほど前に，トウモロコシが栽培されるようになりました。そのころのトウモロコシは，1本の実の長さが約2.5cmで，30粒ほどのものでした。アンデスの高地では，ジャガイモの栽培がはじまり，毒をぬき，保存する技術も発達していました。

牧畜は，野生のヒツジやヤギを囲いに追い込んで生け捕りにし，子を産ませるところからはじまりました。牧畜は農業とともに発達しました。家畜のフンは作物の実りをよくしました。牛や豚は乳や肉が利用でき，子をふやしやすかったため，いくつもの地域で家畜にされました。

⑨メソポタミア／チグリス川とユーフラテス川にはさまれた地域をメソポタミアという。

絵文字 紀元前 3200年ごろ	くさび形文字 紀元前 2400年ごろ	意味
		オオムギ
		水
		ヒツジ
		つぼ
		敵・外国人
		王

⑩絵文字からくさび形文字へ

― 文字の発明―メソポタミア文明 ―

メソポタミアの南部では，人びとは，水路を整えて水を引き，オオムギなどの収穫をふやした。鉱産物などをえるため，交易もさかんにおこなった。ウルク遺跡（イラク）からは，5200年ほど前（紀元前3200年ごろ）の，絵文字がきざまれた粘土板が多く発見された。絵文字は，くさび形文字となり，メソポタミアの各地で使われた。ウルクは，巨大な神殿を中心にした都市で，全長9.5kmの城壁で囲まれていた。月の満ち欠けを観察して暦をつくり，銅を溶かして青銅器をつくることもはじまった。

② ギザの三大ピラミッド／
手前からメンカウラー王, カフ
ラー王, クフ王のピラミッド

① クフ王のピラミッド（紀元前2500年ごろ）

（3）ピラミッドのなぞ ―エジプトの文明―

だれが, どのようにしてピラミッドをつくったのか。人びとはどんなくらしをしていたか。

③ ナイル川とエジプトの位置

ギリシャ

▲ギザ
エジプト

アフリカ大陸

ナイル川

0　　　2000km

④ エジプト人が信じた死後の世界／
死後, 羽がある魂がミイラからぬけ出して飛
び回ると信じられていた。

■石を積み上げる

　エジプトでは, 4500年ほど前（紀元前2500年ごろ）から巨大なピラミッドがさかんにつくられました。ギザにあるクフ王の墓とされるピラミッドが最大です。底辺の1辺が230m, 高さは147mで, 40階建てのビルの高さぐらいあります。1個の石の重さは約2.5トンあり, ギザの対岸の石切場から数百万個運びました。2万から2万5000人の人びとが, 27年間にわたってつくったピラミッドです。

　ピラミッドの建設現場の近くに, 大きな都市がつくられました。ここには, 建設にたずさわる役人の邸宅や, 働く人びとの住居が立ちならびました。人びとはパンやビール, 肉など豊かな食事を保障され, 専門的な仕事にわかれて働いていました。

　「だれも仕事を強制されてはならず, みなが喜んで仕事をすることを望んでいる」という, メンカウラー王の言葉が残っています。

■王は永遠に生きる

　王は, 創造主である太陽神の生まれ変わりとして, エジプトを治めました。王は, この世の楽しい生活を死後も永遠につづけたいという強い願いをもっていました。望ましいあの世の実現のために, 時間をかけて準備をしました。死者の永遠の住まいとして墓をつくり, その周辺にも儀式のための建物をつくりました。

王が死ぬと，ミイラにして保存され，いったんはなれた魂を肉体に
よびもどすための儀式がおこなわれました。王のミイラは死後の生活で
使うと考えられた豪華な品々とともに墓におさめられました。

■ナイル川のめぐみ

5　エジプトでは，およそ6000年前（紀元前4000年ごろ）に，麦など
の栽培がはじまり，羊や牛を飼っていました。雨がほとんどふらないた
め，農業はナイル川の水がたよりでした。

ナイル川は毎年きまって夏になると，洪水をおこし，ゆるやかに増水
して上流から運ばれてきた肥えた土が積もります。秋になって水が引く
と，牛にスキを引かせてたがやし，種をまきました。麦のほかに，ブド
10　ウやイチジクなどの果物，タマネギや大根なども栽培しました。

増水の時期をまえもって知るために，暦がつくられました。土地のわ
ずかな高低を見きわめて水路をつくったり，洪水のあとに土地を区切り
なおしたりするために，測量の技術が発達しました。

おおぜいの人びとが大がかりな工事に取り組み，その指揮をとる人も
15　あらわれました。そのような人たちが，やがて王や神官・役人となって
エジプトを支配するようになりました。5200年ほど前（紀元前3200
年ごろ），エジプト王国が成立しました。ゆたかな実りによって，自分
で食料を生産しなくても生活できる人たちが，登場したのです。

古代エジプトの人びと

■われわれの耕地のなかで，洪水の
およぶすべての場所をたがやすのは，
おまえと家族や使用人だ。しっかりた
がやしなさい。（略）おまえは窪地に
大麦をつくりなさい。ただし，水位が
高かったら小麦をつくりなさい。
（紀元前2000年ごろ，神官ヘカナクトが使
用人の頭にあてた手紙から）

■書物に勝るものはない。それは水上
の船だ。教科書の終わりを読みなさ
い。そこにはこの言葉がある。「書記
は王宮のどんな地位についても困るこ
とはない」（略）もし，おまえが書くこと
ができるなら，それはどんな職業も問題
にならないくらい，おまえにとって良いこ
となのだ。
（紀元前1900年代後半，『ドゥアケティ
の教訓』から）

⑥象形文字の解読の手がかりとなった王の名
まえ／フランスの学者シャンポリオンが1822
年，エジプトのロゼッタで発見された石の文字
を手がかりに解読に成功した。

― ピラミッド内部に未知の巨大な空間 ―

クフ王の大ピラミッドの内部には，王の間やそこにつながる大回廊，女
王の間などの空間がある。名古屋大学などが参加する国際研究チームが，
それ以外にも空間があるのではないかと期待して，それを画像で映し出せ
ないかと研究をすすめた。

研究チームは，宇宙線のミュー粒子で透視する装置を使った。宇宙から
ふり注ぐミュー粒子は，厚さ100m以上の岩盤も透視することができる。

2017年，未知の巨大空間を映し出すことに成功した。長さは30m以上
あるとみられる。このように，物理学や工学の専門家たちも，ピラミッド
のなぞを解くために活躍している。

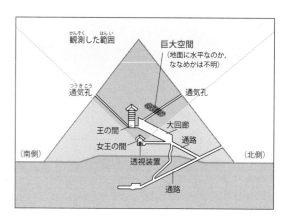

① 修行するシャカ族の王子〈ラホール博物館蔵〉

② ブッダになった王子（本名：ガウタマ＝シッダールタ　紀元前563ごろ～紀元前483ごろ）〈ギメ東洋美術館蔵〉

（4）ブッダになった王子 ―インドの文明―

シャカ族の王子はどのようにしてブッダになったのか。その教えはどう広がったか。

■ 妻も子も残して

　紀元前500年ごろ，インドのガンジス川のあたりには，いくつもの小さな国がありました。ガウタマ＝シッダールタは，ヒマラヤ山脈のふもとにあった，シャカ（シャーキヤ）族の国の王子でした。29歳のとき，妻も子も家に残して，修行の旅に出ました。

　インドでは紀元前1500年ごろ，インダス川流域に，西からアーリヤ人が移動してきて，先住民と同化して農耕民となり，さらに，ガンジス川方面へも勢力をのばしました。

　アーリヤ人たちは，神々の怒りをしずめ，ゆたかな実りをえることを願って，儀式をおこなっていました。そこでは，儀式をおこなう僧が大きな力をもち，王や軍人もこれに従いました。農業や商売をする人びとは，僧や王に貢ぎ物を差し出しました。さらに，その下の身分とされる人びともいました。

■ 人間はなぜ苦しむのか

　しかし，紀元前500年ごろから，都市ができるなど新しい動きのなかで，それまでのものにとらわれない思想や宗教が生まれてきました。

③ アーリヤ人の移動／アーリヤ人は，中央アジアなどの遊牧民だった。馬に引かせる戦車を使って戦った。

なぜ人間は，老い，病み，別れ，死ぬことを悩み，苦しむのか，シャカ族の王子は，修行の旅で問いつづけました。山や森林にこもり，一日に米一粒，ゴマ一粒ですごしたり，何日間も食べものをとらず，眠らないでいることもありました。

　６年間の修行をやめ，菩提樹の下で目をとじて静かに考えているとき，人間や世の中についての真理を悟りました。王子は，人びとからブッダ（目覚めたもの）とよばれるようになりました。

　ブッダは，苦しみや悩みをとりはらうには，諸行無常の真理に気づくことが大切だと説きました。

　ブッダの教えに，救いを見出した人びとは，ブッダの弟子となり，修行する道に入りました。この人びとは，ブッダの教えを仏教として，インド各地に広めていきました。

■ アショーカ王と仏教

　紀元前320年ごろ，インドでは西のインダス川から，東のガンジス川まで広がる大国ができました（マウリヤ朝）。

　この国の王となったアショーカ王は，となりの国との戦争によって，多くの人の命を失わせ，人びとを悲惨な目にあわせたことを，深く反省しました。そして，熱心な仏教の信者として，武力や強制による政治をあらためました。また，8万基以上の塔を建ててブッダをしのび，仏教を広めました。

　仏教は，インドから東南アジア・中央アジアや中国・朝鮮に伝わり，紀元6世紀には日本にも伝えられました。インドではそののち，アーリヤ人の僧たちの教えにもとづくヒンドゥー教がさかんになり，現在では，国民の8割がヒンドゥー教の信者になっています。

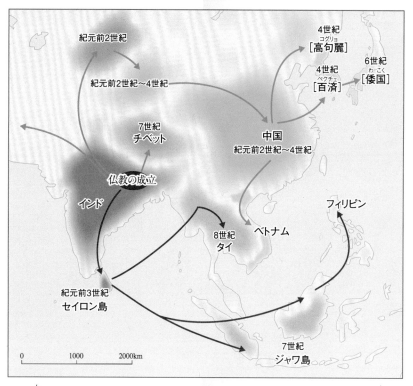

④仏教の広がり
（紀元前6世紀～紀元8世紀）

諸行無常
　世の中のことはすべて，常に変化するものであり，とどまることはないという意味。

⑤ブッダが悟りを開いた地に建てられた塔／高さ52ｍ，紀元6世紀のもの。

― 消えた死者の丘 ―

　インダス川の周辺には，紀元前2500年ごろからインダス文明が栄えた。モヘンジョ＝ダロ（死者の丘）とよばれる都市の遺跡には，レンガづくりの住宅がならび，水道や下水道が整えられていた。レンガをしきつめた道路の両側には下水道の溝が掘られ，大浴場もあった。また，小麦や豆を貯蔵する，高さ46ｍもある巨大な穀物倉庫がつくられていた。遺跡から見つかった印章には，動物などとともに文字がきざまれていた（インダス文字）。

　しかし，この都市は，紀元前1800年ごろからおとろえ，やがてうもれてしまった。その理由は，まだ十分に解明されていない。

⑥モヘンジョ＝ダロの穀物倉庫（復元図）

① 始皇帝兵馬俑／秦の始皇帝の墓の近くにうめられていた。〈兵馬俑博物館〉

（5）地下から出てきた大軍団 ― 中国の文明 ―

大軍団が秦の始皇帝の墓の近くにうめられていた。始皇帝はどのような国をつくったのか。

② 始皇帝（紀元前259〜紀元前210）

古代中国のうつりかわり

紀元前1600年ごろ	殷が成立
紀元前1050年ごろ	周が殷をほろぼす
紀元前 770年ごろ	多くの国々が争う
	春秋・戦国時代になる
紀元前 221年	秦が中国を統一
紀元前 202年	漢が中国を統一

くつわ
　馬の口にかませ，それに手綱をつけ，馬をあやつる道具。

■ 戦車で戦う兵士たち

　1974年，中国の西安市の近くで，地下から，土を焼いてつくった大量の兵士の人形が見つかりました。掘っていくと，よろいを身につけた8000人もの大軍団があらわれました。

　兵士たちの身長は180cmほど，顔も髪形も一人ひとりちがい，歩兵・騎兵のほか，将軍や指揮官もいます。兵隊は隊列を組んでならんでいます。

　130台の戦車は，それぞれ4頭の馬が引き，武器を持った戦車兵がこれに乗っています。武器は，弓・槍・刀・剣など1万点にのぼり，すべて青銅でつくった実物でした。

　すぐ近くには，東西・南北それぞれ350m，高さ76mの秦の始皇帝の巨大な墓があります。地下の大軍団は，始皇帝の軍団を再現したもので，始皇帝兵馬俑とよばれています。

■ 中国最初の皇帝

　中国の黄河と長江の下流あたりでは，紀元前8世紀から，いくつもの国が，たがいに戦いをくり返していました（春秋・戦国時代）。

　このなかから，秦が力をのばし，ほかの6カ国をほろぼして，紀元前221年に，はじめて中国を統一しました。このとき秦の王は，各国の王の上に立つものとして，皇帝という名称を用いました。

　中国の北側，モンゴル高原には，砂漠と草原が広がり，何百頭もの羊・牛・馬などを連れて移動する，遊牧民がくらしていました。このころすでに，

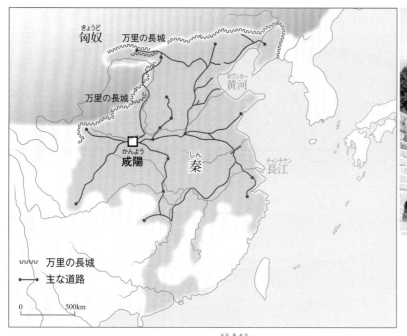

③秦の範囲（紀元前3世紀）／万里の長城の位置と道路網。

④万里の長城／16世紀に修築されたもの。

くつわなど鉄の馬具を使っていて，羊などの大群を，馬に乗って上手にあやつり，みちびきました。全力で走る馬上から，弓を射ることが得意でした。

　匈奴は，この人たちを一つにまとめ，秦に対抗する強力な国をつくりました。匈奴は，ふだんは，農業がさかんな華北（中国北部）の人びとと，羊毛などを交換し，交流していました。しかし，争いになると，強力な騎馬部隊となって戦い，華北の人びとからおそれられました。

■万里の長城を築く

　秦の始皇帝は，黄河周辺にまで力をのばしてきた匈奴に対して，30万の軍隊を出して戦いました。始皇帝は，匈奴を北方に退けて，勢力範囲を広げ，境界となるあたりに，土をかたく固めて，高さ4〜5mの厚い壁を築きました。その全長は5000km以上におよび，万里の長城とよばれています。

　また，始皇帝は，軍隊や物資を運ぶための道路をつくり，国ごとに異なっていた貨幣を一つにまとめるなど，統一国家の形を整えました。しかし，始皇帝の死後，農民の反乱が広がって，秦はほろびました。紀元前202年，漢が中国をふたたび統一し，反乱の指導者だった劉邦が，漢の皇帝の地位につきました。

漢字の統一

　中国では，紀元前1300年ごろから甲骨文字が使われ，これが漢字のもとになった。しかし，字の形は，国ごとに異なっていたので，秦の時代にこれを統一した。

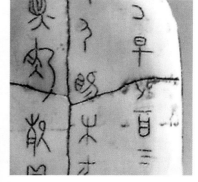

⑤甲骨文字

― 今も読まれる孔子の『論語』―

　「火はありすぎれば焼かれて死に，水はありすぎればおぼれて死ぬ。だが，人を思いやる心はありすぎて死ぬことはない」「わかっていることを知っているとして，わからぬことは知らないとする。これがつまり知るということだ」

　『論語』は，紀元前6世紀ごろの思想家・孔子が対話した言葉を，のちに弟子がまとめた書物である。政治に対しても，法や刑罰ではなく，親子の情愛にもとづく思いやりの心を求めた。孔子の思想は，儒教として，朝鮮・ベトナム・日本にも大きな影響をおよぼした。

⑥孔子（紀元前551ごろ〜紀元前479）〈中国の切手〉

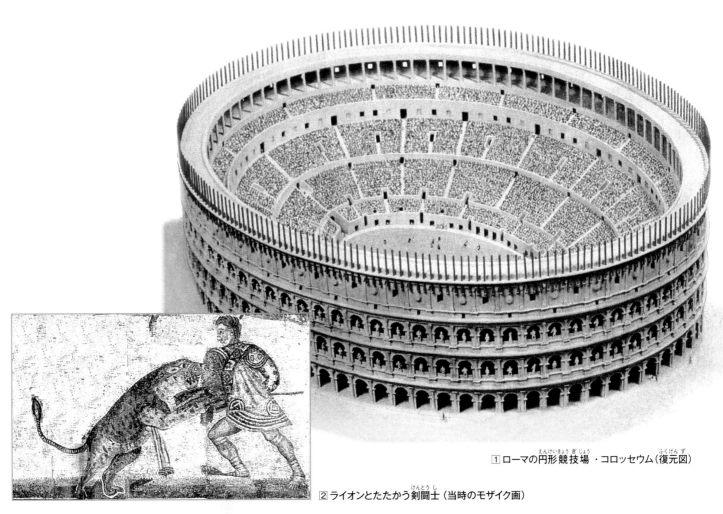

① ローマの円形競技場・コロッセウム（復元図）

② ライオンとたたかう剣闘士（当時のモザイク画）

（6）円形競技場の熱狂 ― 古代ギリシアとローマ ―

古代ギリシアではどんな政治をしていたか。ローマの市民や奴れいはどんな生活をしていたか。

③ 紀元前5世紀ごろのギリシアとペルシア

④ 戦うローマ軍兵士（想像図）

■ギリシアとローマ

紀元前8世紀ごろから，ギリシアでは，農業，手工業，交易などをいとなむ人びとが，アテネ，スパルタなどの都市国家をつくっていました。市民とされた成人男子は，広場の民会に参加し，政治の問題を議論し，決定しました。隣国ペルシアが大軍で攻めてきたときも，市民たちは全員が兵士となってこれに立ち向かい，撃退しました。

イタリア半島のローマも，同じく都市国家でしたが，地中海周辺の国々を征服して，紀元前1世紀までには広大な領土をもつ大帝国となりました。ローマは皇帝が支配する帝政で，有力者が政治を動かしました。

■5万人の大観衆

ローマは紀元1世紀になると，巨大な円形競技場（コロッセウム）をつくり，ここでライオンなどの猛獣と剣闘士のたたかいを見世物にしました。見世物はやがて，剣闘士どうしの剣や槍での激しいたたかいとなり，5万人もの市民が観客となって熱狂しました。紀元2世紀ごろには，この見世物は1年間に150回以上も開かれました。

ローマとの戦争で敗北した国々の兵士たちは，連行され，奴れいとし

⑤ クラウディア水道橋（ローマ市郊外）／
水源から市内まで全長約70km。

て土木工事や農場で働きました。人口100万のローマ市には，およそ20万人の奴れいがいました。これらの奴れいのなかから，命がけでたたかわされる剣闘士が選ばれました。

　紀元前1世紀に，剣闘士たちは立ち上がりました。農場の奴れいたちも参加して，ローマ軍をしばしば打ちやぶり，それぞれの故郷へ帰ることをめざして，2年間にわたって戦いました。しかし，最後は強力なローマ軍に打ち負かされました。これはスパルタクスの蜂起とよばれています。

⑥ローマ帝国の広がり（紀元2世紀ごろ）

地図内のラベル：ブリタニア／ロンディニウム（ロンドン）／ベルギカ／ゲルマニア／ルテチア（パリ）／ウィンドボナ（ウィーン）／大西洋／ガリア／イリリクム／黒海／■ローマ／ヒスパニア／ベスビオ山／ビザンチウム／カルタゴ／アフリカ／地中海／シリア／パレスチナ／ペルセポリス／アレクサンドリア／エルサレム／エジプト／紀元2世紀ごろのローマ帝国の範囲／0　1000km

■ 70kmもつづく水道橋

　ローマで政治を動かしていた有力者たちは，市民の生活に気を配っていました。市民はローマ軍の兵士となったからです。コロッセウムでの見世物も，市民を喜ばせるためのものでした。

　また，山のふもとのわき水や湖から，市内に水道を引き，紀元3世紀には，合計11本の水道施設を完成させていました。これらは，60〜70kmにおよぶ長大なもので，水道橋やトンネルで市内まで引き込み，不純物をろ過して，市民がきれいな水を使えるようにしました。

スパルタクス（?〜紀元前71）

　今のブルガリアで生まれた。ローマ軍と戦って敗れ，剣闘士となった。見世物としてたたかうよりも，自由のために戦おうと奴れいたちによびかけ，蜂起の指導者となった。

― 十字架のイエス ―

　紀元1世紀，地中海に面したパレスチナで，イエスは「神の愛は，貧しい人もしいたげられた人も，すべての人びとを救う」などと，人びとによびかけた。

　当時，パレスチナに住むユダヤ人は，ローマ帝国に支配されていて，重い税などに苦しみ，救世主があらわれるのを待ち望んでいた。イエスは，人びとから救世主（キリスト）として迎えられたが，その言動は，ローマ帝国に反逆するものだとされて捕らえられ，十字架にかけられて処刑された。

　イエスの教えを信じる人びとは，それをキリスト教として，ローマ帝国の各地に広めていった。ローマ帝国はこれを迫害し，ローマ市の大火事を，キリスト教徒の放火だとして，多くの信者を逮捕した。しかし，信者たちは，地下の墓地にかくれて，信仰を確かめあった。イエスの言葉は，紀元2世紀ごろに『新約聖書』におさめられた。紀元4世紀になると，ローマ帝国もキリスト教を公認し，キリスト教徒になる皇帝もあらわれた。

⑦イエス
（紀元前4ごろ〜紀元30ごろ）

1 野尻湖で最初に見つかった化石
〈野尻湖ナウマンゾウ博物館蔵〉

0　31cm

2 野尻湖

3 ナウマンゾウの牙（上）と
オオツノシカの角（下）の化石（1973年）
〈野尻湖発掘調査団提供〉

（7）湖にゾウを追う — 日本列島の旧石器時代 —

野尻湖で不思議な化石が見つかった。人びとはそこでどんな生活をしていたのだろう。

■ 不思議な形をした化石

長野県北部の野尻湖の岸辺で，1948年，長さ30cmをこえる，不思議な化石が見つかりました。

この化石がきっかけになり，1962年から大がかりな発掘がはじまりました。野尻湖は，冬には水が減って，湖の底があらわれます。中学生のグループが，湖底から，ナウマンゾウの足の骨を掘り出しました。

その後の発掘では，ナウマンゾウの牙とオオツノシカの角が，ならんで出土しました。歩幅130cmほどのナウマンゾウの足あとも，確かめられています。

ナウマンゾウのバラバラになった骨といっしょに，ナタの形をした骨も見つかっています。野尻湖の岸辺は，大型動物の狩りと解体の場所でした。

■ 円形に散らばった石器

花粉の化石を調べると，その時代の植物の種類がわかります。4万年ほど前，野尻湖のあたりは，モミ・エゾマツなどの針葉樹の森でした。気温は，今より5℃ほど低く，冬には，湖に氷がはりつめていました。

― 2万年前の海岸線
---- 現在の海岸線
● 日本列島の旧石器
　時代の主な遺跡

（オホーツク海）

（日本海）

野尻湖

岩宿

（太平洋）

0　500km

4 約2万年前の日本列島
〈Davison,Chibaほかによる〉

⑤人びとの生活をえがいた想像図〈野尻湖ナウマンゾウ博物館蔵〉

⑥野尻湖の発掘（2018年）／
第22次発掘（2018年）までに，のべ2万
2100人が参加した。小学生から高齢者ま
で，学習をしながら作業をした。
〈野尻湖発掘調査団提供〉

　野尻湖から1kmほどはなれた丘からは，黒曜石・メノウなどを打ち欠いてつくった石器（打製石器）が大量に見つかりました。これらの石器は，直径30mほどの円形をえがいて散らばっていました。一部をみがいた石の斧も見つかりました。大型動物の解体や，木を伐るのに使われたものです。

5　このあたりに，50人前後の人びとが狩りのために集まりました。ナウマンゾウ1頭は，体重が4～5トンあり，そこから約2トンの肉がとれます。50人のグループならば，30日分の食料になります。

旧石器時代

　打製石器をおもに使っていた時代。アフリカで猿人が石器を使いはじめてから，260万年以上つづいた。

■移動生活をつづける人びと

　この時代の人びとは，毛皮をテントにし，火を使って生活していました。しかし，住居の跡は，ほとんど見つかっていません。

10　おおぜいが同じ場所で狩りをつづければ，えものの大型動物も食べつくしてしまいます。集まって狩りをしたあとは，また小グループに分かれて移動しました。大がかりな狩りのほか，石器の材料の交換や祭りのときにも，一時的に集まったと考えられます。

　野尻湖の石器の材料につかわれた黒曜石は，80km南の霧ヶ峰（長野県）から運ばれたものです。伊豆諸島（東京都）の黒曜石は，海をへだてて150kmほどはなれた神奈川県でも発見されています。

⑦打製石器／黒曜石製（実物大）。
〈相澤忠洋記念館蔵〉

― 赤土のがけからの発見 ―

　1946年の秋，相澤忠洋（当時20歳）は，岩宿（群馬県）の赤土のがけから，黒曜石を打ち欠いてつくった打製石器を見つけた。相澤は，行商をしながら考古学の勉強をし，シベリアで発見された打製石器についても学んでいた。

　相澤が掘り出した石器によって，日本列島にも，旧石器時代の人びとがいたことが，はじめて明らかになった。それまで，日本列島では，1万年以上前の噴火で積もった火山灰の赤土（ローム層）からは，石器が発掘されていなかったため，その時期には，日本列島に人間は住んでいなかったと考えられていた。

　相澤の発見ののち，北海道から南西諸島まで，1万カ所以上の旧石器時代の遺跡が発見されている。港川（沖縄県）では，1万8000年前の男性の全身の骨などが化石となって発見された。

⑧地層を調べる相澤忠洋（1926～1989）〈相澤忠洋記念館蔵〉

① 鳥浜のムラの生活（想像図）

② 縄文土器（約9200年前）／
神奈川県夏島貝塚から出土。
〈明治大学博物館提供〉

（8）かわる気候、めぐる季節 ―縄文時代―

縄文時代の遺跡から多くのものが発見された。人びとは，春夏秋冬にどんなことをしたのだろう。

③ 約6000年前の日本列島
〈Davison,Chibaほかによる〉

海面が最も高くなった
時期の海岸線
三内丸山遺跡
（日本海）
鳥浜貝塚
（太平洋）
夏島貝塚
0　　　500km

④ ヒョウタンの皮／原産地は西アフリカ。
〈福井県立若狭歴史博物館提供〉

■ 縄文時代のタイムカプセル

福井県の鳥浜貝塚では，たくさんの石器や土器が発見されています。そればかりではなく，水辺にあったため，くさりやすい木製品や植物も，水につかった状態で残りました。このため，鳥浜貝塚は，「縄文時代のタイムカプセル」とよばれています。

地層をはぎとるように，少しずつ掘っていくと，しだいに古い時期の生活の跡があらわれてきます。鳥浜では，地下3mから約5500年前のものが，地下7mから1万2000年前のものが掘り出されました。

直径2cmほどで，弾力のある縄が見つかりました。縄目のもようのついた土器がつくられた時代を，縄文時代とよびます。

丸木舟，石斧の木の柄，色あざやかな赤い漆ぬりのクシなども，出土しました。どれもが，目的にあった木の種類を選び，みごとな技術で加工してあります。ヒョウタンやマメなどが見つかり，このころすでに，植物の栽培がはじまっていたこともわかりました。

■ 四季の変化をいかして

約5500年前の鳥浜のムラからは，3軒のたて穴住居の跡が発見されました。20人ほどが住んでいたと思われます。人びとは，森や湖，海から，

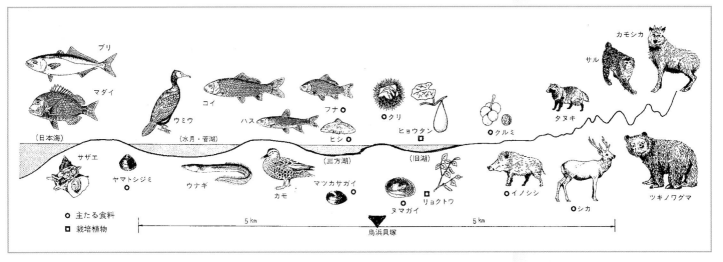

⑤鳥浜貝塚の周辺でとれるおもな食料〈若狭三方縄文博物館による〉

食料をえて生活していました。木の実や野草を採集し，湖や海の魚をとり，けものを狩りしていました。

　食料は，クルミ・ドングリ・ヒシの実，そしてヤマイモや球根類が中心でした。ドングリをたくわえた穴もありました。秋にとれた木の実を
5 保存し，季節ごとにとったえものをおぎなって食べ，くらしていました。

■ 自然にたよった生活

　縄文時代は，約1万5000年前からはじまり，1万2000年間以上つづきました。1万年前，氷河期が終わってあたたかくなると，海面が上昇し，日本列島は大陸から完全にへだてられました。

　たて穴住居の跡とさまざまな道具が，北海道から沖縄にいたる各地で
10 出土しています。石の矢じりや，仕上げにみがきをかけた斧，すり石・石皿などの磨製石器も見つかっています。

　5000年ほど前に，さらにあたたかな気候になると，関東や中部地方ではムラの数がふえました。ある学者は，日本列島全体で，人口が30万人をこえたと計算しています。

15 そののち，狩りでのえもののとり過ぎや，気候の変化などのために，多くのムラがほろび，ふたたび人口は急激に少なくなりました。乳幼児の間に死んでしまうことが多く，40歳以上の人の骨は，わずかしか出てきません。うえ死に寸前の状態にあったことをしめす骨や，ひどい骨折のあとがあるものも見つかっています。

⑥すり石と石皿〈福井県立若狭歴史博物館提供〉

もようのない土器

　シベリアの森林地帯で，最も古い，約1万6000年前の土器が発見されている。青森県の大平山元遺跡でも，同じころの土器が見つかっている。

　土器の発明によって，煮炊きしたものが，食べられるようになった。

⑦土偶（青森県出土）／安産や自然のめぐみをいのったと考えられる。〈東京国立博物館蔵〉

― 三内丸山の大規模なムラ ―

　三内丸山（青森県）で，長さ30mをこす大型の建物や，たくさんのたて穴住居の跡が発掘された。大規模なムラが，約5500年前から1500年間ほどつづき，多いときには，500人ほどがくらしていたと考えられている。

　原生林を焼きはらってクリ林にし，クリやクルミを多く食べていた。シカやイノシシは早い時期にとりつくしたらしく，ノウサギなど小動物の骨が多く発見されている。

⑧復元された大型の建物（三内丸山遺跡）

①板付のムラの秋（想像図）

②石包丁／（上）は菜畑遺跡，（下）は吉野ヶ里遺跡から出土したもの。〈佐賀県教育委員会提供〉

③弥生土器〈東京国立博物館蔵〉

（9）稲作がはじまる ―弥生時代―

水田で稲作がはじまった。稲作は人びとのくらしや社会をどのように変えていくのだろう。

■石包丁で穂をつみとる

弥生時代，秋になると，人びとは，みのった稲穂を選んで，石包丁でつみとりました。黒米や赤米もあり，粒の大きさや茎の長さもさまざまで，ヒエなどの雑草もたくさんはえた水田でした。

収穫した穂はたばねて乾かし，高床倉庫や穴にたくわえました。種もみは，つぼに入れて大切に保管しました。ドングリやトチの実も大切な食料で，大量にたくわえていました。

石包丁は，朝鮮半島で発掘されたものと同じ形です。稲作の技術や，種もみ・道具をもった人たちが，朝鮮から海をわたってきました。この人たちは，九州北部に住みついて，ムラをつくりました。その後，稲作は各地に広まっていきました。

九州の北部で，水田稲作がはじまった紀元前4世紀ごろから紀元3世紀ごろまでを，弥生時代とよびます。

■水田を見下ろす墓

板付（福岡県）で，二重の堀に囲まれた，弥生時代のはじめごろのムラが発掘されました。水田の跡と黒く炭になったもみ，石包丁・木製のスキが見つかりました。水田には，幅2mほどの水路から水を引き，木のくいで水量を調節していました。たくさんの矢板を打ち込んで，畦がくずれないようにしました。洪水で，水田が土砂にうまってしまうことも，しばしばありました。

北海道と南西諸島

北海道では，漁・採集・狩りを中心とした生活がつづいた（続縄文文化の時代とよぶ）。

南西諸島では，サンゴ礁の内海での漁や貝の交易などがおこなわれた（貝塚文化の時代とよぶ）。

弥生時代のはじまり

近年では，従来の年代測定の結果を補正して，紀元前10世紀ごろとする学説も出されている。

④木製スキ（長さ100.4cm）〈佐賀県教育委員会提供〉

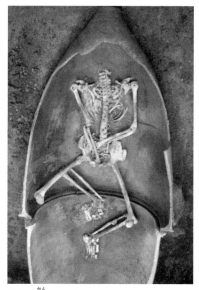

⑤かめ棺にほうむられた骨
〈佐賀県教育委員会提供〉

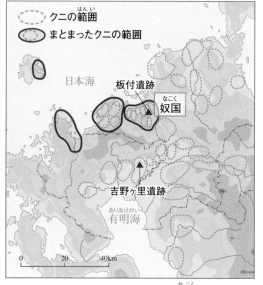

⑥九州北部のクニ（紀元1世紀はじめ）／奴国は，のちのよび名。

⑦銅鐸（高さ39.2cm）／稲作や水のまつりに使った。〈神戸市立博物館蔵〉

ムラはしだいに大きくなり，水田を広げました。水田を見下ろす丘には，盛り土をした墓がつくられました。ムラの有力者が，ほうむられたと考えられます。

■ クニができ、王があらわれる

稲作が広まると，ムラとムラが，土地や水をめぐって争うようになりました。貯蔵した米を，うばいあうこともありました。剣の先や矢じりがささった骨など，戦いできずついた人の骨が，数多く発見されています。強いムラがまわりのムラを従え，小さな平野や盆地などを支配する，小さなクニがあらわれます。

クニの中心のムラの墓から，王の地位をしめす銅剣・銅鏡やまが玉などが発見されました。銅鐸など青銅器は，豊作を神にいのるまつりに使われました。王は，まつりをおこない，戦争を指揮しました。吉野ヶ里遺跡では，銅剣が納められた墓や，絹や貝のうで輪が見つかった墓が発見されています。

王は，青銅器や武器・工具の原料である鉄を，中国や朝鮮半島から手に入れました。紀元1世紀に書かれた中国の歴史書には，「倭人が百以上の国をつくっていて，皇帝に使いを送ってくる」としるされています。

倭人
『漢書』地理志では，日本列島に住んでいた人びとを倭人とよんでいる。

― 稲作のはじまりと広がり ―

イネは，もともと湿地にはえる野生の植物だった。氷河期が終わり，気候が変動するなかで，稲作がはじまった。中国の長江の下流で，8000年ほど前の大量のもみと，木や骨でつくった農具，家畜のブタの骨などが見つかっている。稲作が中国から日本列島へと伝わったルートは，いくつか考えられている。

日本列島では，稲作は九州北部から各地に広まっていった。東北地方北部（青森県）でも，水田稲作は弥生時代の初期にはじまり，数百年間おこなわれた。中央高地や関東地方では，小さな集落での生産に適したアワやキビなどをつくっていた。これらの地方では東北地方よりおそく水田稲作をとりいれた。

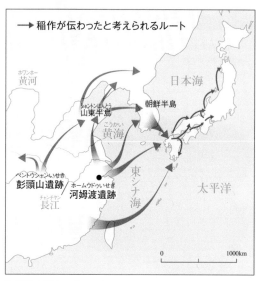

⑧稲作が伝わったルート

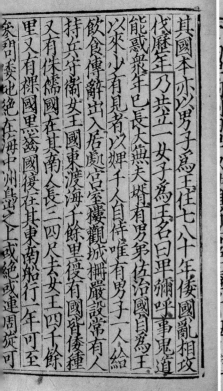

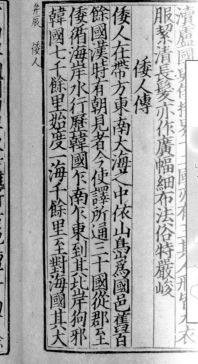

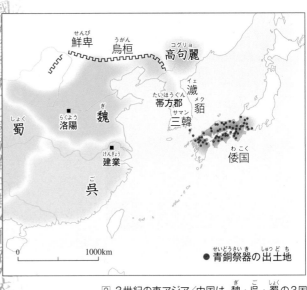

② 3世紀の東アジア／中国は，魏・呉・蜀の3国が対立している。朝鮮半島には魏の帯方郡などのほか，南部には80ほどの小国があった。

● 青銅祭器の出土地

（10）倭国の女王、卑弥呼 ― 邪馬台国 ―

倭の卑弥呼はなぜ魏に使いを送ったのだろう。東アジアはどのように変化していったか。

フォーカス

■ 中国の歴史書に書かれた卑弥呼

3世紀に編さんされた，中国の『魏志倭人伝』という書物には，倭国と女王の卑弥呼のことが書かれています。

それによると，2世紀の末，倭国では何年間も戦いがつづいたので，各地の有力者が，一人の女性をもり立てて王としました。この女王が，邪馬台国の卑弥呼です。卑弥呼は，鬼道（まじない）にすぐれ，人びとの心をつかみました。年をとっていて，夫はなく，弟が政治を助けました。たくさんの女性がつかえ，一人の男が食事を運んだり，卑弥呼の言葉を伝えたりしました。宮殿や高殿は城柵にかこまれ，兵士たちが守っています。 5

倭国の都は，邪馬台国におかれました。卑弥呼は，銅鏡などの宝物や，すすんだ技術を中国からとりいれて，力をしめしました。 10

③ 復元された物見やぐらと城柵
〈佐賀県・吉野ヶ里遺跡〉

④ 土器の破片にえがかれた建物
〈奈良県　唐古・鍵遺跡　田原本町教育委員会蔵〉

■ 漢と紀元前の東アジア

紀元前3世紀のおわりに，中国を最初に統一した秦がほろびました。紀元前202年に，漢が国をたてて，ふたたび中国を統一しました。周辺の国々は使者を漢に送り，皇帝から王の位を認めてもらい，金印などをあたえられました。 15

一方，モンゴル高原の匈奴は，強力な騎馬軍団で遊牧民をまとめ，漢と外交関係を結びました。匈奴の王は，「天より生まれた単于（大君主）」と名のって，漢の皇帝に手紙を送っています。朝鮮北部の高句麗は，紀

滇王の金印（蛇）
〈中国国家博物館蔵〉

5 紀元前後の東アジアと
漢の皇帝があたえた金印

広陵王の金印（亀）
〈南京博物院蔵〉

倭の奴国王の金印（蛇）

6 「漢委奴國王」の金印
（1辺2.3cm）／江戸時代に志賀島
（福岡県）で発見された。
〈福岡市博物館蔵〉

元前1世紀ごろ，国としてまとまりはじめました。

このころ，東アジアでは，中国を中心にして，外交や文化交流がさかんになります。漢字，儒教などの思想や政治のしくみ，製鉄や絹織物などのすすんだ技術が，まわりの地域に大きな影響をあたえました。

邪馬台国はどこにあったのか
　邪馬台国があった場所をめぐっては，江戸時代から九州説，近畿説など多くの説がある。「魏志倭人伝」の文章からだけでは読みとれず，位置を確定する遺跡も発掘されていない。現在も論争がつづいている。

■ 卑弥呼にも、金印が授けられた

5 　3世紀になると，中国では漢がほろび，魏・呉・蜀が分立して争う三国の時代になります。

　北方にあった魏が，朝鮮半島に勢力をのばして役所を置くと，卑弥呼はすぐに使者を送りました。貢ぎ物として，男女の奴れい10人と布を差し出しました。魏の皇帝は，りっぱな絹織物や衣服などと，銅鏡

10 100枚をあたえ，「倭人たちをよく治め，皇帝につくせ」と伝えました。卑弥呼を，倭国の王として，正式に認めたのです。そのあと，紫色のひもで持ち手を結んだ「親魏倭王」の金印が，卑弥呼に授けられました。

　日本列島西部にあった，邪馬台国を中心とする30ほどの国々を，中国は倭国とよんでいました。卑弥呼は，対立する狗奴国と戦ったとき，

15 魏に救援を求めました。このとき，魏の皇帝は，黄色い軍旗と激励の言葉をあたえています。

　卑弥呼が死ぬと，土を盛り上げて，直径100歩以上の大きな墓がつくられました。卑弥呼の死後，倭国ではふたたび戦いがおこりました。

7 纏向遺跡（奈良県）の大型建物の復元CG
／邪馬台国の候補地の一つである。
〈鳥取環境大学浅川研究室〉

各地にある女性の有力者の墓
　弥生時代から5世紀中ごろにかけて，九州地方から関東地方の各地に，男性有力者の墓とともに女性有力者の大きな墓がつくられている。

―「魏志倭人伝」が伝える倭人の生活と社会 ―

　倭人の男は，布で頭をしばり，幅の広い布を身につけている。女はまげを結って，中央に頭をとおす衣服を着ている。イレズミによって出身や地位をしめす。生野菜を食べ，食事は高坏に盛って，手づかみで食べる。集会での，座席の順序やたちいふるまいに，父子や男女の区別はなく，人びとは酒好きで，長生きである。米や麦を育て，麻布や絹織物をつくる。牛や馬はいない。

　身分に差があり，下戸が道で大人に会うと，後ずさりして草むらによける。下戸が大人に言葉を伝えたり，説明したりするときは，ひざまずいたりして両手を地面につける。答えるときは「アイ」と言う。罪を犯すときびしい罰があたえられる。一族が殺されたり，妻子が奴れいにされたりすることもある。税を収める倉庫があり，国々を監視する役人，港や市場を監督する役人もいる。

① 王のやかたと3基の古墳（復元図）〈群馬県・三ツ寺遺跡と保渡田古墳群〉

② たて穴住居の復元図〈群馬県・黒井峯遺跡〉

（11） 古墳を見上げるムラ ―古墳時代―

噴火でうまったムラが発掘された。ムラを支配した王の墓の多くが前方後円墳なのはなぜだろう。

古墳時代

3世紀半ば～6世紀。形が整った前方後円墳がつくられた。前方後円墳約5700基のほか，前方後方墳・円墳・方墳などの古墳が10万基以上残っている。

③ 農夫のはにわ（埼玉県出土）と武人のはにわ（群馬県出土）
〈埼玉県立さきたま史跡の博物館提供・東京国立博物館蔵〉

10m

④ 発掘された水田
〈群馬県・御布呂遺跡　高崎市教育委員会・かみつけの里博物館提供〉

■ 火山噴火でうまったムラ

5世紀から6世紀にかけて，群馬県の榛名山は，噴火をくり返しました。火山灰が，築かれたばかりの古墳の上にも積もりました。ムラや水田は，ふり積もった軽石でうまりました。この遺跡は，1980年代から発掘され，当時の住居や生活の跡があらわれました（黒井峯遺跡）。

ムラには，10家族・200人ほどが住んでいました。たて穴住居と小屋が，一組になっています。煙突がついたかまどや，かたく焼いた須恵器は，朝鮮半島から伝わったものです。馬のひづめの跡がたくさん残った放牧地や，牛小屋も見つかりました。

しめった土から，たくさんの人の足あとが発掘されました。当時の水田です。木製のスキで，田おこしをしていたところのようです。春の農作業の最中に，噴火がはじまったことをしめしています。作業が終わったら，畦をつくって，水を張ったことでしょう。

畑では，アズキやヒョウタン・麻・クリを栽培していました。

■ 王のやかたと古墳

ムラを支配した王（豪族）のやかたも，発掘されました。堀に囲まれ，ムラとはへだてられています。井戸の近くに，外からも水を引き，儀式をおこないました。税を収めた倉庫，青銅器や鉄器をつくる仕事場もありました。

やかたの主であった3代の王がこの地を支配し，3基の前方後円墳を

5

10

15

⑤ 5世紀の東アジア

（map labels）
高句麗（コグリョ）
広開土王の石碑（クァンゲトおう）
新羅（シルラ）
百済（ペクチェ）
伽耶（カヤ）
出雲（いずも）
吉備（きび）
筑紫（つくし）
河内（かわち）
大和（やまと）
倭国（わこく）
尾張（おわり）
毛野（けの）
榛名山

■ 4世紀前半までの前方後円墳
● 4世紀後半までの前方後円墳

0　200km

⑥ はにわとふき石が復元された群馬県・八幡塚古墳（全長96ｍ）

つくらせました。このころ，王は大和（奈良県）の勢力や，朝鮮半島との関係を深めていました。渡来人（とらいじん）の集団を招いて，その新しい技術で，榛名山のふもとを開拓（かいたく）しました。

■ 同じつくりの前方後円墳

3世紀後半になると，大和地方や瀬戸内海（せとないかい）の周辺の地域（ちいき）に，同じつくりの前方後円墳がつくられはじめます。土を小山のように盛り上げ，ふき石を積み，はにわをならべました。棺（ひつぎ）の中には，銅鏡（どうきょう）や鉄製（てっせい）の武器・農具などの副葬品（ふくそうひん）を納（おさ）めています。これが，各地に広がりました。

5世紀には，奈良県や大阪府に，ひときわ巨大（きょだい）な前方後円墳が何基もつくられました。この地域が，大王を中心にまとまったことをしめしています。これを大和政権（やまとせいけん）とよびます。大和の周辺に，須恵器や鉄製品をつくる渡来人のムラができ，大きな倉庫が建てられました。

大和政権の力が強くなると，各地の王の一族が大王につかえたり，命じられて戦争に参加したりしました。王たちは，大量の鉄を必要としていました。武器や，クワの刃先（はさき）や鎌（かま）などの農具をつくるためです。大和政権は，朝鮮半島から，鉄の素材（そざい）やすすんだ技術を手に入れ，各地の王たちに分けました。

⑦ 大山古墳（だいせんこふん）（大阪府堺市）／
全長486ｍ　高さ36ｍ
盛り土の量
10トントラックで25万台分
ふき石　　536万5000個
はにわ　　　1万5000個
現代の建設会社の計算では，
1日あたり2000人が15年8カ月働いたとされる。

渡来人
　朝鮮半島や中国から集団で移り住んだ人びと。土器や鉄つくり・機織り（はたおり）の技術，漢字を書く文化を伝えた。大和政権の豪族となった一族も多い。

── 大王の名をうめ込んだ鉄剣（てっけん）──

■ 文字をうめ込んだ，5世紀の鉄剣・鉄刀が，稲荷山古墳（いなりやまこふん）（埼玉県）と江田船山古墳（えたふなやまこふん）（熊本県）で発見された。その両方に，ワカタケル大王の文字があった。

■ ワカタケル大王は，武（ぶ）と名のって中国に使いを送り，皇帝（こうてい）から「安東大将軍（あんとうだいしょうぐん）」「倭王（わおう）」などの称号（しょうごう）をあたえられた。同じころ，高句麗（コグリョ）の王は「征東大将軍（せいとうだいしょうぐん）」に，百済（ペクチェ）の王は「鎮東（ちんとう）大将軍（だいしょうぐん）」に任命（にんめい）されていた（中国の歴史書『宋書（そうじょ）』による）。

　大和政権は，朝鮮半島南部の伽耶地域（カヤちいき）との関係を強め，百済（ペクチェ）と連合して，高句麗（コグリョ）や新羅（シルラ）と戦った。5世紀はじめに建てられた，高句麗の広開土王（こうかいど）の石碑には，「海をわたってきた倭の軍隊を打ちやぶった」と書かれている。大和政権は，このような外交や戦争をとおしても，倭国内での力を強めた。

獲加多支鹵大王（ワカタケルおおきみ）

⑧ 稲荷山古墳の鉄剣（長さ73.5cm）
〈文化庁蔵・埼玉県立さきたま史跡の博物館提供〉

第1章をふりかえる

1 年表のAからEの古代文明のおこった場所を，地図の（　　　　）に記号で書きましょう。表のAからCの文明の名を入れましょう。また、表の各文明に関係するものを語群から番号で選びましょう。

紀元前3500年ごろ	くさび形文字がつくられる　A
紀元前2500年ごろ	ピラミッドがつくられる　B
紀元前2500年ごろ	インダス川周辺に都市がつくられる　C
紀元前1600年ごろ	中国文明がおこる　D
紀元前8世紀ごろ	ギリシアに都市国家ができる　E
紀元前221年	秦が中国を統一する
紀元前1世紀	ローマが大帝国となる

記号	文明の名	関係する番号
A		
B		
C		
D	中国文明	
E	ギリシア	
	ローマの文明	
	秦	

語群

①洪水　②青銅器　③アテネ　④巨大な穀物倉庫

⑤パン, ビール, 肉　⑥暦　⑦兵馬俑　⑧万里の長城

⑨水道・下水道　⑩スパルタクス　⑪インダス文字

⑫レンガづくりの住宅　⑬象形文字　⑭『論語』

⑮民会での政治　⑯チグリス・ユーフラテス川

⑰甲骨文字　⑱コロッセウム

2 世界の古代文明に共通点はあるでしょうか。ちがいはあるでしょうか。まとめてみましょう。

3 この時代に，朝鮮半島や中国から，日本列島にもたらされたものをあげてみましょう。そのなかで，一番重要だと思うものとその理由を考えて，話しあいましょう。

歴史を体験する ## 火と人類の歴史をさぐる

●火を手に入れた人類

約150万年前の遺跡から，たき火のあとが発見されています。約50万年前の北京原人が住んでいた洞窟には，多量の灰がたまっている場所がありました。しかし，原人が火をおこしていた証拠は，見つかっていません。

●いろいろな発火法

①キリモミ式　②ヒモギリ式　③ユミギリ式　④マイギリ式　⑤ヒバナ式

①〜④は，木や竹を摩擦させて発火させる方法です。⑤は鉄片に石をぶつけてできた火花で，火種をつくる方法です。ここでは，日本で古くからおこなわれてきた，①のキリモミ式発火法に挑戦しましょう。

火おこしに挑戦する

① 火をおこす材料を用意する

　防火のために，必ず，バケツに水を用意します。材料は，手にはいりやすいものを選びます（写真Ⅰ）。

写真Ⅰ

- 直径1cm，長さ45～60cmほどのメンピサンなどの丸棒（火キリ棒）
- 厚さ1cm，幅3cm，長さ30cmのスギ板（火キリ板）と，うすいベニヤ板
- のこぎり，工作用ナイフか彫刻刀（丸刀）

② 発火具をつくる

①のこぎりで，スギ板の側面にななめに切り込みを入れます。反対側からも切り込んで，幅4mm，深さ3～4mmのV字形（60～80度）に切り落とします（写真Ⅱ）。

②V字の奥に皿状のくぼみ（直径1cm，深さ約2mm）をつくります。これを，火キリウスといいます（写真Ⅲ）。刃物の前に，手を置かないようにしましょう。

③丸棒の先端のかどを少しけずって，丸くしておきます。

写真Ⅱ

写真Ⅲ

③ キリモミ式発火法で火をおこす

①机の上にベニヤ板をしいて，火キリ板を置きます。机をこがさないためと，熱が机に逃げないようにするためです。

②火キリウスに火キリ棒をおしあてて，キリで穴を開けるように手のひら全体でもみ込みます。2～3人で交代しながらおこないましょう（写真Ⅳ）。

③脇をしめて，はじめはゆっくりと，下におしつけるように力を入れて，もみ込みます。火キリウスから棒の先端がはずれないようにしましょう。

④白いけむりが上がりはじめたら，だんだんと回転を速くします。黒い木の粉が集まりはじめたら，ラストスパートをかけます。

⑤たまった黒い木の粉から，スーッとけむりが立ちのぼったら，火種ができています。そっと息をかけると，赤い火が見えます（写真Ⅴ）。

写真Ⅳ

④ 火口を使って火種を大きくする

　火口は，まえもってつくっておきます。空きカンの中に入れた木綿のガーゼに，火をつけます。菜ばしでつまんで裏返し，火が全体に回るようにします。空きカンにふたをします。軍手をつけ，やけどをしないようにしましょう。しばらく蒸し焼きにすると，炭化して黒くなった火口ができあがります。

　火おこしでできるのは火種です。火口を使って火種を大きくして，燃え上がらせましょう。火口に，さっきできた火種を入れ，けむりを吸い込まないように注意しながら，そっと息を吹きかけると燃え上がります（写真Ⅵ）。

写真Ⅴ

〈話しあいましょう〉

　火を使用するようになると，どんな良いことがあるでしょうか。生活はどのように変わっていくでしょうか。

写真Ⅵ

紀元前1000年

第2章 日本の古代国家

宗教の広がり
地図は8世紀ごろの世界

> ⓘ 第2章の扉ページでは,
> 世界に広がる宗教を見つめました。

紀元前500年

神々とともに生きる人びと

マヤの人びとは,太陽・月・動植物など,さまざまなものを神として信仰していました。また,王は神聖な力をもつと考え,神々と王のために,巨大な神殿や祭壇をつくりました。

◀マヤ文明の都市にあるカスティーヨの神殿(メキシコ)

紀元

500年

▲イエスをえがいた壁画
(13世紀 トルコ)(アヤソフィヤ蔵)

キリスト教を信じる人びと

キリスト教は,1世紀に西アジアで生まれ,のちに中央アジアやヨーロッパに広まりました。

1000年

マヤ文明

フランク王国

ビザンツ帝国

キリスト教の成立

アッバース朝

赤道

ガーナ王国

大西洋

イスラム教の成立

1500年

イスラム教を信じる人びと

イスラム教は,7世紀にアラビア半島で生まれ,のちに北アフリカや東南アジア・中国にまで広まりました。

◀マッカ(メッカ)のカーバ神殿(サウジアラビア)

2000年

東大寺の大仏をつくる

仏教は，インドから中国，朝鮮半島を経て，日本に伝わりました。東大寺大仏をつくるときには，渡来人の技術者が中心となり，開眼の儀式には朝鮮半島・中国・インドの人も参加しました。

▲東大寺の大仏（奈良県）

太平洋

赤道

日本

渤海

新羅

唐

インド洋

仏教の成立

中国にさまざまな宗教が伝わる

唐の時代に，仏教がさかんになりました。玄奘は，仏教を学びにインドへ旅し，その記録は『西遊記』のもとになっています。キリスト教・イスラム教なども伝わっていました。

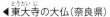

▲玄奘〈東京国立博物館蔵〉

▲アンコール・ワット（カンボジア）

さまざまな宗教が出会う海域

東南アジアには，ヒンドゥー教・仏教・イスラム教が，のちにはキリスト教が伝わりました。アンコール・ワットは，12世紀にヒンドゥー教の寺院としてつくられ，16世紀に仏教の寺院になりました。

仏教とヒンドゥー教のふるさと

インドでは，紀元前5世紀に仏教が生まれました。現在では，ヒンドゥー教徒が多数になっていて，ガンジス川での沐浴など，人びとの生活に根づいています。

◀ガンジス川でいのる人びと（インド）

（1）ゆれる東アジアのなかで —飛鳥から藤原京へ—

仏教の導入で，超高層の寺院が出現。そのあと倭国は，ゆれる東アジアにどう立ち向かうのか。

[2] 飛鳥大仏（釈迦如来坐像）〈飛鳥寺蔵〉

■ そびえ立つ五重塔

6世紀末ごろ，飛鳥（奈良県）に，今までに見たことのない高層建築があらわれました。高さ30mの五重塔です。中金堂には金銅の大仏がすわっています（飛鳥寺）。大和政権をになう豪族・蘇我馬子が，百済などの技術者の力を借りて，20年かけて完成させました。

仏教は6世紀の前半に，朝鮮半島の百済から伝えられました。寺院の大きな建物や，仏像のすがたは，人びとをひきつけました。倭国で最初の仏教の指導者は，女性でした。3人の少女が百済に留学して修行し，帰国したのちに，仏教の教えを人びとに広めました。

厩戸皇子（のちに聖徳太子とよばれる）も，高句麗の僧から仏教の経典を学び，四天王寺（大阪府）や法隆寺（奈良県）を建てました。

■ 激変する東アジア

589年に隋が中国を統一すると，朝鮮の高句麗，百済，新羅は，すぐに隋の皇帝に使者を送りました。蘇我馬子と厩戸皇子は，この動きを見て600年に隋に使者を送りました（遣隋使）。このとき，隋から，政治に対する考えを改めるように助言され，冠位十二階を制定しました。役人の地位の高さを冠の色であらわすものです。607年，小野妹子は高い地位の冠をつけて，遣隋使として派遣されました。

また，十七条の憲法によって，政治をおこなう役人の心がまえをしめしました。これらは，蘇我馬子と厩戸皇子が協力してすすめました。

一方，中国では隋がほろび，唐が大帝国をつくろうとしていました。

[3] 7世紀はじめの東アジア

大化の改新

これまで豪族が治めていた土地や人民を，国が直接支配する（公地公民）などの改革。大化はこのときの元号という。

④山城と水城（復元図）／山城は尾根に土塁を築き，武器・食料をたくわえた。水城は深さ4mの堀と高さ10mの土塁で，敵の侵入を防いだ。

⑤大王一族と蘇我氏の系図

〇は，女性
青文字は，蘇我氏一族
①など数字は，大王の即位順
（　）は，のちの時代のよび名

唐は645年から，何度も高句麗を攻撃しました。これに対し，新羅は唐と結びましたが，百済は高句麗と結んで唐に抵抗し，朝鮮半島は激しく動きました。

　このとき倭国では，中大兄皇子が中臣鎌足らと協力して，
5　大和政権で大きな力をもつ蘇我入鹿を飛鳥の宮殿で殺害し，政治の改革をめざしました（大化の改新）。

■ 古代都市　藤原京へ

　663年，3万をこえる倭国の大軍が朝鮮半島に向かいました。朝鮮では，百済が唐と新羅の連合軍に敗れ，復興をめざして，倭国に助けを求めてきたのです。しかし，倭軍は，海上で唐の大型船に囲まれ，陸
10　上からは新羅軍の攻撃を受けて，多くの兵が犠牲となり敗北しました（白村江の戦い）。唐の水軍が，倭軍をはさみ撃ちにするなど組織的に戦うのに対して，倭軍は豪族がそれぞれ兵をひきいていたため，指揮を統一できませんでした。

　倭国では，唐・新羅の攻撃をおそれ，九州の水城や，九州から瀬戸内
15　にかけて多くの山城を築きました。これらの土木工事の技術は，百済から渡来してきた人びとが伝えました。また，宮殿を飛鳥から近江（滋賀県）にうつし，中大兄皇子が大王の位につきました（天智天皇）。

　新羅は百済をほろぼしたのち，唐と結んで高句麗もほろぼしました。さらに唐の勢力を排除して，676年に朝鮮を統一しました。新羅は都
20　を計画的に拡大し，市もにぎわいました。

　天智天皇の死後，その子の大友皇子と弟の大海人皇子が大王の地位を争いました（壬申の乱）。大海人皇子は美濃（岐阜県）や東海地方の豪族を味方につけて大友皇子の側をやぶり，673年に天武天皇となって，全国を支配する力をしめしました。

25　あとをついだ持統天皇は，694年に藤原京を完成させ，ここを都としました。東西・南北ともに5kmにおよぶ，初めての本格的な都です。

⑥藤原京の復元模型〈橿原市教育委員会提供〉／中央に宮殿や政治をおこなう建物があり，役人の住宅もならぶ。人口は3万〜5万人くらいだった。

「日本」と「天皇」はいつから？

　中国では日本列島の人びとを倭人とよび，大和政権も自国を倭国と称していた。しかし701年の唐への使者（遣唐使）は自国を日本とよび，唐も文書では，「倭国」にかえて「日本」と書くようになった。大和政権の最高の位は，それまで「大王」とよばれていた。これを「天皇」とよぶようになったのは，天武天皇からである。豪族たちの上に立つ権威としてそうよばれるようになった。

⑦飛鳥池遺跡から見つかった木簡（677年ごろ）〈奈良文化財研究所提供〉

平城宮

朱雀門

長屋王邸宅

唐招提寺

朱雀大路

西市

羅城門

① 平城京（復元模型）〈奈良市役所蔵〉

② 平城宮の朱雀門（復元）／南に向いている。高さ22ｍ。〈奈良文化財研究所提供〉

③ 木簡（部分）／平城京跡から発見されたもの。うすい木の札に、品名・数量・負担者などを書いて荷札とした。〈奈良文化財研究所提供〉

（2）奈良の都 ─律令制の成立─

都に大量の品物が運ばれてきた。どんなしくみができたのか。国の内外にどんな変化があらわれたか。

■ 乳製品も運ばれた

710年、朝廷は大和（奈良県）の平城京に都をうつしました。北側中央にある宮殿（平城宮）には、天皇の住む御殿である内裏や、政治をおこなう役所があります。そのまわりに貴族の邸宅が見えます。なかでも長屋王の邸宅は広大で、敷地は東西・南北ともに250mでした。

邸宅の跡からは、木の荷札（木簡）がたくさん見つかりました。米や塩のほか、桃・枇杷などの果物、鰹・鰒・鯛、猪の肉（塩漬け）、牛乳や蘇（乳製品）など、さまざまな品物が運び込まれていました。

朝廷に対しては、全国各地から、さらに大量の品物が運ばれました。これは調（各地の特産品）・庸（おもに麻の布）という税で、各地のムラの人びとが平城京まで運んできました。

このようなしくみは、701（大宝元）年に定められた大宝律令によるものです。律は刑罰を、令は政治のすすめ方を定めたきまりです（律令制）。これによって、日本も唐や新羅と同じように、律令によって国を治めることになりました。平城京の都が平安京にうつるまでを、奈良時代といいます。

朝廷
皇帝・天皇など君主が政治をおこなうところ・しくみ。
大和政権をになってきた豪族は、朝廷で高い地位をえて、貴族とされた。

④ 長屋王邸宅（復元模型）／長屋王は、729年に謀反を計画した疑いをかけられ、自殺に追い込まれた。〈奈良文化財研究所提供〉

■ 東アジアのなかの平城京

701年、白村江の戦い以後、30年ほどとだえていた遣唐使の派遣を決めました。このときの遣唐使がおとずれた唐の都・長安では、宮殿が藤

⑤東市の想像図／40ほどの店があり，運河で品物が運ばれた。〈早川和子画〉

⑥和同開珎／平城京を中心に広く使われた。750年ごろ，和同開珎1000枚（1貫文）で約2石（10俵）の米が買えた。和同開珎以前にも，7世紀後半，富本銭という貨幣がつくられた。〈奈良文化財研究所提供〉

原京とちがって都の中央ではなく，北の端にありました。平城京は長安にならって建設されました。

新羅は，7世紀後半から8世紀にかけて，しばしば使者を来日させました。渤海は，高句麗にかわって建国され，727年から使者を来日させて，外交や毛皮など北の産物の交易をおこないました。日本からも新羅，渤海に使者が派遣されました。九州には大宰府が置かれ，これら各国との外交・交易の窓口となりました。

このころ朝廷は，東北地方の人びとを，蝦夷とよんでいました。蝦夷は，朝廷が東北地方に支配をおよぼすことに，抵抗をつづけました。また，九州南部の隼人とよばれる人びとは，8世紀後半まで調・庸を課せられませんでした。

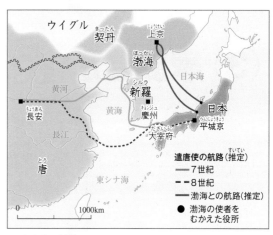

⑦遣唐使の航路

遣唐使の航路（推定）
― 7世紀
--- 8世紀
― 渤海との航路（推定）
● 渤海の使者をむかえた役所

大宰府
　白村江の戦い以後，唐・新羅などに対する防衛や外交の拠点とされ「遠の朝廷」といわれた。九州全体の行政も受けもった。九州地方の調・庸は大宰府に運ばれた。

■ 市のにぎわいと大仏建立

各地から運ばれた調・庸は役所の倉庫に収められ，政治の財源や，貴族や役人の給与とされました。また，朝廷は和同開珎という貨幣を発行しました。平城京の建設に働いた人びとの賃金も，この貨幣で支払いました。

平城京では，2カ所に国設の市が開かれました（東市・西市）。貴族や役人はここで給与の品物を売り，必要な買い物をしました。市には，布や，ワカメなどの海産物，米・塩など各地の品物がならび，大勢の人でにぎわいました。平城京の人口は，10万人と推定されます。

しかし，730年ごろから天然痘が大流行して，朝廷の高い地位にいた藤原氏の4人の兄弟が次々に死亡しました。さらに，不作やききんも重なり，多くの死者が出ました。また734年には，大地震が大和や河内（大阪府）をおそいました。

このようなこともあって，聖武天皇は国土の平安をいのって，各地に国分寺と国分尼寺を建て，都の東大寺に大仏をつくることにしました。大仏は752年に完成しました。その表面には，陸奥国の山あい（宮城県）でえられた黄金が，約60kgもぬられました。

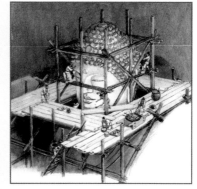

⑧大仏に金をぬる作業（想像図）
〈『朝日百科日本の歴史2巻』より〉

① 平城京に調・庸の品物を運ぶ運脚たち（想像図）／先頭は地方の役人。
〈伊藤展安原画〉

② 木簡に書かれた品物／ほとんどは平城京に運ばれた。九州のものは、大宰府まで運ばれた。

地図凡例:

備中: 白米・酒米・タイ・ごま油・鉄
備前: 白米・黒米・オオムギ・サザエ・クラゲ・鉄・クワ
伯耆: 白米・干もの
出雲: スズキ・わかめ
対馬
壱岐: サバ・タイ
筑前: サバ・タイ・わかめ・アワビ・ツビ
肥前: アワビ・まわた
筑後: アユ・まわた
肥後: 白米・干もの・まわた
豊前: わかめ
豊後: まわた
日向: まわた
薩摩
大隅
牛皮
長門: シオ
周防: イワシ・シオ
安芸: シオ
石見
備後: 白米・干もの・クワ
伊予: 白米
讃岐
土佐
阿

0　　　　200　　　　400km

（3）家族と別れる防人の歌 ——奈良時代の農民——

口分田で農業に取りくむ人びとは、防人のほか、税としてどんな負担をしいられていたか。

■ 防人の悲しみ

刀・弓・楯などを持った男たちが、東国（いまの関東地方周辺）から九州へ向かっていきます。奈良時代には、唐や新羅に対する防衛のために、約3000人の兵士が、防人として3年交代で動員されました。

集合地点の難波津（大阪府）までの食料と武器は、自分で準備します。長い間、故郷から離れ家族と別れる悲しみを、防人は歌に残しています。

信濃（長野県）のある父は、母のいない子たちが、泣いてすがりつくのにおいてきてしまったと、悲痛な心情を歌っています。この時代に編集された『万葉集』に、数多くの防人の歌がおさめられています。

防人の歌

可良己呂武
須宗乎等里都伎奈苦古良乎
意伎弖曾伎奴也意母奈之尓志弖

（唐衣裾に取りつき 泣く子らを
おきてぞ来ぬや 母なしにして）

この時代には、ひらがな・カタカナはなく、すべて漢字であらわしていた（万葉がな）。農民の多くは読み書きができたわけではなかった。防人の歌も、みんなで集まったとき、声を出して歌ったものを、文字を知る人が書きしるしたと考えられる。

■ 春の祭り —— 豊作のいのり

春が近づくと、ムラの人びとは、広場で祭りをおこないます。老若男女、ムラをあげて集まり、食事をともにし、酒盛りがはじまります。こうして、この年の米の豊作をいのるのです。

朝廷は、全国の水田を国のものとして、6歳以上の男女に口分田としてあたえ（死亡したときには返却する）、これに対して税や多くの義務を負わせました（班田収授法）。ムラでは、春祭りが終わると、苗代に種もみをまきます。やがて、ムラの人びとが総出で田植えをします。

さらに、1カ月ほどのちに、2回目の種まきをします。田植えも2回目をおこない、稲刈りも1カ月ほどおそくおこないます。最初に種まきをした稲は早稲、2回目のものは晩稲とよばれます。

■ のしかかる租調庸

秋になると、ムラは税を納める準備に追われます。口分田に対する

③ 神木に供えものをささげ、豊作をいのる（推定復元図）〈福井市立郷土歴史博物館蔵〉

平城京までかかる日数

	10日以内
	11～20日
	21～30日
	31日以上

（地図中の地名・特産品）
丹後 白米・赤米
播磨 白米・もち米・ダイズ・鉄・銭
美作 白米・ダイズ・フナ・イカ・イワシ・わかめ・曽布
隠岐 イカ・わかめ・ミル・アワビ
因幡 わかめ・干もの
若狭 白米・クワ・イワシ・イガイ・タイすし・銭
近江 白米・生蘇・醬
能登 サバ・いりこ・シオ
越前 白米
加賀 白米・かぶ
越中 フナ・まわた
佐渡
飛驒 アユ・ささげ・ニレカワ
美濃
信濃 シカ・キジ・大黄・銭・シカ
上野 アユ
下野 アユ
常陸 クロダイ・わかめ
武蔵 フナ・みそ
甲斐 くるみ
尾張 タイ
三河 白米・もち米・みかん・ふのり・干もの・シオ
遠江 タイ・糸
駿河 カツオ
相模
伊豆 カツオ・サメ・赤魚・アワビ・シオ
安房 アワビ・わかめ
上総
下総
但馬
丹波
丹後
若狭
摂津
和泉
河内
紀伊 白米・酒米・たにし・シオ
大和
山背
平城京
伊賀
伊勢 タイ
志摩 カツオ・わかめ・ミル・干もの・いりこ・シオ
出羽
陸奥

税は租といわれ，稲の収穫の３％ほどを地元の役所にとどけます。調（特産品）・庸（麻布）の品物を都へ運ぶ仕事もまっています。

安房（千葉県）のムラでは，調として都へ送るため，海へ出て大量のアワビ（鰒）をとり，乾燥させて荷をつくります。女性たちは，農作業の合い間に織った麻の布を荷にまとめます。これらのものは，ムラから選ばれた運脚が都へ運びます。

地方には，国ごとに朝廷から国司が派遣されていて，これらの仕事を監督します。地元の豪族は郡司となって，国司の下で人びとを直接指揮します。

さらに人びとにのしかかるのは，労役などの義務です。人びとは，各地の軍団の兵士とされ，東国の兵士は防人とされました。また，都で宮殿を守る衛士に，かり出されることもありました。毎年，ムラから都に上って，朝廷のためのさまざまな雑役にあたる人（仕丁）も出さなければなりません。

これら運脚・衛士・仕丁たちが，ムラへの帰り道に食料がなくなり，道ばたで倒れていると，朝廷は記録しています。このような重い負担をのがれるため，口分田をすててムラから逃亡する人がいました。兵役・労役は成人男子に課せられたため，戸籍をいつわる人も出てきました。

安房国安房郡松樹郷小坂里戸大伴部高根輸鰒調陸斤
天平七年十月
條伍拾伍條

④安房国の大伴部高根が，鰒を調として納めたときの荷札〈奈良文化財研究所提供〉

― 逃亡する人びと（山背国出雲郷の計帳 726年）―

戸主	出雲臣友足	年五十七歳	正丁 下唇黒子
妻	秦黒刀自売	年四十四歳	丁妻 左右頬黒子
男	出雲臣千倉	年二十六歳	正丁 下唇黒子 養老四年逃
妹	出雲臣意保義売	年二十六歳	丁女 和銅六年逃
奴	養麻呂	年九歳	
婢	三栖売	年三十歳	和銅元年逃

（「正倉院文書」一部要約）

これは計帳という，税や労役・兵役を課すための帳簿の一部分である。正丁は税などを課すべき人。「下唇黒子」は人相。「逃」としるされている３人が逃亡した人。奴（男）と婢（女）は身分の低い人たちで，まとめて奴婢といわれる。稲900束で24歳の奴を買ったなどと，別の文書に記録がある。

「バラモン僧」
〈正倉院宝物〉

「酔った西アジアの王」
〈正倉院宝物〉

「西アジアの王の家来」
〈正倉院宝物〉

① 伎楽の面「獅子」
〈正倉院宝物模造品〉

② 正倉院正倉／床の高さは2m

（4）シルクロードの贈り物 —奈良時代の文化—

伎楽や正倉院宝物，鑑真の来日からどんなことがわかるか。歴史書はなぜつくられたのか。

③ 五弦の琵琶
〈正倉院宝物〉

④ クゴとよばれるハープ風の楽器
〈正倉院宝物模造品〉

■ おどる西アジアの王

752年，東大寺の大仏開眼の儀式には，国内から1万人の僧や尼のほか，インドや唐の僧も参加してはなやかなものとなりました。関係が悪化したこともある新羅からも，700人の大使節団がやってきました。このとき，にぎやかに伎楽が演じられました。

伎楽のようすは，のちに書かれた書物から知ることができます。笛，鼓，シンバルなどの音楽が鳴り出すと，獅子は子を連れて，何度も跳び上がります。バラモン僧は，足でふみつける洗濯のしぐさを，こっけいに演じます。次つぎに14組のおどり手が登場します。最後は酔っぱらった西アジアの王が，家来を連れて大さわぎを演じます。使われた面は，東大寺の正倉院に納められ，宝物として伝えられました。

イランが起源の笛，尺八，琴，ハープ風の楽器，インドが起源の琵琶も伝わりました。これらの楽器は，宮中の儀式や宴会でも合奏されました。

正倉院には，7〜8世紀にインドやイランからシルクロードを通って唐の都・長安に伝わり，遣唐使がもち帰るなどしてもたらされたものも多くあります。伎楽は中国南部が起源で，百済の人が伝えました。

■ 鑑真、苦難の旅

朝廷は，仏教によって国家を安定させようとしていました。平城京には，唐から来日した僧が何人もいました。なかでも鑑真は，日本の僧や尼に仏教の本質を修得させ，僧としての規律を授ける先生として招かれ

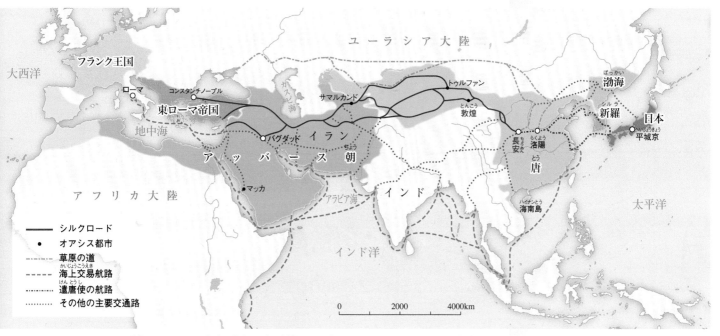

⑤シルクロードと8世紀のユーラシア大陸／中央アジアを横断して，中国とヨーロッパや北アフリカを結んだ東西交通路。

ました。

　しかし，鑑真と弟子たちの一行は，743年の最初の出航のときは，海賊の仲間かと疑われ，役人に妨害されました。また，海では暴風にあって難破し，中国南部の海南島へ流されました。鑑真は，旅の間に失明してしまいますが，754年，6度目の航海で，ようやく日本にわたることができました。鑑真は，東大寺に住んで日本の仏教につくしました。さらに，唐招提寺を建てましたが，763年に死亡し，ここにほうむられました。

■ 歴史と神話の本をまとめる

　朝廷は8世紀の前半に，中国の正史にならった歴史書の『日本書紀』を，神話の記録として『古事記』を完成させました。これらは，古くからの伝承もふくんでいます。天武天皇が，国の統一をすすめる目的で編さんを命じていたものです。

　ここには，太陽の女神とされる天照大神が，天から地上に神々をつかわし，その子孫が国を制圧して，最初の天皇となったという神話が書かれています。東アジアの国々に対しても，天皇がこの国を治める正当性をしめそうとしたものです。

　また，国ごとに言い伝えられたことをしるした『風土記』もまとめられ，出雲国（島根県）や常陸国（茨城県）などのものが残っています。

⑥鑑真（688〜763）〈唐招提寺蔵〉

―『常陸国風土記』に書かれた富士山と筑波山―

　旅にでた母神が富士山に来て宿をたのんだところ，「収穫を祝う新嘗祭なので，お世話できません」と断わられた。おこった母神は，「この山は，冬も夏も雪におおわれ，人も登らない山となるだろう」と予言した。これに対して，筑波山の神は，「母神をお泊めしないわけにはいかない」と，食事まで準備して迎えた。これに喜んだ母神は，筑波山は人びとが集まって歌やおどりの宴がたえない山となるだろうと祝福した。

　この時代の人びとは，このように，富士山や筑波山のような，すがた形が美しい山々には，神々が宿っていると考えていた。

⑦筑波山（茨城県）

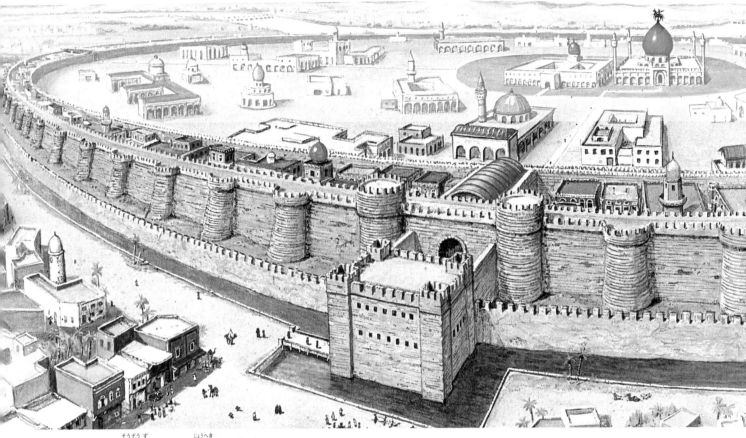

①首都バグダッド（想像図）／円形の城壁がそびえ立つ。

（5）インド洋へ、地中海へ —イスラムの拡大—

バグダッドにはどんな人たちが集まってきたか。イスラムではどんな文化が生まれたか。

■ バグダッドのにぎわい

8世紀ごろ，バグダッド（イラク）は，東から西から，人と品物が集まる国際都市でした。ラクダの隊列が，品物をいっぱいに積んで市場へ向かいます。

遊牧がさかんな中央アジア方面からは，乳製品や羊毛が運ばれてきます。ロシアからは毛皮・琥珀が，西アフリカからはサハラ砂漠をこえて金がもたらされます。バグダッドは，ムスリム（イスラム教徒）がつくったアッバース朝の首都でした。人口は，100万人をこえていました。

イスラム教は，アラビア半島から広がりました。7世紀はじめ，ムハンマドがマッカ（メッカ）の近くで，神（アッラー）に身をゆだねよと，教えを説きました。ムハンマドに告げられた神の教えは，『コーラン』にまとめられています。『コーラン』は，礼拝の回数や断食のことなど日常生活のきまりもしめしています。

イスラム教徒になったアラブ人たちは，強力な軍隊によって征服戦争をはじめました。東はイラン・インダス川から中央アジアへ，西は地中海沿岸のエジプト・北アフリカからスペインにまでおよびました。その結果，8世紀にはアッバース朝という巨大な帝国がつくられました。

■ 航海に乗り出すムスリム

ムスリムの商人たちは，地中海だけでなく，インド洋から東南アジア・

②ムハンマド（571ごろ～632）／馬に乗って戦いを指揮している（16世紀の絵）。
〈チェスター・ビーティー図書館蔵〉

中国へも交易船を進出させていました。中国の広州（コワンチョウ）には，ムスリムが住む町をつくっていました。また，アフリカ大陸の東岸や，マダガスカルなどとも，交易船を行き来させていました。

インド洋は，夏と冬の季節風（モンスーン）が強く吹くときに航海するのは，なかなか困難でした。しかし，この風を利用して航海できるダウ船が早くから開発されて，目的地に少ない日数で，直接，行きつくことができるようになりました。この船によって，ムスリム商人はインドや東南アジアからは，熱帯地方の特産品であるスパイスなどを手に入れました。

ムスリム商人は，これらの取り引きの支払いには金貨を持ち歩かず，小切手を使っていました。すでに銀行がつくられ，商人はそこに口座を開き，小切手を金貨とかえるしくみになっていました。

③ 8世紀のイスラム教の広がり

■外科手術も精神病の治療も

ムスリムは都市に病院をつくりました。そこでは内科医，外科医，眼科医，接骨医など多くの専門医が働いていました。ムスリムの病院は性別や貧富，宗教に関係なく，すべての人を受け入れ，無料で治療をおこないました。医学生の教育の場として，講義室や図書室もありました。

外科の病院では，腫瘍の手術がおこなわれていました。手術では，麻酔薬を海綿にしみこませ，患者の鼻をおさえて眠らせ，執刀医が腫瘍の小部分が残らないよう確認しながら切除しました。また，精神科の病院では，医師は患者の話に耳をかたむけ，症状に適した治療法を見つけました。心身を休めるために，音楽や入浴も治療法に取り入れました。

紙をつくる技術は，中国から伝えられ，ムスリムの医学者たちは，医学書を書き残しました。これによって，病気の原因や治療の方法が伝えられ，ヨーロッパでは翻訳されて，医師を養成するための教科書になりました。

④ インド洋を航海するダウ船（13世紀の絵）
〈フランス国立図書館蔵〉

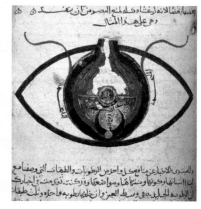

⑤ アッバース朝時代の医学書／
フナイン＝イブン＝イスハーク（808〜873）が書いた目の構造（12世紀の写本）。

― アラビア数字とローマ数字 ―

現在，世界中で通用するアラビア数字（算用数字）は，8世紀ごろから，ムスリム世界で使われていた。それ以前のローマ数字や漢数字との大きなちがいは，「0」を取り入れたことである。0 は7世紀ごろ，インド人が使っていたものをアラビア人が活用し，計算・数式を確立させ，世界に広めた。0 を使うことによって，億や兆の数も，もっと大きな数も，0から9までの10個の文字で書きあらわすことができる。

アラビア数字：777　　　　ローマ数字：DCCLXXVII　　　　漢数字：七百七十七
　　　　　　　　　　　　　（DCC＝700，LXX＝70，VII＝7）

① 16世紀の画家がえがいた蝦夷軍と朝廷軍〈『清水寺縁起絵巻』東京国立博物館蔵〉

（6）北で戦い、都をつくる —平安京と地方の政治—

新しい都・平安京ができた。東北で、都や地方で、どんなことがおこなわれるようになったか。

② 東北地方を支配するために朝廷がつくった城や柵

秋田城 733年
志波城 803年
雄勝柵 759年
胆沢城 802年
出羽柵 708年
伊治城 767年
玉造柵 737年
桃生城 759年
磐舟柵 648年
念珠関
淳足柵 647年
北上川
多賀城 724年
越後
白河関
出羽
陸奥
0　100km

■ 蝦夷の人びとと陸奥国大津波

狩りや漁のくらしが多かった蝦夷の人びとは、8世紀後半、朝廷に支配されることに強く抵抗しました。しかし、802年、桓武天皇の命令を受けた征夷大将軍・坂上田村麻呂は、蝦夷の指導者アテルイの本拠地に侵入して胆沢城を築き、アテルイを降伏させました。

869年には、陸奥国を治める国府があった多賀城の町（宮城県）などを大津波がおそい、1000人もの死者が出ました。このとき、多くの蝦夷の人びとも死亡しました。

10世紀になると、蝦夷の子孫たちは、しだいに陸奥国の役所にも参加し、力をたくわえていきます。災害やきびしい自然のなかで、役人も東北地方に生きる人びとをたよったのでしょう。

③ 悪路王の像／アテルイをかたどったものとされる。〈鹿島神宮蔵〉

早良親王の怨霊

桓武天皇の弟の早良親王は、謀反の罪で捕えられたが、飲食を絶って無実を訴えた。長岡京から平安京に都をうつした理由のひとつは、桓武天皇が早良親王の怨霊をおそれたためといわれている。

■ 平安京での政治がはじまる

8世紀後半、天皇の位をめぐって皇族や貴族は激しく争いました。位についた桓武天皇は、政治を新しくしようと、最初は長岡京（京都府）に、794年には平安京（京都府）に都をうつしました。それ以後、およそ400年間を、平安時代とよびます。

桓武天皇は、蝦夷との戦争に勝利して大きな権威を保ちました。また、804年に遣唐使を派遣しました。僧の最澄と空海は、この遣唐使について唐にわたり、のちに、それぞれ天台宗・真言宗を伝えました。

桓武天皇にはたくさんの妻がいました。その後の天皇も、多くの貴族の娘たちを妻とし、婚姻を通して貴族たちの中心に立ちました。

平安時代の天皇は、土地を開墾させて領地をもちました。天皇の子孫で、地方に住んで領地を広げる一族もいました。有力な貴族や寺社も領

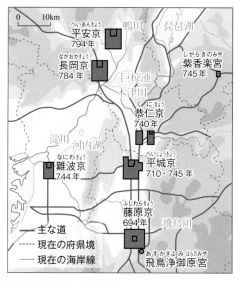

④古代の都のうつりかわり

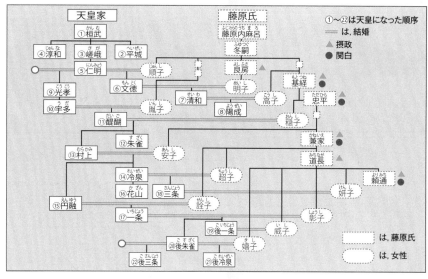

⑤天皇家と藤原氏の系図　（9世紀から11世紀）

地をもつようになり，このような土地は荘園とよばれました。

摂政・関白の座

　平安時代，女性は実家で出産することがふつうで，子どもの養育にも母方の祖父母が深くかかわりました。9世紀の中ごろ，藤原良房は娘を天皇の妻とし，その子どもが9歳で天皇になると，

5　摂政として政治をしました。10世紀後半からは，藤原氏の有力者は，しばしば，天皇が未成年のときは摂政に，成長すると関白の地位について天皇を補佐しました（摂関政治）。

　10世紀末，藤原道長は娘の彰子を一条天皇の妻とし，つづく3代の天皇にも自分の娘を妻としました。道長は30年にわたって

10　朝廷を動かし，息子の頼通とともに大きな力をもちました。その家は摂政・関白を出す家柄となりました（摂関家）。

⑥国司の邸宅
〈『松崎天神縁起』（模本）東京国立博物館蔵〉

国司の政治に声をあげる

　平安時代も，国ごとに国司が任命されました。このころには税は人に課されるのではなく，土地の耕作を請け負わせて年貢をとるようになっていました。国司は，決まった額の税を朝廷に納めればよかったので，

15　任命された国にほとんど行かず，都にいることが多くなりました。

　このようななかで地方では，豊かな農民が他の人たちを従えて，広い土地を耕作し力を強めていきました。こうした有力者たちが中心になり，国司のきびしい税の取りたてに，抗議の声をあげました。

　988年には，尾張国（愛知県）の郡司・百姓が都に上り，国司の悪政

20　31カ条を書きあげた訴え状を朝廷に出しました。この国司は，それによって，よく年にやめさせられました。同じような動きは，11世紀前半にかけて，西国を中心に10数カ所でおこりました。この結果，国司が勝手に年貢の率を決めたり，人を自由に働かせたりすることがおさえられました。

尾張国郡司百姓らの訴え状

国司藤原元命が3年のうちにおこなった非法について、朝廷の裁断をお願いします。

5条　定められた租税のほかに、租（稲の束）を課税する。

6条　調の絹の良質なものを着服し、粗悪なものを中央へ納める。

22条　白米・玄米など、京都の邸宅に不法な運賃で運ばせる。

29条　元命の家来たちが、郡司・百姓に数百町を耕作させ、収穫をだましとる。

（一部要約）

[1] 光源氏（左下）が17歳のとき出会った空蝉（右上）の家を訪ねる場面（16世紀の絵）
〈『源氏物語手鑑　空蝉』和泉市久保惣記念美術館蔵〉

[2] 紫式部／中宮彰子に漢文も教えた。
〈『紫式部日記絵詞』〉

（7）女性作家の登場 ─平安時代の文化─

紫式部と清少納言はどんなことを書いたのか。このころの文化にはどんな特色があるのだろう。

[3] 漢字からひらがな・カタカナへ／ひらがなは，漢字をくずしたもの。カタカナは，漢字の一部をとって簡単にしたもの。

[4] 清少納言（17世紀の絵）／皇后定子につかえ，漢文の教養もしめした。
〈東京国立博物館蔵〉

■ 光源氏の恋と愛

光源氏は，紫式部が11世紀のはじめころに書いた小説『源氏物語』の主人公です。天皇の子として生まれ，学問や和歌ばかりでなく，琴や笛にも才能を発揮する，すぐれた青年に成長します。光源氏は，父である天皇の新しい妻となった藤壺を慕う気持ちをつのらせますが，さらに多くの女性たちと出会います。

紫式部は，このような光源氏の心情や，きびしい運命と向きあう女性たちの姿を書き分けていきます。また，天皇家と藤原氏が結婚を通して複雑に結ばれた宮廷のありさまを，見事にえがき出しています。

8世紀にまとめられた『万葉集』では，日本語の音を，漢字を使って書きあらわしました（万葉がな）。9世紀には，ひらがな・カタカナがつくり出されました。10世紀の『古今和歌集』は，ひらがなで書かれています。カタカナは，漢字の一部をとって簡単にしたものです。12世紀に書かれた『今昔物語集』は，漢字にカタカナをまじえて，伝説を興味深く伝えています。平安時代の和歌や『源氏物語』のような女性作家が書いた文学は，ひらがなを使って書かれ，文字文化を広めました。

■ 「うつくしきもの」

『源氏物語』と同じころ，清少納言は随筆『枕草子』を書きました。「う

5

10

15

すゝむし
十五夜のゆふくれに　佛のおまへ
に宮おはして　はしちかくなかめ

⑤物語を読む女性（12世紀の絵）〈『源氏物語絵巻』徳川美術館蔵〉

⑥『源氏物語』写本
〈『源氏物語絵巻』国立国会図書館蔵〉

⑦『今昔物語集』
〈京都大学附属図書館蔵〉

つくしきもの」「心ときめくもの」などをあげながら，日常の生活や世の中のようすを，ひらがな（一部漢字）で自由にえがいています。

　清少納言は『枕草子』で，「ありがたきもの」（めったにないこと）として，「妻の父にほめられる婿」をあげています。男性は結婚すると妻の家に入り，その両親と同居しました。子どもが生まれると夫婦が自分の家をもつことが多くなります。妻が夫の両親と同居することはありませんでした。

　奈良時代ごろの夫婦は，どちらか（多くは夫）が相手の家に通うという形で，結婚生活をつづけました。子どもは，妻の家で育てられました。

■ 国風文化が生まれる

　この時代，平安京の宮廷文化には，東アジアの大きな影響がつづいていました。それとあわせて，日本の独自な文化が重視されるようになりました。このような平安時代の文化を国風文化とよびます。

　服装や寝殿造の建物や庭園，さらには絵画や彫刻なども日本風に洗練され，風土や生活にあった文化が生まれました。また，奈良時代の『風土記』のような書物を国が編さんすることはなくなりましたが，平安時代の物語には，地方との交流が反映されるようになりました。

「うつくしきもの」（例）
はいはいしながらやってくる幼児が，とても小さな塵をみつけて，かわいい指でつまんで大人に見せるしぐさは，とてもかわいい。

「心ときめくもの」（例）
男性を待っている夜，胸がどきどきして，雨や風が戸をゆするのにも，はっとしてしまう。

『枕草子』より

― これが極楽浄土だ――平等院鳳凰堂 ―

　この時代，11世紀半ばに仏教の教えが力を失い，世の中が乱れるという考え方（末法思想）が，人びとに信じられていた。また，極楽浄土に生まれかわるために，阿弥陀仏にすがる信仰（浄土信仰）がさかんだった。
　藤原頼通は，11世紀中ごろ，この世に極楽浄土を再現したいとの願いから，宇治（京都府）に平等院鳳凰堂を建てた。池の中島に建てられているため，極楽にあるとされる，蓮の花がさく池に浮かぶ宮殿のように見えるといわれた。地方にも，同じような阿弥陀堂が建てられるようになっている。浄土の教えは，文化の国風化の流れのなかで広まった。

⑧平等院鳳凰堂

第2章をふりかえる

1 年表のA〜Dのおこった場所を，地図の（　　）に記号で書きましょう。ア〜オのできごとがおこった時期を，年表の（　　）に記号で入れましょう。

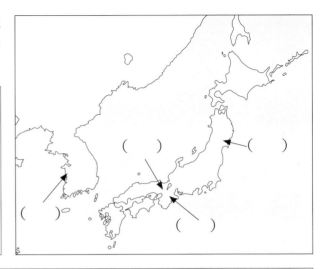

538	仏教が伝わる　（　　　　）		
663	白村江で倭軍が唐・新羅軍に敗れる　A（　　　）		
710	都を平城京にうつす　B（　　　）		
794	都を平安京にうつす　C（　　　）		
869	陸奥国で大地震と大津波がおこる　D（　　　）		
1016	藤原道長が摂政になる		

できごと

ア　尾張国の郡司・百姓が朝廷に訴え状を出す

イ　口分田をすてる人や戸籍をいつわる人が出る

ウ　蝦夷の人びとが坂上田村麻呂と戦う

エ　大海人皇子（天武天皇）が壬申の乱に勝利する

オ　遣隋使を送る

2 次の人は，朝鮮半島や中国と，どのようなかかわりがありましたか。印象に残った人を3人選んで，ノートにまとめましょう。グループやクラスで発表しましょう。

厩戸皇子	蘇我馬子	小野妹子	中大兄皇子（天智天皇）
大海人皇子（天武天皇）		持統天皇	聖武天皇　　鑑真
桓武天皇	藤原道長	紫式部	

第1部　原始・古代（1章・2章）　学習のまとめ

1 遺跡探検

次の遺跡や遺跡から出てきたものから，印象に残ったものや行ってみたいと思ったところを3つ選び，選んだ理由を書きましょう。グループやクラスで発表しましょう。

ラミダス猿人の化石人骨	アブ・フレイラ遺跡	ピラミッド	始皇帝兵馬俑	コロッセウム	野尻湖遺跡
鳥浜貝塚	板付遺跡	黒井峯遺跡	平城宮跡		

2 世界のおもな宗教

(1) 地図のA〜Cでおこった宗教について表にまとめましょう。

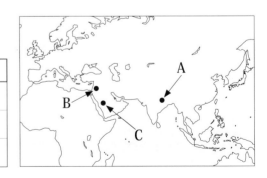

位置	宗教の名	はじめた人	いつおこったか
A			
B			
C			

(2) それぞれの宗教の特色をノートにまとめましょう。

(3) それぞれの宗教は，どのように広まったか教科書の地図で確認しましょう。〈p19，p23，p47〉

(4) なぜ広まったのでしょうか。自分の考えをノートに書き, グループやクラスで発表しましょう。

3 歴史のできごと・スリーヒントゲーム

(1) 下の語群は, 第1部で学習したことがらです。ここからことばを選んでゲームの問題をつくってみましょう。

語 群

打製石器　縄文土器　石包丁　渡来人　銅鏡　銅鐸　「漢委奴国王」の金印　邪馬台国　前方後円墳
稲荷山古墳鉄剣　『魏志倭人伝』　飛鳥寺　山城・水城　藤原京　大宝律令　平城京　木簡　租調庸
防人　東大寺大仏　『古事記』　『日本書紀』　『風土記』　万葉集　平安京　国司　摂関政治
蝦夷の人びと　尾張国郡司百姓らの訴え状　正倉院　『源氏物語』　『枕草子』　平等院鳳凰堂

(2) 選んだことがらについて, いつごろのものか, どんなものか, 何をしたか, その影響は, などと考えて, 3つの文
（スリーヒント）をつくります。

　スリーヒントは, 答える人がすぐには答えられないように工夫してならべます。

第1ヒント　人口は10万人でした。 第2ヒント　宮殿は北のはしにつくられました。 第3ヒント　710年に大和にうつされた都です。

第1ヒント　妻の父にほめられるむこはめったにいない。 第2ヒント　ひらがな。 第3ヒント　清少納言が書きました。

(3) グループで, 順番に問題を出してゲームをしましょう。

○ 出題者は, ヒントをはっきりゆっくり言うようにします。

○ 参加者は, 答えがわかったら, そのときにすぐに手をあげます。

○ 出題者は, スリーヒントを全部言い終わってから, 回答する人を指名します。

○ 正解が出たら, 参加者はノートにクイズの答えを書き,「1行メモ」を書きます。

　「1行メモ」とは, そのときわかったことや感じたことを10〜20文字で書きとめておくメモです。

4 歴史のできごと・グループづくり

(1) ゲームが終わったら, 上の語群から, 関係があるものを見つけて, 2つ以上をグループにしましょう。どんな関
係があるか書きましょう。また, 疑問に思ったことも書いておきましょう。

結衣さんは「藤原京」と「平城京」と「平安京」をグループにしました。

7世紀の藤原京, 8世紀の平城京, 平安京はみんな計画的につくった都なのでグループにしました。3つと も大きな都です。でも藤原京は宮殿の位置がちがいます。これ以外にも長岡京にも都をつくっています。たい へんな工事なのに, なぜこんなに都をうつしたのか疑問です。

(2) グループやクラスで発表しましょう。発表を聞いて, 自分では気がつかなかったことをメモしましょう。

5 これまで学んできたことをふりかえり, 人びとの生活や社会のようす, 制度や文化はどのように変化していったで
しょうか。印象に残ったことを自分のことばで書きましょう。

紀元前1000年

世界を結ぶ交通手段
地図は13世紀ごろの世界

(!) 第3章の扉ページでは，
世界を結んだ交通手段をさぐってみました。

紀元前500年

バイキングの船
スカンジナビア半島にいたバイキングは，9世紀
ごろからヨーロッパ各地に移り住みました。カシ
の木などでつくった全長20～30mの船で，海を
わたり，川をさかのぼりました。

〈バイキング船博物館蔵〉

紀元

アステカ王国

ミシシッピ文化

500年

チムー王国

神聖ローマ帝国

インカ帝国

ビザンツ帝国

1000年

〈パリ国立博物館蔵〉

マリ王国

ラクダ
商人たちは砂漠を通るときには，
ラクダを使いました。サハラ砂漠
や中央アジアの砂漠を横断すると
き，乾燥に強いラクダは，なくて
はならないものでした。

大西洋

1500年

ダウ船
ムスリム（イスラム教徒）の商人
は，三角形の帆のダウ船で季節
風に乗り，インド洋で活動しまし
た。その範囲は，アフリカ・東南
アジア・中国に広がりました。

2000年

中世の学習課題　船に乗り，さまざまな動物を利用して，人びとは行き来しました。地域の交流，国と国の交流は，社会をどのように変えていくでしょうか。絵巻や物語からも，当時のようすを読みとってみましょう。中世では古代と比べて，どのような人たちが力をもっていくでしょうか。疑問に思ったことを出しあいながら，学んでいきましょう。

太平洋のアウトリガー船

太平洋の島々に住む人びとは，半日で 100km も走る船をあやつって，活発に交易をおこないました。船の胴体に平行につけた浮き木によって，波を乗りこえました。

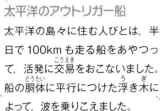

太平洋

高麗（コリョ）

元（げん）

アボリジニーの文化

クメール王朝（おうちょう）

デリー・スルタン朝（ちょう）

マムルーク朝（ちょう）

インド洋

鎌倉時代の武士と馬（かまくらじだい）
〈国立国会図書館蔵〉

馬は，5000年以上前から家畜として飼われ，ユーラシア大陸の広い範囲で移動・農耕や戦争などに使われてきました。馬に乗って弓を射る武芸は，日本の武士に大事にされました。

元の船（げん）

元が日本へ襲来したときの船です。2011年，長崎県沖の海底で沈没船が発見されました。水がしみこまないように二重底につくられていたことがわかりました。

〈九州大学附属図書館蔵〉

ゾウ

南アジアから東南アジアの人びとは，移動するときや，重い物を運ぶときにゾウを利用しました。11世紀末，クメール王朝が建てた王宮の壁には，一面にゾウを彫刻したところがあります。

①福岡市で発掘され，復元された磁器〈福岡市埋蔵文化財センター蔵〉

②宋銭（皇宋通宝）（実物大）
〈日本銀行貨幣博物館蔵〉

③磁器の花瓶と香炉〈『慕帰絵詞』国立国会図書館蔵〉

（1）交易で栄えた博多 ―東アジアの変化と交流―

なぜ博多に中国商人が住むようになったのか。貴族や武士はどうして宋との交易をのぞんだのか。

④宋でつくられた磁器〈出光美術館蔵〉

中国にわたった僧たち

この時代，14世紀の半ばまでの間，中国から日本に来た禅僧は約30人が知られている。逆に，日本から中国にわたった僧は，さらに多かった。そのなかには，禅宗を広めた栄西もいた。

⑤栄西（1141～1215）〈東京大学史料編纂所模写〉

■ 博多に住みついた中国商人たち

福岡市の地下鉄工事現場の調査中，割れた磁器が，昔の井戸から大量に見つかりました。破片をつなぎ合わせ，280個の碗や皿が復元されました。どれもが，12世紀に中国でつくられたものでした。

福岡市は，かつて博多とよばれた港町でした。中国や朝鮮半島からの船が入港し，積み荷を日本の各地に運ぶ港として栄えました。12世紀ごろの博多には，商人などの住居や店が1000軒以上も立ちならんでいました。その一画に，唐房とよばれた中国商人の居住地があり，交易船をもつ有力な商人たちが建てた，禅宗の大きな寺院もありました。

博多を出た船は，1週間ほどの航海で寧波に着きました。この船に乗って，商人だけでなく，多くの僧たちが仏教を学ぶために中国にわたり，中国からもすぐれた僧たちが日本にやってきました。

■ ジャンクに乗る中国商人

中国では，内乱がおこり，10世紀のはじめに唐が滅びました。その後，多くの国に分かれましたが，960年，宋が中国を統一しました。朝鮮では，高麗が新羅を滅ぼしたのち，936年に朝鮮半島を統一しました。北方の渤海から日本への使者は10世紀はじめまでつづき，交易がおこなわれましたが，渤海も10世紀前半，遼に滅ぼされました。

12世紀から，中国北部は，遊牧民族の王朝（金）が支配するようになりました。北部の領土をうばわれた宋は，首都を杭州にうつして，海

⑥12世紀の東アジア

⑦宋の都市のにぎわい〈『清明上河図』(模本)〉

外との交易をさかんにしようとしました。

　12世紀の中国では，稲作技術が発達して，長江流域の人口がふえ，多くの商業都市が生まれました。火薬や活字印刷が発明され，羅針盤によって航海技術も発達しました。遠洋航海に適した，ジャンクとよばれる帆船がさかんに造られ，安全に航海できるようになりました。

　ジャンクに乗った中国商人が，海上交易による利益を求めて，スパイスや香料がとれる東南アジアにも進出しました。各地の港に，中国人が住みつくようになりました。

　中国で生産された高価な磁器は，船に積まれて西アジアにまで運ばれ，生糸とならぶ重要な輸出品となりました。西アジアからも多くの商人が中国にやってきて，寧波・泉州・広州の港町が発展しました。

■ さかんになる宋との交易

　1172年，宋から贈り物をもった使節が来ました。後白河上皇と平清盛は，これにこたえてお礼の品を贈りました。また，大輪田泊（兵庫県神戸市）を整備し，宋との交易をさかんにしようとしました。

　日本の貴族や武士たちは，中国の高価な品物を，先を争って買い求めました。なかでも，美しい陶磁器や絹織物が好まれました。香料は，貴族の衣服によい香りをただよわせ，寺院での儀式には厳かさを加えました。宋の銅銭は，年貢を納めるときや商売に使われました。

　日本からは，水銀，火薬の原料となる硫黄，刀剣，扇子などが積み出されました。ときには，松や杉が筏に組まれて，建築用の木材として海をこえて運ばれることもありました。

陶器と磁器

　陶器はおよそ800℃で焼くが，磁器は磁土をくだいて，1300℃以上で焼く。磁器は陶器より軽く，うすく，かたい。

⑧ジャンク／船内は壁で仕切られ，折りたたみ式の帆を備えている。

⑨宋の時代の指南魚／木でつくった魚の頭に磁針を取りつけて水に浮かせると南をしめす。〈中国国家博物館蔵〉

― 火薬の発明 ―

　火薬は，硝石・硫黄・木炭粉を混ぜ合わせてつくられた。中国で発明され，宋の時代には兵器としてさかんに使われるようになった。13世紀には，弾丸をこめて発射する簡単な銃や大砲も出現した。なお，その火薬原料のかなりの部分は，日本からの輸出品であった。おもな産地は，屋久島の北にある硫黄島（鬼界島ともよばれた。鹿児島県）で，交易は平氏がにぎっていた。

⑩元の時代の小火器（長さ35.9cm 重さ6.9kg）

（2）都で、武士が戦う ― 武士の成長と院政 ―

武士が登場した。どんな人たちだろう。武士はどのようにして力をつけていくか。

■ 神輿の強訴と神の怒り

フォーカス🔍

1093年，藤原氏の氏神・春日社の荘園と国司のあいだで争いがおこり，また，2年後にも，比叡山の日吉社（滋賀県）の荘園で同じような事件がおこりました。どちらの場合も，悪僧や神人たちが，国司の不当を朝廷に訴え，神輿や神木をかついで，京都に乗り込みました（強訴）。武士に命じて日吉社の神輿を射させた関白藤原師通は，しばらくあとに急病で死亡しました。

日吉社の神が，師通にたたったのだといううわさが流れました。このころ大地震がおきたこともあり，比叡山の大岩がくずれてきた下に，師通の霊が閉じ込められているという話が，のちにつくられています。

このように，神の怒りはたいへんおそれられていたので，悪僧や神人の動きに朝廷は手こずりました。これをおさえることができたのは，結局，武士の力でした。

■ 武士のおこり

8世紀の末ごろから，朝廷は，盗賊を逮捕したり反乱を鎮圧したりするために，警察や軍事をとりしきる役職をつくり，地方の有力者を任命しました。このため，豪族や農民のなかに，武装をする人たちがあらわれました。天皇の子孫で，反乱の鎮圧などのために地方におもむき，そのまま住みついて力をもった平氏などの一族もいました。

平将門は下総の北部（茨城県）に住み，領地をめぐって，おじたちと争いました。一方，国司と対立し，939年，常陸（茨城県）の国府をおそいました。将門は，京都の天皇に対して新皇と名のり，一時，東国

悪僧（僧兵）

有力な寺社は，院や貴族の信仰を集め，権威を高めた。多くの荘園をもち，武力もそなえるようになっていた。

神人

神社の神事や仕事にたずさわる人。強訴にも加わる。商工業その他の特権をもっていた。

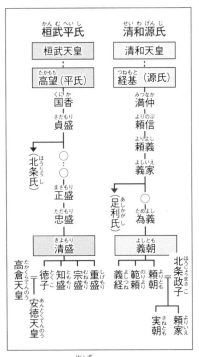

②平氏と源氏の系図

桓武平氏
桓武天皇
高望（平氏）
国香
貞盛
（北条氏）
正盛
忠盛
清盛
高倉天皇 — 徳子 — 知盛 宗盛 重盛
安徳天皇

清和源氏
清和天皇
経基（源氏）
満仲
頼信
頼義
義家
為義（足利氏）
義朝 — 北条政子
義経 範頼 頼朝
実朝 頼家

③ 地方の有力者の館〈『粉河寺縁起絵巻』粉河寺蔵〉

を支配します。しかし，いとこである平貞盛らにやぶれました。同じころ瀬戸内海で，藤原純友が反乱をおこしました。

　これらの反乱をおさえた平氏や源氏のなかから，朝廷から位をあたえられ，武芸と戦いを専門とする家柄の武士がおこりました。武士は，天皇家や摂関家などに仕えて認められるとともに，地方の豪族と主従関係を結んだり，その娘と結婚したりして勢力を広げました。

④ 東国と瀬戸内の反乱

凡例
— 平将門が支配した国
— 藤原純友の進攻路

京都
岩井
平将門の乱
藤原純友の乱
0　200km

■ 院政のはじまりと合戦

　1086年，白河天皇は8歳の息子に位をゆずり，上皇（退位した天皇）となって院政をはじめます。院とは，上皇や，その住まいをいいます。上皇は，摂関家をおさえ，武士をとりたてて強力な政治をすすめました。

　天皇家や貴族のあいだで政治の対立がおき，1156年，鳥羽上皇が死去した直後，京都の市中で合戦がおきました（保元の乱）。このとき，平清盛と源義朝は，それぞれ数百騎の武士をひきいて，後白河天皇の側について戦い，その兄の崇徳上皇をやぶりました。武士の軍事力が，政治を動かすようになったのです。

⑤ 後白河上皇（1127～1192）

■ 最初の武士政権

　つづいて1159年，院政をめぐる争いからおこった平治の乱では，平清盛は対立する源義朝をやぶりました。1167年，清盛は太政大臣となり，平氏一門は朝廷の高い官職について，軍事指揮権もにぎるようになりました。

　勢力を強めた清盛は，後白河上皇と対立を深めました。1179年，清盛は後白河上皇を朝廷から追い，院の御所に閉じ込めました。そして，清盛の娘と高倉天皇のあいだに生まれた子を安徳天皇としました。こうして平氏一門は，武士としてはじめて政権をにぎりました。

⑥ 平清盛（1118～1181）〈宮内庁三の丸尚蔵館蔵〉

①年貢を納める人たち〈『粉河寺縁起絵巻』粉河寺蔵〉

（3）荘園の人びと ―院の荘園と平氏―

農民たちが荘官の館に年貢を運んでいる。荘園はどのように広がっていったのか。

■年貢を運ぶ人たち

　12世紀につくられた『粉河寺縁起絵巻』には，荘官の館に，年貢を運ぶ人たちがえがかれています。荘園領主の貴族や寺社は，田畠を開墾した地方の有力者を荘官に任命し，土地を管理させました。

　農民は，荘官が整備した用水を使い，割り当てられた水田で，田植えや草取り・稲刈りをしました。そして，京都に船で運べるところでは米で，東国などでは絹や麻布などで，年貢を納めました。また，正月のもちや，盆のなす・うりなど年中行事に使うもの，ワラビやキノコ，柿や栗など季節のものを届け，荘園領主のために働きました。

　荘官や有力な農民のところには，下人がいました。荘官などに長く仕えていた人や，借りた稲が返せなくなったり，生活できなくなったりして逃げてきた人たちです。下人は小屋に住み，命じられるままに働かされたりしました。田畠といっしょに，ゆずりわたされることもありました。

■絵図にえがかれた荘園のすがた

　貴族や寺社の領地が，荘園として認められるためには，都の役所の許可が必要でした。荘園として認められると，境界の四隅にクイを打ち込んで，荘園の範囲を確定しました。この作業には，都の役人や地方の役人，地元の有力者も立ち会いました。また，のちに争いがおきないよう，絵図などが作成されました。

　紀ノ川ぞいにあった荘園，桛田荘（和歌山県）の絵図が残っています。荘園領主である神護寺（京都府）がつくったものです。絵図には，山や川をふくむ広い地域に，4つの集落がえがかれています。

②荘園の境界の石と伝えられる石（兵庫県太子町・鵤荘）

③桛田荘と神護寺

神護寺卍
京都
奈良
紀ノ川（紀伊川）
桛田荘
紀伊国（和歌山県）
0　40km

5

10

15

20

060

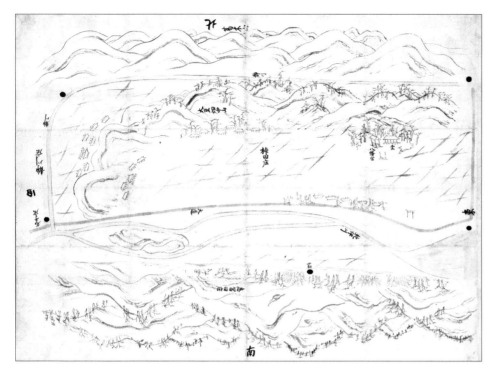

④紀伊国桛田荘の絵図／東西3kmほどの範囲である。〈神護寺蔵〉

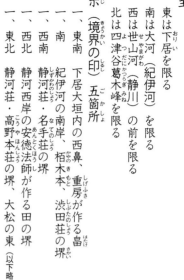

▲ のちの文書に書かれた
桛田荘の範囲

四至

東は下居を限る

南は大河（紀伊河）を限る

西は世山河（静川）の前を限る

北は四津谷葛木峰を限る

牓示（境界の印）五箇所

一、東南　下居大垣内の西鼻、重房が作る畠

一、南　紀伊河の南岸、栢木本、渋田荘の堺

一、西南　静河荘・名手荘の堺

一、西北　静河西岸の安徳法師が作る田の堺

一、東北　静河荘・高野本荘の堺、大松の東（以下略）

西にある集落は，有力者を中心に，静川から水を引いて用水を整備し，安定した米の収穫をえていました。他の集落では，山のふもとのわき水や池の水を使いました。絵図の大道（大和街道）は和歌山と奈良を結ぶ，人が行きかう道でした。大道に面した集落は，奈良時代に駅がおかれたところで，人びとは交通にかかわる仕事もしました。

桛田荘の耕地の調査台帳（1185年）には，耕作を請け負った86人ほどの農民がしるされています。そのうち，1町（1ヘクタール）以上の土地を請け負う有力な農民が十数人いました。

荘園の絵図

桛田荘の絵図がつくられた年は1185年と1223年の説がある。荘園の絵図は，荘園が認められたときのほか，荘園をめぐる争いがおこったときにつくられた。裁判の証拠として使われたりもした。

駅

奈良時代に都と地方を結ぶ道においた施設。役人が休息や宿泊をしたり，馬を交代させたりした。

■ 院政、平氏政権の下で

鳥羽上皇は，荘園の承認をさかんにおこない，桛田荘のような広い荘園が増えました。上皇の身内や信仰する寺社の荘園が，次々とつくられ，娘の八条院暲子は，220カ所もの荘園を所有しました。

12世紀には，国司が管理していた公領よりも荘園のほうが広くなった国もありました。そして，公領の税も，その地域の有力者にまかせて集めさせるようになっていきました。

院政の下で，平氏一門は，多くの荘園の管理にかかわり，現地の領主は，しばしば平氏の家人になりました。平氏一門は，西国などの国司になることも多く，全国の富と力を支配する地位につきました。

⑤中尊寺金色堂〈中尊寺提供〉

── 奥州藤原氏と中尊寺金色堂 ──

陸奥では，平安時代に，何度か戦争がくり返された。そのなかで，蝦夷の子孫の人びとが，新たに陸奥に下ってきた貴族や武士と結びついて力をもった。それを代表するのが奥州藤原氏で，中国との交易品となる北方の作物や砂金を，都と交易しておおいに栄えた。奥州藤原氏は，「蝦夷の長」と自分の役割をのべ，白河関（福島県）から外ヶ浜（青森県）までを支配した。

1124年，藤原清衡が，黄金をふんだんに用い，都から彫刻家や細工師を招いて，平泉（岩手県）に，中尊寺金色堂を建てた。極楽浄土を再現したもので，浄土信仰の広がりをしめしている。

① 鎌倉時代末期にえがかれた戦闘のようす〈『春日権現験記絵』宮内庁三の丸尚蔵館蔵〉

（4）東国に幕府をつくる —鎌倉幕府—

各地で平氏政権に反対する内乱がはじまった。関東の武士たちは何を願っていたのだろうか。

フォーカス

■ 内乱のなかの民衆

12世紀後半，平氏に反対する動きが各地に広がり，5年におよぶ大規模な内乱になりました。戦場には，鎧を身につけない民衆もかりだされました。民衆の役割は，味方の堀や柵を築いたり，ときには，敵の堀や柵を，用意した農具などでこわしたりすることでした。また，民衆は楯を持ち，敵からの攻撃を防ぎました。

こうして，村々は農作業の働き手を失い，戦火にまき込まれました。ききんなどの災害も多かったため，種もみがなくて米をつくれないほど，荒れはてた地域もありました。

② 源頼朝（1147〜1199）〈甲斐善光寺蔵〉

■ 頼朝の反乱と東国

下総国（千葉県）の相馬御厨という土地は，12世紀前半に千葉氏が開発し，伊勢神宮（三重県）に寄進した荘園です。しかし，相馬御厨の権利をねらう争いがたえず，平氏が政権をとると，平氏と結びついた常陸国（茨城県）の佐竹氏にうばわれてしまいました。

1180年，源頼朝が伊豆（静岡県）で，平氏に対して反乱をおこしました。伊豆の北条氏などが頼朝に味方をしましたが，石橋山の戦い（神奈川県）で平氏軍に大敗北し，房総半島（千葉県）に逃れました。

ここで，千葉常胤や上総介広常らが大きな武士団をひきいて，頼朝のもとにかけつけます。頼朝は，平氏軍と戦うことを命令しますが，千葉常胤や上総介広常は，まず，敵対していた佐竹氏を討つべきだと主張しました。頼朝と東国武士たちは佐竹氏を攻め，屈服させました。

東国武士たちを味方にして，頼朝の軍勢は勢いをまし，鎌倉（神奈川

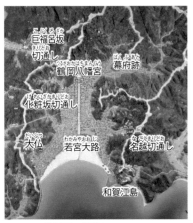

③ 鎌倉／鎌倉道は切通しを通って，東国武士の館につながった。和賀江島は人工の港で，海上交通の拠点となった。
〈国立歴史民俗博物館蔵〉

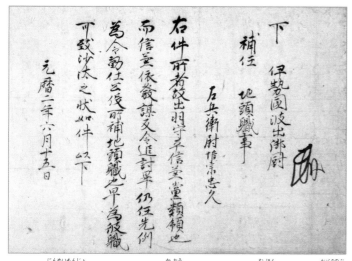

④地頭の任命文書／右下に源頼朝の花押（サイン）がある。謀反をおこした平信兼を討ち，その仲間の領地だった波出御厨（伊勢国）の地頭に，1185年6月15日，御家人の惟宗忠久を任命するとある。〈『島津家文書』東京大学史料編纂所蔵〉

⑤源平の内乱

県）に本拠をおいて東国を支配しました。ついに1185年，頼朝の命令を受けた弟の 源義経と東国武士たちの軍勢は，平氏を壇ノ浦（山口県）に追いつめて滅ぼしました。そのあと，義経は頼朝と対立して，陸奥国平泉（岩手県）に逃げ込みます。頼朝は大軍をひきいて攻め，1189年，
5　奥州藤原氏を滅ぼしました。

■将軍・執権と御家人

　1185年，頼朝は義経を討つことを理由として，国ごとに守護を，領地ごとに地頭をおくことに成功しました。頼朝は戦いで没収した敵の領地を，手柄をたてた武士（御家人）に恩賞としてあたえ，地頭に任命していきました（御恩）。恩賞をえた御家人は，頼朝にしたがって戦いに
10　加わることで，忠誠をしめしました（奉公）。

　こうして，強い軍事力をもとにした鎌倉幕府がつくられました。頼朝は，朝廷に対する力を強め，1192年，朝廷から征夷大将軍に任命されました。しかし，御家人たちの対立がつづき，頼朝のあとをついだ男子たちは，二人とも殺されます。幕府の実権は，頼朝の妻・政子の実家の
15　北条氏がにぎりました。北条氏がついた地位を執権といいます。

■北条政子と承久の乱

　京都では，後鳥羽上皇が，3代将軍の実朝が殺されたのをみて，1221（承久3）年，幕府の執権・北条義時を討てと命じました。北条政子は，いまこそ頼朝の御恩に報いるべきだと御家人たちに訴えました。東国武士たちはこれにこたえ，京都を攻めて勝利しました（承久の乱）。
20　政子は実際には，将軍の役割を果たしていたといわれます。

　幕府は後鳥羽上皇を，隠岐島（島根県）に流し，京都に六波羅探題をおいて西日本も支配するようになりました。そして，執権となった北条泰時は，1232年，御成敗式目を定め，御家人の領地争いを裁く基準などを明らかにしました。こうして鎌倉幕府はようやく安定しました。

守護と地頭

　守護は国ごとに任命され，その国の御家人を統率し，戦争に動員する権限をもっていた。地頭は荘園や公領ごとに任命され，地域の警察と年貢や税の徴収を請け負った。

⑥北条政子（1157〜1225）〈安養院蔵〉

北条政子の訴え

　みなのもの，よく聞きなさい。これが最後の言葉です。鎌倉殿（頼朝）が朝敵をたおし，幕府をひらいてこのかた，官位といい，領地といい，その御恩は山よりも高く，海よりも深い。みながこれに報いたいという気持ちは，決して浅くはないはずです。名誉を重んじる者は，京都に向かって出陣し，幕府を守りなさい。

（『吾妻鏡』一部要約）

①念仏を唱えながらおどる僧たち〈『一遍上人絵伝』東京国立博物館蔵〉

②念仏札

③念仏札を配る一遍
〈『一遍上人絵伝』東京国立博物館蔵〉

（5）おどる聖と念仏札 ── 鎌倉時代の仏教 ──

南無阿弥陀仏と唱える教えはなぜ広まったのか。武士はどんな文化に接しどんな信仰を深めたか。

■ 一遍たちの旅

　時宗を開いた一遍は，13世紀後半，九州から東北地方まで16年間にわたって旅をし，出会った人たちに念仏札を配りました。「南無阿弥陀仏と唱えて，阿弥陀仏にひたすらすがりましょう。阿弥陀仏はすべての人を救い，極楽浄土へ導いてくださいます」と，念仏をすすめました。

　一遍と弟子たちは，町に入ると，鍾や太鼓を打ち鳴らし，念仏を唱えながらおどります。何だろうと，大勢の人たちが集まってきました。おどり念仏は信者たちの気持ちをまとめ，見る人をひきつけました。

　この時代には，男女いっしょに修行するのはめずらしいことでしたが，一遍の旅には，多くの尼たちが加わりました。貧しい人たちや，重い病の人たちもいました。性別や身分，貧富のちがいをこえて，すべての人が救われるという教えは，人びとの心をとらえていきました。

■ おそろしい地獄の話

　5年におよぶ源平の内乱では，多くの命が失われました。同じ一族が，敵味方に分かれて戦い，負けた側では，幼い子どもまでが殺されることもありました。源平の戦いと人生のはかなさをえがいた『平家物語』が，琵琶法師によって語られ，広まりました。

　戦乱のなか，西日本では大ききんが広がり，多くの人が餓死しました。大きな火事や地震も，たびたびおこりました。鴨長明は，ききんや災害で苦しむ人びとのありさまを，随筆集『方丈記』に書いています。このようななかで，極楽や地獄をえがいた絵や話が広まりました。生きてい

④琵琶法師〈『慕帰絵詞』国立国会図書館蔵〉

⑤『平家物語』敦盛の最期の場面／
熊谷直実は，一騎打ちの相手が，わが子と同じ年ごろの少年だと気づいた。助けようとしたが，味方が近づいてきたため，泣きながら首を取った。〈『小敦盛』国文学研究資料館蔵〉

⑥餓鬼をえがいた絵〈『餓鬼草紙』京都国立博物館蔵〉

たときのおこないに応じて，さまざまな地獄に落ち，はてしない苦痛を
受けるという話は，人びとをおそれさせました。

　仏教の僧たちのなかで，新たな心のよりどころを求める動きが強まり
ました。法然は，念仏を唱えれば，極楽浄土に往くことができると説い
て浄土宗を開きました。この教えは，弟子の親鸞が説いた浄土真宗（一
向宗）とともに，地方にも伝わっていきます。安房国（千葉県）の海辺
の村から出た日蓮は，法華経の題目「南無妙法蓮華経」を唱えれば，国
も人も救われるとして，信仰を集めました（日蓮宗）。

■ 武士の信仰と文化

　武士が地方の政治の責任を負うようになったため，武士も教養や信仰
を深めました。吉田兼好の随筆集『徒然草』には，連歌をよんだり，管
絃（楽器）を楽しんだりしている東国武士の姿が語られています。

　栄西が中国から伝えた，座禅を組んで悟りを求める禅宗は，13世紀
に北九州から広まり，鎌倉武士の間でさかんになりました。中国から禅
宗の僧が招かれ，また，日本の僧が中国にわたって禅宗を学びました。

　道元は，越前（福井県）の永平寺にこもって，きびしい規律を守り，
ひたすら座禅の修行をする教えを説き，弟子を育てました。

禅宗の寺
　栄西を開祖とする臨済宗，道元を開
祖とする曹洞宗がある。

⑦建長寺（神奈川県鎌倉市）／1253年，執
権・北条時頼が宋の蘭渓道隆を招いて創建
した。

― 大仏再建の熱狂 ―

　源平の内乱のとき，東大寺の大仏とおもな建物は，平氏によって焼き討ちされ，失われた。こ
れを再建するために，重源は，貴族や武士だけでなく，庶民にも「一粒半銭（わずかな米と銭）」
でもいいからと，広く寄付をよびかけた。
　諸国から資材を集め，宋の技術者の協力もあって，大仏は1185年に再建された。開眼の儀式は，
大仏を一目見ようと集まってきた人びとであふれた。大仏に目を入れる大きな筆には，700m
におよぶ紐12本がむすばれ，たくさんの人がそれをにぎった。寄付の代わりに，腰刀を舞台に
投げ入れる人もいたという。大仏は戦乱の世が終わり，平和な時代となった象徴だった。

⑧東大寺南大門・金剛力士像（吽形）／
高さ8.4m，運慶がチームをひきいて制
作した。〈東大寺〉

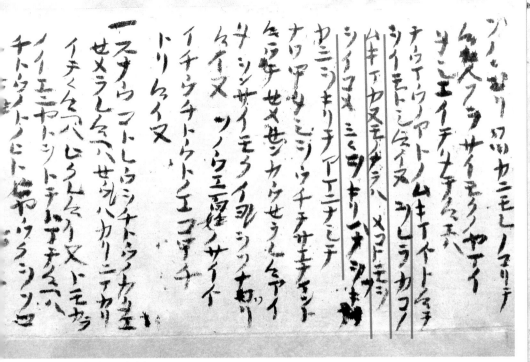

① 阿テ河荘の訴え状（縦25cm 長さ2m16cm）〈和歌山県　高野山霊宝館蔵〉　　　　　　（書き出しと1カ条目）

（6）地頭が村にやってきた ——鎌倉時代の荘園と産業——

阿テ河荘の百姓が地頭を訴えた。なぜだろう。人びとの力は産業をどのように変えていくか。

■ カタカナで書いた訴え状

　　紀伊国（和歌山県）の山あいに，阿テ河荘という荘園がありました。ここに住む人たちが，1275年，荘園領主に出した，13カ条の訴え状が残っています。地頭・湯浅宗親のおこないを訴えたものです。

　　湯浅氏は，百姓から，馬の飼料の負担として，大量のもみ米を取りたてたり，百姓が逃亡した跡地で，強制的に働かせたりしました。こうした負担はいままでないことでした。百姓たちは指導者を中心にまとまり，1274年の秋から逃散し，荘園領主に訴えました。しかし，湯浅氏は指導者たちを捕え，百姓への暴力は激しくなっていきました。

　　1275年10月には，大勢の武装した地頭の家来が，何度も百姓の家におしよせました。居すわって食事を要求し，食料をうばいました。また，家来たちは百姓たちが集まった家に夜中におし入り，首を切ろうとおそいかかってきました。訴え状は，このような緊迫したなかで書かれました。

■ 地頭の力、百姓の力

　　地頭の職務は，犯罪を取りしまることや，年貢を荘園領主に届けることでしたが，地頭になったことを足がかりにして，荘園内に館をつくって領地を広げようとしました。年貢を届けずに荘園領主と対立する地頭もあらわれ，幕府には多くの訴訟がもち込まれました。百姓たちは，荘園領主の支配に加えて，武力をもった地頭の支配も受けるようになりました。

　　このようななかで，農民たちは，農業の技術を改良し，自分たちの力

阿テ河荘百姓訴え状

1条　臥田（臥料を払う代わりに年貢を免除された田）の臥料を地頭にも責め取られています。

4条　百姓が逃亡した跡地に麦をまくことを強制し，「おまえらが麦をまかないのなら，妻子どもを牢に入れ，耳を切り，鼻をそぎ，髪を切って尼のようにし，縄でしばって痛めつけるぞ」と責めるので，年貢の木材の納入が遅れています。

12条　馬飼料の納入がおそいといって，鎌・鍬・鍋など15も取りあげられてしまいました。

（一部要約）

逃散
　年貢を減らすことなどを要求して，村ぐるみで山にこもってしまうこと。要求がとおれば村にもどった。

②福岡の市〈『一遍聖絵』清浄光寺蔵〉

で田畠を開墾しました。耕作に牛や馬を使うのが普通になり，鎌，鍬，斧など鉄製の道具も使われました。稲を刈りとったあと，麦をつくる二毛作がはじまりました。

■市のにぎわい

人びとは，米，絹や麻，山や海の産物などを市で売りました。
5 阿テ河荘では，真綿や柿などの産物を市で売っていました。また，市では，荘園領主への年貢米や特産物が売られ，銭にかえて京都に送られるようになりました。銅銭は中国から輸入しました。1枚1文で，97枚くらいを100文としてひもに差して，やりとりしました。

鎌倉時代には，各地で月3回の定期市が開かれるようになりました。
10 市は，河原，船着き場や港の近く，寺社の門前で開かれました。市の近くに宿がつくられ，町ができるところもありました。

港はいち早く町として発展しました。大津（滋賀県）・淀（京都府）・堺（大阪府）・尾道（広島県）・津（三重県）は，京都と地方の荘園を結んだ港町です。博多（福岡県）は中国や朝鮮半島と，十三湊（青森県）は北方
15 へとつながりました。

③鎌倉時代の田植え
〈『大山寺縁起絵巻』（模本）東京大学史料編纂所蔵〉

④鎌倉時代の市と港

― 気候の変動と大ききん ―

■ 1230年6月，関東地方にひょうや雪がふった。冷夏のため，よく年の春から多数の餓死者がでた。ききんは10年ほどつづき，京都では死体が道路にあふれ，においが町中に広がった。「天下の人口が3割減った」といわれた。
執権の北条泰時は，ききんの年だけは，うえた人を養えば，奴れいにしてもよいという民間の慣習を認めて，人身売買を禁じる法律の特例とした。また，復興のためにききん以前の借米については，利率を下げるように命じるなどの努力をした。

■ 8世紀から11世紀，日本列島の気候は温暖化していた。これに対し，13世紀から15世紀には，しだいに気温が下がり，異常気象による大ききんが何回もおきている。地球全体の気温の低下のため，海水面が1m近く下がっていたという記録もある。

⑤磨崖和霊石地蔵（広島県三原市）／海水面が下がっていた13世紀に刻まれた地蔵。現在は，満潮時には地蔵の肩まで水没する。

① 紙幣に印を押すクビライ＝カン〈フランス国立図書館蔵〉

② マルコ＝ポーロ（1254～1324）／マルコが見聞きしたことを編さんした旅行記を『東方見聞録』という。

③ パイザ／モンゴル帝国内での通行手形・身分証明書。金・銀・銅製のものがあった。〈国際日本文化研究センター提供〉

（7）一つにつながるユーラシア ―モンゴル帝国―

クビライ＝カンはどんな国をつくろうとしたか。東アジアはどのように変わっていくのだろう。

④ クビライ＝カン（1215～1294）／チンギス＝カンの孫にあたり，35年間にわたって，モンゴル帝国の皇帝の位にあった。〈中国国家博物館蔵〉

⑤ 青花龍文壺／中国でつくられた染付の磁器。〈東京国立博物館蔵〉

■ ユーラシア大陸を横断する旅

1271年，マルコ＝ポーロは，父とおじに連れられて，ベネチアを出発しました。パミール高原やゴビ砂漠をこえ，3年半後に上都（元の夏の都）に到着しました。元の都市では道が石とレンガで舗装され，紙幣も発行されていることに驚きました。

マルコ＝ポーロは税をあつかう役人に任命されたり，使節となって元の南部や，遠くチャンパ（ベトナム）などを訪れたりしました。こうしてマルコ＝ポーロは，17年もクビライ＝カンに仕えました。何度も引きとめられましたが，1292年に泉州からイランに向かって出航することができました。ベネチアにもどったのは1295年でした。

この後，モンゴル帝国とヨーロッパ諸国の間で，外交使節がさかんに行き来しました。

■ さかんになる東西交易

モンゴル高原の遊牧民を統一し，ユーラシア大陸の東西にまたがる大帝国の基礎をつくったのは，チンギス＝カンでした。その孫，クビライは中国に侵入し，1271年に国号を元とします。クビライは26年を費やして大都を建設し，大都と各地を結ぶ交通網を整備しました。

また，西アジアで商業活動をしていたムスリム（イスラム教徒）の商

6 マルコらの行程／クビライ＝カンは，モンゴル帝国という名を1271年に元と改めた。

人たちを，高い地位につけて，東西交易の拡大をはかりました。それまで交通の要所・都市・港湾などを通るたびにかけられていた通行税を廃止し，わずかな売上税だけを納めればよいとしました。こうして商業活動がさかんになり，元の財政も豊かになりました。

5　元は，大都を中心に，中国の南北をつなぐ航路を整備し，海上交易もさかんにしました。また，イラン産のコバルトを使って，あざやかな青色の磁器（染付）をつくり出し，西アジアに輸出しました。

■ モンゴル帝国と東アジア

朝貢を求めるモンゴル帝国の要求を，高麗は何回も拒んでいました。1232年には，高麗は，都を開城から江華島にうつして抵抗しました。
10　40年以上の戦いののち，元の支配下に入りました。高麗の皇太子が元の王女と結婚するなど，両国の関係も深まりました。

高麗を支配下においたのち，元のクビライ＝カンは，日本に使いを送って通交を求めました。朝廷・幕府からの返事がなかったこともあって，1274年，元はおよそ３万の兵力で対馬・壱岐（長崎県）をおそい，九州北部の博多湾（福岡県）に攻め入ったあと，引きあげました。
15　元は，南宋を滅ぼしたあと，1281年，ふたたび日本を侵略しようと，およそ15万の兵力を送りました。一方，幕府は，御家人やそのほかの武士も動員して警備にあたらせ，上陸が予想された博多湾一帯には防塁を築きました。そのため，元軍は上陸できませんでした。さらに，暴風雨によって，たくさんの船が沈み，元軍は引きあげました。
20　これらの戦争にもかかわらず，幕府は交易船を元に派遣し，クビライ＝カンも交易を許可しています。

> 朝貢
> 中国周辺の国々の支配者が，中国皇帝に使節を送り，貢ぎ物を差し出す。皇帝は，その地域の支配者として認め，何倍もの価値をもつ品をあたえた。

7 韓国新安沖の沈没船の積み荷／元から日本に行く途中だったと考えられる。東福寺と書かれた木札，２万点をこえる陶磁器，日用品や28トンの銅銭などが積まれていた。〈韓国・国立中央博物館蔵〉

― 元を攻撃したカラフト（サハリン）のアイヌ ―

カラフトに進出したアイヌは，13世紀後半，40年以上，元との戦いをくり返した。カラフトで独自の文化をもつ先住民（ギリヤーク人といわれる）が，アイヌに攻撃されていると訴えたため，元は数千の軍勢で攻め込んだ。1297年には，アイヌが，逆に海をこえて大陸に攻め入り，元と戦った。しかし，その後，アイヌは元に，毎年，めずらしい毛皮などの貢ぎ物を贈るという条件で，和平を結んだ。

1 千早城に立てこもる楠木正成軍／千早城（大阪府）は四方を絶壁に囲まれ，城内に水源もあった。〈『太平記絵巻』埼玉県立歴史と民俗の博物館蔵〉

（8）悪党の世の中 ── 南北朝の内乱と室町幕府 ──

悪党とはどんな人たちか。内乱の中で政治や社会はどのように変わっていくのだろう。

公家

　本来は，天皇や朝廷をさした。朝廷の政治や文化を支えた貴族を，室町時代のころから公家とよぶようになった。

2 後醍醐天皇（1288～1339）

3 足利尊氏（1305～1358）〈浄土寺蔵〉

■ 悪党の出現

　鎌倉時代の後期には，道や海路にそって町が広がり，村の人びとも力をもつようになってきました。また，公家（貴族）や幕府に従おうとしない武士や有力者がふえてきました。とくに，北条氏が鎌倉幕府の重要な役職を独占したことは，人びとの反感をよんでいました。

　そのなかから，荘園の年貢を納めず，山賊や海賊といわれることも気にしない，悪党とよばれる武士たちが登場しました。近畿地方を中心に，関所や港をおさえ，商業や運送業で利益をえるものもいました。 5

　一方，このころ，天皇家には二つの流れがあり，幕府の調整のもとにかわるがわる，天皇の位についていました。後醍醐天皇は，この状態をなくし，天皇による政治を復活させようと，幕府を倒す戦いをおこしました。 10

　楠木正成などの西国の新興武士や悪党がこれに加わり，さらに足利尊氏などの御家人も味方しました。そのため，1333年，京都と鎌倉にいた北条氏の一族は，その多くが自殺し，鎌倉幕府は滅亡しました。

■ 南北朝の内乱と幕府

　後醍醐天皇は，天皇家を統一し，武家政治を否定しようとしました。しかし，140年間つづいた武家政治のやり方を無視して，天皇に権力を集める政策をとったので，武士の不満は高まりました。足利尊氏は， 15
後醍醐天皇を吉野（奈良県）に追いやり（南朝），京都に新しい天皇を

④南北朝の内乱の戦闘／徒歩の集団による斬り合いが中心になっていった。〈『秋夜長物語絵巻』永青文庫蔵〉

立て（北朝），1338年に征夷大将軍となって，幕府を開きました。

こうして，二人の天皇，二つの朝廷がならび立つなかで，全国の武士たちは，二つに分かれて戦いました。戦乱は，60年以上つづきました（南北朝の内乱）。

足利義満と守護大名

5　この内乱は，1180年代の源平の内乱よりも大規模なもので，軍団が東に西にと移動して戦闘をおこないました。そのたびに，多くの民衆が，食料をうばわれ，くらしが成りたたなくなりました。

内乱のなかで，各国の守護は，以前の国司の権限を手に入れ，地方の武士をまとめました。守護は，しばしば荘園の年貢の半分を徴収する権限などもえていきました。こうして，有力な守護は幕府のなかで重要な

10　役職につき，大きな力をもつようになりました（守護大名）。

3代将軍・足利義満は，それらの守護大名をおさえ，室町幕府のしくみを整えました。そして，1392年に，南北朝の内乱を終わらせました。なお，東国の鎌倉にも足利氏の一族がいて東国を支配しました。

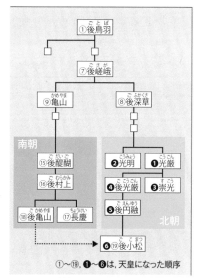

⑤南北朝の分裂と統一
（1336～1392年）

室町幕府
　足利尊氏が開いた幕府は，3代将軍・義満が京都の室町に御殿を建てたので，室町幕府とよばれる。

― 働く子ども、売られる子ども ―

このころ，子どもは6～7歳になると，それぞれの役割をあたえられて働いていた。村の男子は，牛や馬で荷物運びをしたり，鎌を使って肥料にする草を刈ることなどが仕事だった。鎌をもつようになると，一人前とされた。女子は，菜つみの手伝いや水くみをし，麻糸を紡ぎ，布を織ることをまかされた。

男子は14～15歳，女子は12～13歳になると，成人としてあつかわれた。成人も子どもも売買することは禁止されていたが，この年齢より小さな子どもは，下人として売買されることがあった。なお，ききんのときに，うえ死にしそうな人を養えば，その人を下人にしてよいという習慣もあった。

⑥牛の手綱を引く子ども〈『春日権現験記絵』宮内庁三の丸尚蔵館蔵〉

（9）境界に生きる人びと —14世紀の東アジア—

倭寇とはどのような人たちか。東アジアの国々はどう対応したのだろう。

倭寇とよばれた人たち

　1380年7月，朝鮮西岸の錦江河口に，武装した一隊があらわれ，川をさかのぼって村々をおそいました。家を焼き，米や財産をうばい，人を連れ去りました。8月には内陸にも侵入し，これを防ごうとした高麗の将軍を戦死させました。高麗や明では，このような人びとを，倭寇とよんでおそれました。

　9月にも，倭寇が錦江上流の山城を攻めました。このなかで目立った働きをしたのは，阿只抜都という15〜16歳の青年でした。阿只抜都は，敵が戦うのをさけたほど，勇敢でしたが，高麗の武将・李成桂の強い弓によって倒されました。この青年は済州島の生まれだともいわれています。東シナ海では，さまざまな出身の人びとが，海を生活の場として，活動していました。

朝鮮王朝の成立

　14世紀の後半は，倭寇がもっともさかんな時期でした。南北朝の内乱の影響もあって，有力な領主や悪党なども人さらいや略奪をおこないました。このころ，倭寇の日本での主な根拠地は，九州の島々でした。

　朝鮮・中国は日本に，倭寇の取りしまりを要求しましたが，九州地方には，まだ室町幕府に従わない勢力がありました。

　李成桂は，倭寇の制圧に功績をあげ，1392年，朝鮮王朝を開きました。李成桂は，倭寇の根拠地だった対馬に攻め入りました。また，降参して

2 14世紀の倭寇が活動した地域

日本と朝鮮の交易

　室町幕府や西日本の守護大名は，朝鮮に使者を送り，交易をさかんにおこなった。日本から，銅・硫黄・扇などが輸出され，朝鮮から，綿織物・虎皮・朝鮮人参などが輸入された。仏教の経典を求めて，朝鮮にわたる日本の僧も数多くいた。

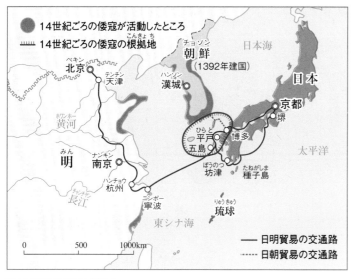

③14世紀ごろの東アジア

地図凡例:
- 14世紀ごろの倭寇が活動したところ
- 14世紀ごろの倭寇の根拠地
- —— 日明貿易の交通路
- ---- 日朝貿易の交通路

④遣明船／勘合貿易に使われた船（1500〜2000石積み）。〈「真如堂縁起」真正極楽寺蔵〉

従った倭寇には，土地や官職をあたえて，略奪をやめさせました。

　朝鮮王朝は，儒教を重視して国づくりをすすめ，都から役人を派遣して政治をおこなわせました。厳しい身分制度もとり入れました。

■ 明を中心とした東アジア世界

　中国では，元の支配に対する反発から，各地で反乱がおこりました。5 農民出身の朱元璋が，南京を中心として長江一帯をおさえて，1368年に明を建国し，モンゴル人を北に追いやりました。

　皇帝となった朱元璋は，新しい国づくりのために，人びとが海に出て自由に交易することを禁止しました。また，周辺の国々には使いを送って，朝貢するよう求めました。朝鮮の李成桂は，建国前から明と関係が10 深く，明も朝鮮を重くみました。

　日本では，3代将軍・足利義満が，九州もまとめ，明の皇帝に使いを送りました。義満は，倭寇をおさえることを約束し，日本国王に任命されました。また，割書き・割印がされた勘合という外交用紙をあたえられました。

15 この勘合をもった遣明船は交易を許され，もたない船は，倭寇として取りしまられました。こうして，幕府は大きな利益と権威を手に入れました。のちには，堺（大阪府）の商人と結んだ細川氏や，博多（福岡県）の商人と結んだ大内氏などの守護大名が，明と交易しました。

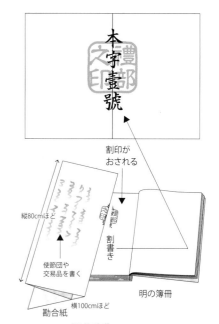

⑤勘合／「本字壹號」などと割書きした文字や割印を，明の簿冊と合わせて，正式な使節であることを確認した。縦80cmほど，横100cmほどの用紙であったとされる。

図中の注記:
- 割印がおされる
- 縦80cmほど
- 使節団や交易品を書く
- 割書き
- 明の簿冊
- 勘合紙
- 横100cmほど

― 朝鮮の文字・ハングルがつくられる ―

　15世紀半ば，朝鮮では独自の文字をつくる努力が重ねられた。国王の世宗は，『訓民正音（民を教える正しい音という意味）』をまとめさせた。ここに書かれた文字が，現在のハングルのもとになった。

　公式の文字は漢字であり，ハングルはいやしいものとされたが，民衆の間に広まっていった。17世紀には，ハングルで書かれた最初の小説・『洪吉童伝』も生まれた。圧政に苦しむ人びとを助けて，活躍する青年を主人公にしたものである。また，18世紀になると，パンソリという伝統的な歌とおどりの芸能が，民衆に親しまれた。

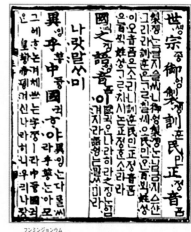

⑥『訓民正音』（のちの時代のもの）

①さまざまな職業〈『七十一番職人歌合』（模本）『三十二番職人歌合絵巻』東京国立博物館・東北大学附属図書館蔵〉

（10）職人歌合の世界 ― 産業の発展と惣村 ―

「職人歌合」から人びとの声が聞こえてくる。このころ都市や村はどのように変わっていったか。

■ 帯と扇のネットワーク

フォーカス
🔍

京都の絹織物は，中国から輸入したものに次ぐ高級品でした。その原料の生糸も，おもに中国から輸入していました。生糸を染め，布に織るのは，女性の仕事でした。織った絹織物を手広く商う女性もいて，帯座の亀屋五位女は，京都の広い範囲で，帯を売る権利をにぎっていました。 5

扇づくりも，女性の仕事でした。布袋屋玄了尼は，3人の女性をやとい，自分も扇をつくっていました。彼女は扇座の長として，京都での販売権の半分をおさえていました。扇は，暑いときあおぐだけでなく，行事のときにも，しばしば用いられました。有名な絵師が絵をかいたものには，高い値段がつきました。また，中国や朝鮮に数多く輸出され，朝鮮との交易では，扇5本が，虎の皮1枚と交換されています。 10

②麻糸を紡ぐ女性／民衆の衣服は麻だった。

■ 銭が行き交い、栄える京都

15世紀になると，京都は，公家・武家・商工業者が住む大都市になりました。全国から物資が集まり，交通の要所では，馬借などの運送業者が活動しました。また，銭の貸し借りもさかんになります。銭をあずかったり貸したりする業者は，土倉とよばれました。このころの京都には，多くの土倉があって，公家や武家だけでなく，庶民も，銭を借りていました。借りるときには，返せない場合の保証とする品物や田畑が必 15

土倉の利息

月ごとの利息で，ふつう土倉にあずける場合は2％，土倉から借りる場合は5〜6％だった。利息の合計が，借りたときの金額を上まわってはいけないというきまりがあった。

③扇屋〈『洛中洛外図屏風』東京国立博物館蔵〉

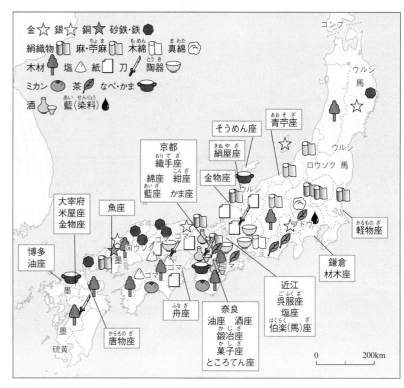

④座と各地の特産物

要でした。借金を返せなかった人の土地など
は、土倉のものになりました。

　また、各地に特産物が生まれ、全国に売買
されました。この時代につくられた職人歌合
には、さまざまな手工業者や商人が、えがかれています。彼らは、同業
者ごとにまとまって、座とよぶ組合をつくり、朝廷や幕府に税を払うこ
とによって、営業を独占する権利をえていました。

■ 自治の村々──惣村

　14世紀ころから、地方では村の自治がすすみました。これまでと変
わって、あまり田畠をもたない村びとや若者も、村の運営に参加するよ
うになります。オトナなどの指導者を中心に、寄合を開いて、おきてを
つくったり、もめごとを解決したりしました。おきてをやぶると、村か
らの追放や死刑などの厳しい罰が、あたえられることもありました。裁
判や警察の仕事も、公家・寺社や地頭に代わって、村総ぐるみ、自分た
ちでおこなうようになりました。このような、自治をおこなう村を、惣(惣
村)とよびます。

　室町時代には、二毛作が西日本を中心に広がります。肥料として大切
な、草や木の葉をとる林野の管理や、用水の手入れも、共同でおこない
ました。田植えなどでは、働き手の出しあいもおこないました(結)。
さらに、惣の手で年貢を納める村も多くなってきました。

おきて

一、薪・炭は惣のものをつか
　いなさい。

一、よそ者は、身元保証人が
　なければ村に住まわせて
　はいけない。

一、惣の共有地と私有地の
　境界の争いは金で解決し
　なさい。

一、犬を飼ってはいけない。

一、堀より東には、屋敷を建
　ててはいけない。

（1489年11月）
（一部要約）

⑤近江国今堀(滋賀県)の惣のおきて
〈『今堀日吉神社文書』〉

― 油商人、国々を行く ―

　室町時代の夜は、灯火によって、じょじょに明るくなっていった。寺社の灯り
の油も、えごまの実を、木の道具でしぼってとったものだった。油商人たちは、
西日本の村を回ってえごまを仕入れ、京都などで売っていた。彼らは、京都の南、
淀川の南岸の石清水八幡宮に仕えた人たちで、対岸の大山崎(京都府)を本拠地
としていた。えごまを運ぶ船が瀬戸内海の港に、1年に30回以上も入港したと
いう記録も残っている。

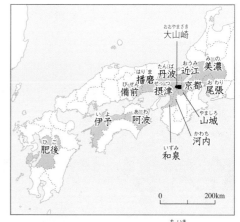

⑥大山崎油商人が、えごまを仕入れた地域

1 ほうそう地蔵と碑文（岩の高さは 約3ｍ）
〈奈良市教育委員会蔵〉

（11）岩に刻んだ勝利 ― 土一揆と戦乱 ―

ほうそう地蔵に文字が刻まれた。各地で一揆が広がるなか，幕府や守護大名はどうしていたのか。

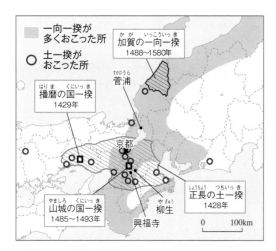

2 正長の土一揆と各地の一揆

■ ほうそう地蔵

　奈良市柳生の旧街道ぞいにある大きな岩に，ほうそう地蔵とよばれる地蔵が彫られています。地蔵の横には，文字が刻み込まれています。「正長元年」は，1428年にあたります。「ヲキメ（負目）」とは，借金や納められなかった年貢の利息のことです。

　1428年の8月，近江（滋賀県）の馬借たちが，幕府に徳政を求めて立ち上がりました。徳政とは，世の中のあり方を，本来のあるべき姿にもどすことをいいました。借金の帳消しが実施されることもありました。

　この騒動はたちまち広がって，京都や奈良の貧しい人びとや，まわりの村びとや地侍がおしよせて，土倉や酒屋を打ちこわしました。金品をうばい取り，借金の証文を破りすてました（土一揆）。幕府はこの行動を禁止し，軍勢を出動させましたが，騒動をしずめることができませんでした。

　このとき，柳生の人びとも，借金帳消しの要求を勝ち取りました。その勝利を記念して，地蔵の岩に27文字の碑文を刻んだのです。一方，興福寺の僧は，「国が滅ぶもとは土一揆である。土民が立ち上がったのは，日本がはじまって以来のことだ」と日記に書きました。

■ 一揆を結ぶ人びと

　この時代には，同じ利害をもつ人びとがまとまり，ともに行動する一揆が結ばれることがさかんでした。寺社に集まり，心を一つにすると誓った証文に署名し，その紙を焼いて神水にまぜたものを，全員がまわ

5

10

15

20

3 近江国大津の馬借
〈『石山寺縁起絵巻』（模本）東京国立博物館蔵〉

④一向一揆の図〈『絵本拾遺信長記』筑波大学附属図書館蔵〉

⑤応仁の乱での足軽〈『真如堂縁起』真正極楽寺蔵〉

し飲みしました。一揆の参加者は，みな平等という考えから，多数決によって取り決めがおこなわれました。

　村で結ばれた一揆の記録が残っています。琵琶湖北岸にある菅浦には，境界をめぐる争いや，惣のできごとを記録した1000通以上の文書が伝えられています。若者を中心に，しばしば戦闘もおこって，死者を出しています。「70，80歳の老人も弓矢を取り，女性も盾をかついだ」と，村ぐるみで戦ったことが書き残されています。

■ 土一揆のなかの戦乱

　人びとは，ききんや土一揆のたびに，京都におしよせました。幕府も寺社も，うえに苦しみ，怒る大勢の人びとを，どうすることもできません。土一揆は，京都の土倉や酒屋をおそい，金品をうばいました。守護大名の家来も，金や米を出せと，土倉などを攻めたてました。

　これは，乱世のはじまりです。1467年，将軍・足利義政や，有力守護大名のあとつぎ争いと，幕府の実力者の細川氏（東軍）と山名氏（西軍）の争いが結びつきました。両軍が，京都に陣をしいて戦いました（応仁の乱）。

　どちらの軍勢にも，土一揆の人びとが，足軽としてやとわれました。戦乱は11年もの間つづき，京都の大半が焼け野原になりました。

　戦乱は地方にも広がり，京都にいた守護大名の多くが領国へもどりましたが，領国では一揆や地方の武士が力をつけ，実力で守護大名の地位をうばう者もあらわれました。このような風潮を，下剋上といいます。このうち，各地で戦いがつづく戦国時代に入っていきます。

影響が大きかった一揆

・山城の国一揆
　1485年から8年間，南山城（京都府）の地侍たちが，守護を追い出し，自治をおこなった。

・加賀の一向一揆
　1488年から約100年間，一向宗（浄土真宗）の信者たちを中心に，加賀国（石川県）を支配した。

― 朝鮮の使節が見た日本の農業 ―

　1420年，朝鮮の使節が，瀬戸内海から京都に着いた。使節の一員・宋希璟は，旅の間に見聞きしたことを，『老松堂日本行録』という書物にまとめた。この本では，京都の近くで，稲・麦・そばの三毛作をしていると書いている。
　また，1429年に日本を訪れた朝鮮通信使は，川の流れで動いて水をくみ上げる水車を見た。帰国後，朝鮮政府に，水車の模型をつくって報告している。

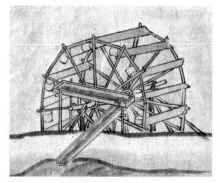
⑥水車〈『石山寺縁起絵巻』（模本）東京国立博物館蔵〉

1 風流おどり〈『洛中洛外図屏風』米沢市上杉博物館蔵〉

（12）禅の文化、民衆の文化 ―室町時代の文化―

盆おどりに人びとはどんな思いを込めただろう。どんな民衆の文化，禅宗の文化が生まれたのか。

2 大ききんのとき，施しを受ける人たち〈『天神縁起絵扇面貼交屏風』道明寺天満宮蔵〉

中世末期の盆おどり歌

一、亭主亭主の留守なれば、
隣り辺りをよびあつめ、
人ごと（うわさ話）いふて
大茶飲みての大わらい。
意見さまふさうか。　（略）

伏見荘の村でおこなわれた行事

1月	もち　屠蘇　七草がゆ 小豆がゆ　羽根つき 門松を焼く行事
2月	うぐいす合わせ（鳴き声を競う）
3月	闘鶏　猿楽（歌舞や寸劇）
5月	端午（菖蒲）の節句
7月	七夕　盂蘭盆
9月	秋祭り（村から大笠の飾り ものを出す）大相撲　猿楽
12月	すす払い　大晦日

■ 盆おどりの誕生

フォーカス

　1420年は，春から日照りがつづき，よく年にかけて大ききんとなりました。伝染病が大流行し，多数の人たちが食べ物を求めて，京都におしよせます。しばらく前から気候不順やききんはありましたが，このあとも近畿地方には，ききんがたびたびおそいました。このとき，伏見荘（京都府）でも多くの犠牲者がでました。村人たちは，亡くなった人びとを供養し，百万遍念仏がおこなわれましたが，しばらくたつと，盆には，死者を供養する盆おどりも踊られるようになりました。

　きびしいことの多かったこの時代，伏見荘のような祭りや盆おどりが，各地に広がり，人びとは，死者をいたむだけでなく，新たな人と人の縁を求めて，歌声をひびかせました。

■ 文化の中心となった禅宗寺院

　室町時代には，鎌倉時代におこった浄土真宗（一向宗）や法華宗（日蓮宗）などの新しい仏教が，信者を大きくふやしました。しかし，幕府は禅宗を重視したため，国の中心では禅宗が栄えました。とくに京都や鎌倉の五山といわれる寺院は幕府の保護を受け，禅宗の僧は漢文の知識をいかして，外交文書を起草するなど，学術や文化の中心となりました。

　金閣・銀閣にも禅宗寺院の建築様式がとり入れられ，武家の文化に，公家の文化をとけこませたものになっています。禅寺の部屋の様式を，武家の住居にとり入れた書院造も生まれました。禅宗のまわりには，水

③伝 雪舟『唐土勝景図巻』〈京都国立博物館蔵〉

④能の公演〈『豊国祭礼図屏風』徳川美術館蔵〉

墨画・茶道・華道などの文化が花開きました。雪舟は，日本の風景などを，墨一色の水墨画にえがきました。

激しい音楽をかなで，豪華な衣装をつけて，歌や舞・曲芸などをくりひろげる見世物も，多くの人たちに好まれました。そのなかの田楽から，能が生まれました。能は，音楽や舞を組み合わせた演劇です。

能の役者だった世阿弥は，将軍・足利義満に保護され，『平家物語』などから題材をとった曲をつくりました。「敦盛」という作品は，16歳で死んだ平敦盛の霊が，自分を殺した熊谷直実に思いを語るという話です。このような能は，現在も，演じつづけられています。

⑤能「敦盛」〈矢来能楽堂提供〉

■『御伽草子』の笑いの世界

室町時代には，『御伽草子』という絵入りの物語の本が，多くの人に読まれました。その一つ「ものぐさ太郎」の主人公は，もちが転がっても拾いにいかないような，なまけ者でした。ところが，都に上ると，よく働くまめまめしい男に変身します。将軍や守護大名の家には，お伽衆という道化役がいました。また，「一寸法師」や「鉢かづき」の主人公も，召しかかえられ，笑いものにされる道化でした。

能とともに演じられた狂言も笑い話，とんち話です。これらが，現在まで伝えられる民話の原型となりました。また，連歌をよむ会が，公家や武家の間だけでなく，地方でも広くおこなわれました。室町時代の文化のなかで，民衆に文芸や知識が広がるようすを，はじめて知ることができます。

> **ものぐさ太郎の歌**
>
> ものぐさ太郎は，都の美しい女性に恋をして，追いまわします。最後には，その女性に和歌の才能を認められて，めでたく結婚し，幸せにくらしました。
>
> 太郎は，女性が大切にしていた琴をこわしてしまう。
>
> 女性：
> 「今日よりはわが慰みに何かせん」
> 太郎：
> 「ことわりなればものも言はれず」
> （ことわり＝琴割り・理）

> **連歌**
>
> 五七五の上の句と，七七の下の句を別の人がよんで，次々につなげながら，大きな流れをつくっていく，ゲーム性のある文芸。

─ 銀閣をつくった人びと ─

8代将軍・足利義政は，戦乱をよそに建築と庭づくりに熱中した。寺社や公家から，りっぱな板を取り上げて床の間にかざり，形のよい石や樹木などを運び出して庭に配置した。1482年には，銀閣（慈照寺）の建設をはじめた。義政は，中国の陶磁器や絵画などの美術品を集め，芸術家たちに鑑定させた。それらの品々を鑑賞するために，ちがい棚や床の間がつくられた。庭づくりに当たったのは，善阿弥の子孫などの，河原者とよばれた低い身分の人たちであった。

⑥書院造／慈照寺の境内にある東求堂の同仁斎。創建したころの書院飾りを再現している。〈慈照寺提供〉

琉球人〈伝 雪舟『国々人物図巻』京都国立博物館蔵〉

② 首里城／2019年焼失

（13）アジアの海をつなぐ王国 ―琉球王国―

琉球の船はどこへどんな物を運んでいたか。ラッコの毛皮はどんなルートで手に入れたか。

首里城
　琉球王国の都は，首里に置かれた。首里城は何度も火災にあい，そのたびに再建されたが，1945年の沖縄戦で全壊した。城壁と建物は1992年に復元されたが，2019年焼失した。

蒔絵
　漆器の表面に絵をかいたり，金粉をつけて仕上げる技法。

③19世紀にえがかれた那覇港の進貢船／19世紀まで，琉球王国は中国に朝貢していた。
〈沖縄県立博物館・美術館蔵〉

フォーカス

■ マラッカに行く琉球船

　1463年，琉球王国の那覇の港から，たくさんの商品を積んだ船が，マラッカ王国（現在のマレーシアの一部）をめざして出航しました。船は，明の皇帝からあたえられたものです。長さ40mほど，大砲や矢の発射台を備えた軍艦です。乗っているのは約200人。琉球人の使節のほか，那覇に住んでいた中国からの移民が，船長・水夫・通訳として乗り組みました。冬の北風を帆に受け，羅針盤を使って進んだと思われます。

　16世紀のはじめ，マラッカ商館に来ていたポルトガル人が，次のように記録しています。「レキオ（琉球）人は，中国人とマラッカで取り引きをおこなう。正直な人間で，奴れいを買わない。ジャンボンへ行って，その島にある黄金や銅などを手に入れる。マラッカへもってくるのは，黄金・銅のほか，武器・蒔絵の箱・扇・紙・生糸・陶磁器である。インド産の衣服を大量にもち帰る。マラッカ産の酒をたくさん積み込む」

■ 船で万国のかけ橋に

　九州の南から台湾の東にかけて，点々とつらなる琉球の島々では，魚や貝をとってくらす貝塚文化の時代が長くつづきました。11世紀以降，水田稲作と鉄製農具が伝えられました。ムラどうしの戦いが激しくなり，グスク（城）が築かれます。14世紀，沖縄島では3つの国が争っていま

④ラッコ／北海道から千島列島・アリューシャン列島・アラスカにかけての寒い海にいる。毛皮は，最高級品であった。アイヌはモリでとった。「ラッコ」はアイヌ語。

⑤ヤコウ貝／インド洋から太平洋にかけての暖かい海のサンゴ礁にいる。殻をけずり，みがいたものは蒔絵をほどこす材料となる。琉球国王は，潜水してとった貝を，漁民に納めさせた。

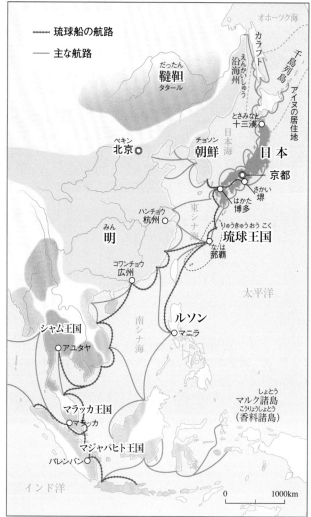

⑥15世紀アジアの海上交易路

したが，1429年，統一されて，琉球王国がつくられました。

琉球国王は，明の皇帝に毎年のように朝貢しました。1434年には，日本刀や金箔の屏風とともに，サメ皮4000枚，ヤコウ貝8500個，宝貝550万個，ラッコの毛皮100枚を，皇帝に贈っています。

明は，朝貢以外には，海外との自由な交易を禁じていたので，琉球王国がその代わりをにないました。そのため，琉球王国はアジアのほかの国よりも優遇され，船を送る回数に制限はありませんでした。

琉球の船は，中国の陶磁器や絹織物を手に入れ，シャム（タイ）やマラッカなど，東南アジア各地に運んで売りさばきました。帰りには，スパイスや象牙など，南方の産物をもち帰りました。那覇は，朝鮮や日本の堺（大阪府）や博多（福岡県）との間でも，船の行き来がさかんでした。

琉球では，アジアとの交流を通じて，独自の文化が育ち，『おもろそうし』という歌集がまとめられました。

■国際貿易港・十三湊

津軽半島（青森県）の日本海側に十三湖があり，その海への出口に十三湊という港町がありました。13世紀から15世紀にかけて，地元の有力武士であった安東氏の館を中心に，武家屋敷や商人・職人の家が立ちならんでいました。蝦夷地（北海道）から来るアイヌの船や，近畿地方と行き来する船が港に出入りし，日本海航路の中心地としてにぎわいました。中国の銅銭や中国・朝鮮の陶磁器が多数出土しており，国際貿易港として栄えていたことがわかります。

⑦十三湊／かつては，◀印のところから船が出入りした。〈五所川原市教育委員会提供〉

― アイヌの人びとがになう北方の交易 ―

北海道の先住民は，アイヌの祖先にあたる人びとである。13世紀ごろ，掘立式建物（チセ）に住み，土器の代わりに漆器や鉄器を使うアイヌ文化が形成された。独自の文様や，ユカラ（神と人との物語）が生み出され，伝えられた。アイヌの人びとは，川をさかのぼってくるマスやサケをとり，海ではカジキなどの魚やアザラシなどをとった。森では，弓矢を使って，熊や鹿などの狩りをした。また，カラフト（サハリン）や沿海州方面にも出かけ，交易をおこなった。15世紀には，本州から蝦夷地にわたった人たちが，館を拠点にしてアイヌとの交易をおこなった。和人（日本人）の鉄器・漆器・米・酒と，アイヌの毛皮や魚が交換された。

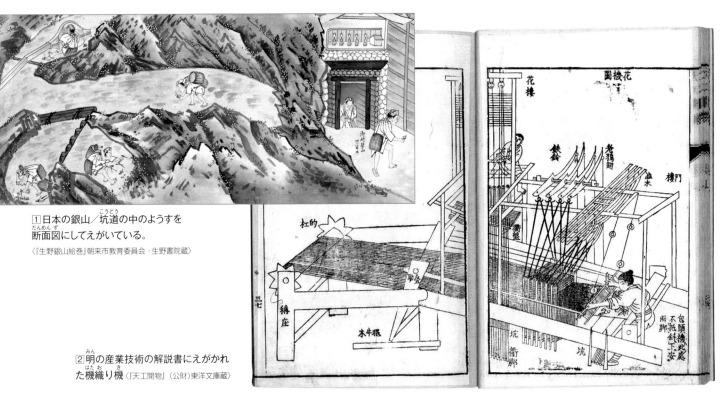

① 日本の銀山／坑道の中のようすを
断面図にしてえがいている。
〈『生野銀山絵巻』朝来市教育委員会・生野書院蔵〉

② 明の産業技術の解説書にえがかれ
た機織り機〈『天工開物』（公財）東洋文庫蔵〉

（14）銀と戦国大名 ──戦国時代──

石見の山中で大量に銀が産出された。このころ，日本，中国ではどのような変化がおきていたか。

フォーカス

■ 石見銀山の開発

　1526年，石見（島根県）の山中で，銀の鉱山が発見されました。そののち，朝鮮から伝えられた銀の精錬法によって，産出量は爆発的に増大しました。最盛期には，日本の銀は，当時の世界の産出量の3分の1を占めました。

　鉱山の北西の，日本海に面した入江が，銀の積み出し港になりました。銀の鉱石を掘る人・精錬をする人が集まり，石見銀山の人口は4万人をこえ，大きな集落が生まれました。現在でも，作業場や住居のほか，坑道・井戸などが残っています。

　この時代，何人もの戦国大名が，自分の領国で金や銀の鉱山の開発をめざしました。

③ 藍地刺繍金線龍袍（清代）／②のような
超大型の機織り機で織った絹織物
〈名古屋市博物館蔵〉

■ 絹織物で栄えた蘇州の町

　16世紀ごろ，日本人が銀で手に入れたものは，中国産の生糸と絹織物でした。中国（明）の蘇州は，絹織物の最大の生産地で，商業もさかんでした。大運河の水運によって，首都の北京をはじめ，中国各地と結ばれ，海外に向かう港にも通じていました。

　市内の運河ぞいには倉庫が立ちならび，街路には大きな店がのきをつらねていました。有力者の屋敷には，りっぱな庭が造られ，室内は書や花鳥山水をえがいた絵画でかざられました。街角につくられた舞台では，歌やおどり，劇が演じられて，民衆の人気を集めました。語り物だった『三国志演義』や『西遊記』なども出版されました。

④ 『西遊記』／火焔山での孫悟空の活躍を
えがいた中国の切手。

⑤毛利元就（1497〜1571）
〈東京大学史料編纂所蔵〉

⑥北条氏康（1515〜1571）
〈小田原城天守閣所蔵模本〉

⑦敵方の稲を刈る雑兵
〈『絵本拾遺信長記』函館市中央図書館蔵・
国文学研究資料館提供〉

一方，明の皇帝は，民間の商人が海外との交易をおこなうことを禁じていました。そのうえ，室町幕府との勘合貿易も，16世紀半ばには，とだえてしまいます。それにかわって，日本の銀と中国の生糸の交易で大きな利益を上げたのが，密貿易商人と海賊のグループでした。かれらは
5 政府の取りしまりに武力で抵抗し，ときには役所や民家をおそい，金品をうばいました。九州沿岸を拠点とする日本人も多く加わっていたので，倭寇とよばれました。九州の平戸などを拠点に海上交易に乗りだした王直もその一人でした。

雑兵

戦国大名に奉公する身分の低い兵や，荷物を運ぶために村からかり出された百姓などをいう。戦国大名の軍団の人数の7割から8割は雑兵が占めた。

■ 戦国大名の登場

日本では，応仁の乱のあと，足利氏の将軍は，京都周辺を支配するだ
10 けになりました。それまでは京都の幕府に集まっていた守護の多くも，自分の領国にもどりました。こうして，全国を実際に支配する政権はなくなり，大名どうしの戦いがはじまりました。

このなかで，安芸（広島県）の毛利，甲斐（山梨県）の武田，越後（新潟県）の上杉，相模（神奈川県）の北条などが強い力をもつようになります。
15 これらの戦国大名の多くは，鎌倉時代からつづく守護の家柄ではなく，この時代に大きく成長した武将です。

戦国大名は，軍事力を強め，領国を広げる政策をとりました。分国法を定めて，家臣団や領民を取りしまりました。城下町をつくって家臣や商工業者を集め，ここを中心に商
20 工業をさかんにしました。また，かんがい工事などをして，耕地を開拓することにも努めました。

分国法

〈越前の朝倉氏〉
一、朝倉家の城以外、国内に城を築いてはいけない。

〈甲斐の武田氏〉
一、許可なく他国の者に贈り物をしたり、手紙を出したりすることは禁止する。
一、喧嘩については、どのような理由があっても処罰する。ただし、喧嘩をしかけられてもがまんした者は処罰しない。

⑧地蔵と子ども 〈『矢田地蔵縁起』奈良国立博物館蔵〉

― 戦国時代の子どもたち ―

『矢田地蔵縁起』には，地蔵にすがる子どもたちがえがかれている。この世と地獄の境にある賽の河原で，石を積み上げては，それを金棒で突きくずす鬼に追われている。16世紀ごろになると，人びとは，子どもが死後にどこに行くのかに，関心をもつようになった。

この時代，子どもを子宝とする考えが生まれ，子どもの姿が絵にされるようになった。「家」は先祖を同じくし，親から子へと引き継がれていく集団だと考えられるようになった。そして，家のあとを継ぐ子どもが，無事に成長するようにと，願うようになった。また，子どもは親に孝行し，先祖を供養すべきものとされた。

1 右下の年表の①〜⑤に関する問いの答え（都市名・国名）を，下のまとめの表に入れましょう。
また，下の地図から都市や国の位置を記号で選び，まとめの表に入れましょう。

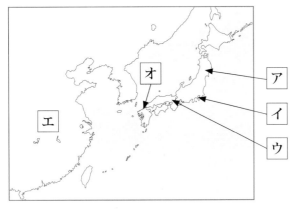

（教科書 P57 などに，ヒントになる地図があります。）

935	平将門の乱が起こる		
1086	白河上皇が院政を始める		
1159	平治の乱が起こる	……………………	①
1167	平清盛が太政大臣となる	…………	②
1189	源頼朝が奥州藤原氏を滅ぼす	…	③
1192	源頼朝が征夷大将軍となる	………	④
1221	承久の乱が起こる		
1333	鎌倉幕府が滅びる		
1404	明との勘合貿易がはじまる	………	⑤

年表の①〜⑤に関する問い	都市名・国名	地図上の記号
① 保元の乱や平治の乱が起こった都市		
② 平清盛が交易をさかんにしようとした国		
③ 奥州藤原氏が中尊寺を建てた都市		
④ 源頼朝が幕府をおいた都市		
⑤ 明との交易の拠点となった都市		

2 学習をふりかえり，(1)から(4)の課題を文章にまとめてみましょう。印象に残ったことや，さらに知りたいことがあったら，それらも書きましょう。グループやクラスで発表しましょう。

(1) 次の人たちの政策や行動によって，政治や社会が変化しました。どのようなことをしましたか。

白河上皇	鳥羽上皇	平清盛	源頼朝	北条政子	後醍醐天皇	足利義満

(2) アジアの国々や地域との交流のようすを，次のなかから二つ以上のことばを使って書きましょう。

博多	大輪田泊	クビライ＝カン	阿只抜都	李成桂	勘合	琉球王国	十三湊

(3) 産業の発達や民衆の行動について，次のなかから二つ以上のことばを使って書きましょう。

荘園	阿テ河荘百姓の訴え	二毛作	定期市	座	銭	惣村 土一揆

(4) 仏教や文化の新しいうごきや特色を，次のなかから二つ以上のことばを使って書きましょう。

中尊寺金色堂	念仏	平家物語	運慶	禅宗	能	盆踊り	御伽草子 銀閣

<ruby>大翔<rt>ひろと</rt></ruby>さんは，⑵について次のように書きました。

> 博多の商人が，ジャンク船で宋から大量の陶磁器を日本に運んだ。僧たちも船で行き来して禅宗を広めた。この時代は，交流も戦争も船がないとできなかった。明になって，勘合がないと交易ができなくなったので，交流はおとろえるかと思ったが，琉球王国は別だった。明の皇帝にもらった40mもある船で，マラッカまで行って交易はさかんだった。ジャンク船のことをもっと知りたい。

<ruby>結衣<rt>ゆい</rt></ruby>さんは，⑷について次のように書きました。

> おそろしい地獄の話が印象に残りました。戦争やききんや地震があって苦しい時代でした。地獄に落ちることをおそれて，念仏を唱える教えが広まったと思います。『平家物語』にある話をもとに，室町時代になって，世阿弥が能の『敦盛』を書きました。敦盛の霊は，自分を殺した熊谷直実に何と言ったのか知りたいです。

③ 歴史絵画を解説・推理しましょう。

⑴ 第2部の絵画から，印象に残ったものを選び，次の点に着目して解説・推理をしてみましょう。

○いつごろの，何をえがいたものでしょうか。

○絵を観察しましょう。どんな物がありますか。どのような人たちが，何をしていますか。

○絵のなかの人が思っていること，言っていることを想像してみましょう。

⑵ グループやクラスで発表しましょう。発表を聞いて，自分では気がつかなかったことをメモしましょう。

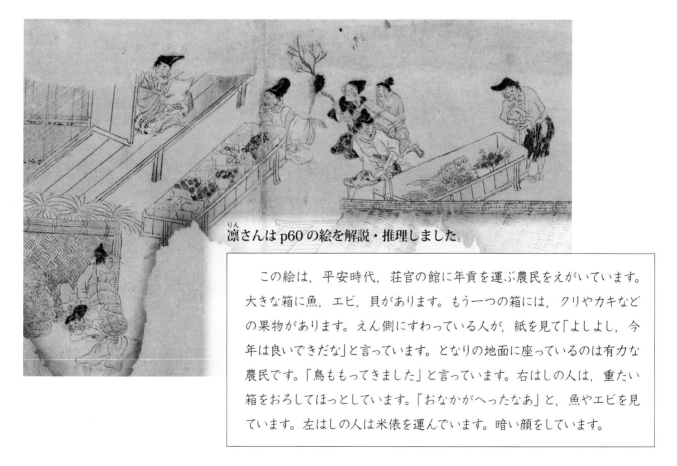

凛さんは p60 の絵を解説・推理しました。

> この絵は，平安時代，荘官の館に年貢を運ぶ農民をえがいています。大きな箱に魚，エビ，貝があります。もう一つの箱には，クリやカキなどの果物があります。えん側にすわっている人が，紙を見て「よしよし，今年は良いできだな」と言っています。となりの地面に座っているのは有力な農民です。「鳥ももってきました」と言っています。右はしの人は，重たい箱をおろしてほっとしています。「おなかがへったなあ」と，魚やエビを見ています。左はしの人は米俵を運んでいます。暗い顔をしています。

④ 第2部・中世は，どのような人びとが力をもった時代だったでしょうか。前の時代と比べながら，自分の考えを文章にまとめましょう。

第4章 世界がつながる時代

海でつながる世界

> (!) 第4章の扉ページでは、
> 世界をつないだ交易や人の移動を追いました。

▲鉱山で働かされるアメリカ先住民

アメリカ大陸の鉱山で働く人びと

スペイン・ポルトガルが開発した鉱山や農園では、先住民が働かされました。きびしい労働や病気によって人口が激減すると、アフリカから、黒人が奴れいとして、連れてこられました。

▲トマト・トウモロコシ・トウガラシ

アメリカ大陸の植物が世界の料理を変えた

トマト・ジャガイモ・トウモロコシ・トウガラシ・カカオなどは、アメリカ大陸原産の作物です。スペインやポルトガルの活動によって、世界に広まりました。

アメリカ大陸に広がった伝染病

スペイン・ポルトガルから宣教師が海を渡り、先住民や奴れいにキリスト教を布教しました。人とともにヨーロッパから広がった天然痘などの伝染病で、多くの先住民が死亡しました。

アステカ王国

▲奴れい船の内部のようす

インカ帝国

スペイン
ポルトガル

▲イスタンブールの天文台
〈イスタンブール大学附属図書館蔵〉

ムスリム（イスラム教徒）の天文学と地球儀

ムスリムの天文学や羅針盤がヨーロッパの国々に伝わり、遠距離の航海ができるようになりました。この技術は日本にも伝わりました。織田信長も地球儀をながめたといわれます。

大西洋

アジアのスパイスを求めた人びと

16世紀のヨーロッパでは、コショウ・シナモンなどのスパイスは、大変高価なものでした。ヨーロッパの船は、スパイスの産地をめざしました。

▲コショウの実

ヨーロッパとの出会い

東アジアや東南アジアの交易に, ポルトガル・スペインの船が加わりました。この船が運んだのは, 東南アジアの鉄砲, 中国の生糸などでした。日本からは銀・刀剣などを輸出しました。

太平洋

朝鮮

明

ムガル帝国

†スマン帝国

インド洋

石見の銀が世界に

朝鮮の技術が伝わって, 銀山の開発がすすみ, 生産量が急増しました。豊臣秀吉の朝鮮侵略の戦費は, 石見の銀で支払われたといわれます。

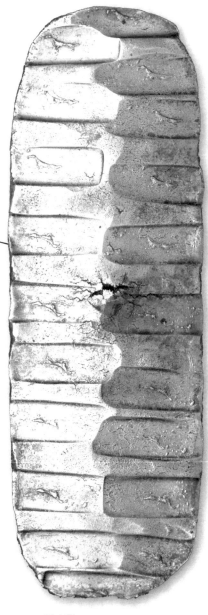

▲石見銀(実物大)〈日本銀行貨幣博物館蔵〉

| 近世の学習課題 | 海洋を行き来して, 遠く離れた国と国がつながります。人びとの交流が新しい時代を開きます。地域と地域がつながって, 新しい文化が育ちます。天下を統一した武将たち, 力をつけた百姓・町人たちの姿を見ていきましょう。地域に残る歴史の跡や資料からも, 当時の人びとの生活を見ることができます。近世の新しい動きを, さまざまな角度から考えてみましょう。 |

①『南蛮屏風』にえがかれたポルトガル人〈神戸市立博物館蔵〉

（1）インドに出現した船隊 ―ポルトガルの進出―

ポルトガル船はアジアのどこにやって来たのか。何を求め，何を伝えようとしたのか。

■ 高価なコショウを求めて

1498年5月，インド西岸の港町カリカットに，3隻のポルトガル船が，とつぜん姿をあらわしました。バスコ＝ダ＝ガマの船隊は，スパイスを手に入れるため，アフリカの南端をまわってきたのです。

そのころ，ヨーロッパでは，スパイスはとても高価なものでした。その産地はインド南部や東南アジアで，インド洋から地中海を通って，ヨーロッパに運ばれていました。この交易で，エジプトやベネチアの商人が，大きな利益を上げていました。

カレーライスの起源はインドにあります。インド料理では，さまざまなスパイスが使われています。スパイスの混ぜ合わせ方，材料や調理の仕方によって，いろいろな料理になります。その辛さのもとになるのが，スパイスでした。スパイスには，肉や魚のくさみを消すだけでなく，くさるのを防ぐ効果もありました。

■ インド洋に進出するポルトガル商人

インド洋沿岸では，ダウ船に乗った商人たちが，季節風を利用して，東アフリカから東南アジアまでの広い範囲を結んで交易をしていました。スパイス・象牙・綿織物・生糸・陶磁器などが運ばれました。沿岸の支配者たちは，ムスリム（イスラム教徒）の商人たちに，港の管理をまかせていました。

ポルトガルは，大砲を積んだ大型船でインド洋に進出し，インド西岸のゴアの港を占領して要塞を建設しました。ヨーロッパ向けのスパイス

スパイス
スパイス（香辛料）には，コショウ，丁子，肉桂，ニクズク，ジンジャー，カルダモンなどがあるが，コショウがもっとも多く使われている。

②コショウの実

③ダウ船（現在のもの）／
三角帆をはった長さ20mほどの小型船。

5

10

15

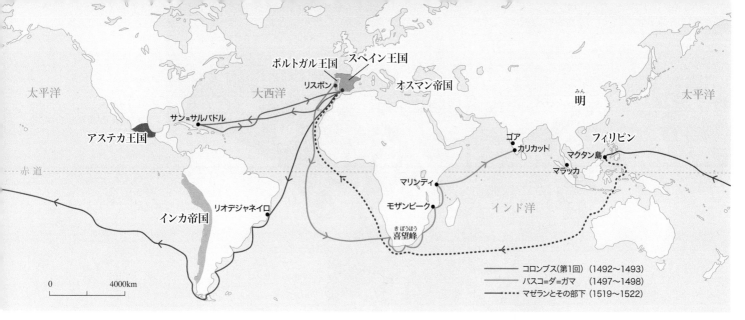

④ヨーロッパ人の新航路開拓

の交易を，独占することがねらいでした。

　ポルトガルは，次に，東南アジア産のスパイスを安く仕入れようとして，マラッカを占領しました。さらに，中国（明）との交易を求めて，使節を送りましたが追い返され，倭寇を

5　相手に交易をはじめました。1557年になって，明からマカオでの居住を認められ，東アジアでの活動を広げました。

■ キリスト教の改革とイエズス会

　そのころ，西ヨーロッパのキリスト教徒の中では，カトリック教会が大きな権威をもっていました。16世紀はじめ，罪がゆるされるという贖宥状を，教会が売り出しました。1517年，ルターがこれを批判した

10　ことをきっかけに，カトリック教会から独立する人たちがあらわれ，プロテスタントとよばれました（宗教改革）。

　これに対抗して，カトリック教会の権威を守ろうとするイエズス会が結成されました。イエズス会は，世界各地で布教して，新たな信者を獲得しようとしました。そのさい，アメリカ大陸を侵略したスペインと，

15　アフリカをまわってアジアに進出したポルトガルの支援を受けました。

　イエズス会のザビエルは，キリスト教を広めようとして，南インドや東南アジアに行きましたが，あまり成果がえられず，次にめざしたのが日本でした。

⑤ カトリック教会の中心，サン＝ピエトロ大聖堂（バチカン市国）

⑥ ラファエロ『小椅子の聖母』
〈パラティーナ美術館蔵〉

― ルネサンス ―

　14世紀ころから，北イタリアでは地中海を通じた東西の交易がさかんになり，古代ギリシアの文化やイスラムの科学技術が取り入れられて，新しい思想や芸術が生み出された。宗教的な形式よりも，合理的な考え方や写実的な表現が求められるようになった。

　また，活字印刷もはじまり，教会の聖職者だけでなく，一般の市民にも学問にふれる機会が広まった。天文学などの自然科学も発達した。このうごきは，16世紀になるとヨーロッパ各地に広がり，のちに「ルネサンス（文芸復興）」とよばれるようになった。

　イタリア人のガリレオ＝ガリレイは，1609年に，自分で望遠鏡を作って天体の観測をはじめた。金星の満ち欠けや大きさが変化して見えることなど，天動説では説明できない現象を発見した。しかし，地動説を広めたことで教会による宗教裁判にかけられ，処刑をまぬがれるために，やむなく自説を撤回した。

▲奴れいが積み出された港

北アメリカ大陸

サン＝サルバドル島

コロンブス第1回航海
（1492〜1493年）

アステカ王国
テノチティトラン

カリブ海

南アメリカ大陸

チムー王国

ブラジル

インカ帝国
クスコ

太平洋

アンデス山脈

マゼラン海峡

南極大陸

ポルトガル
王国

スペイン王国

ハフス朝

マムルーク朝

サハラ砂漠

ポルヌ
王国

ダカール　・ジェンネ

ソンガイ
王国

ベニン
王国

エルミナ

アビシニア
王国

アフリカ大陸

コンゴ
王国

赤道

バスコ＝ダ＝ガマの航路
（1497〜1498年）

モノモタパ
王国

喜望峰

大西洋

□1「テノチティトランの光景」（アステカ王国の都）／20世紀のメキシコの画家リベラの作品。

□2 15〜16世紀の大西洋を囲む地域

（2）大西洋の東と西で ─スペインの中南米征服─

スペイン人はアメリカ大陸で何をしたか。西アフリカでは何をしたか。住民はどうなったか。

■ アメリカ大陸の独自の文明

コロンブスがスペインから大西洋を渡って，アメリカ大陸の沿岸部の島々に上陸したのは1492年のことでした。

そのころ，内陸部では北アメリカでアステカ王国が，南アメリカではインカ帝国が栄えていました。アステカ王国の都テノチティトランは大きな湖のなかの島にあり，対岸とは4本の堤の上に築かれた道路で結ばれていました。その中心部には，巨大な石造りの神殿や宮殿が立ちならび，正確な暦にもとづいて神々をまつる儀式がおこなわれていました。絵文字を用いて，さまざまな儀式や伝承が記録されていました。

市内にはいくつもの市場があり，多くの人びとでにぎわっていました。市場にはあつかう商品の種類ごとに区画が定められ，食料，衣類，土器や家具，奴れいなどが売られていました。

■ 金銀にとりつかれたスペイン人

コロンブス以後，多くのスペイン人がアメリカ大陸に続々と渡っていきました。目的は黄金を手に入れることでした。わずかな金でも，見つけしだい，住民の手からうばい取りました。1521年には，アステカ王国を滅ぼし，その後，インカ帝国を滅ぼすと，宮殿をかざっていた金を，残らずスペインにもち帰りました。

さらに，16世紀になると，スペイン人は銀山を開発し，住民を強制

□3 古代アンデス文化の土器（1〜8世紀ごろ）
〈遠山美術館蔵〉

□4 コロンブスが乗ったサンタ＝マリア号
〈スペインの記念切手〉

⑤カリブ海の島での砂糖の生産

⑥ジェンネにあるイスラム教のモスク（マリ）

的に働かせて莫大な銀を手に入れました。ヨーロッパ人はこれらの金銀によって，アジアの産物を大量に買い集めることができました。

　スペイン人の侵略と征服に対して，各地で武器を手にした抵抗がくり返されました。しかし，馬に乗り鉄砲をもったスペイン人には，勝てませんでした。スペイン人は，抵抗した住民をつぎつぎに殺害し，生き残った人びとをキリスト教に改宗させました。そのうえ，アメリカ大陸にはなかった天然痘やはしかなどの伝染病がもち込まれたために，多くの人びとが死んでいきました。

⑦ベニン王の青銅像
（ナイジェリア　16〜17世紀ごろ）
〈大英博物館蔵〉

■ 大西洋をこえて運ばれた黒人奴れい

　西アフリカの内陸部では，金が産出されていました。ラクダを連ねた隊商が，この金を持ってサハラ砂漠をこえて，地中海沿岸と交易し，8世紀ごろから黒人の王国が栄えていました。

　しかし15世紀末から，ヨーロッパ人が西アフリカに来航するようになると，沿岸部の黒人の国々と交易をはじめました。これらの国は，ヨーロッパ人から鉄砲や綿織物，ラム酒，金属製品などを買い入れるために，戦争や略奪でえた捕りょを奴れいとして売りわたしました。

　17世紀になると，ヨーロッパ人は，カリブ海の島々やブラジルにサトウキビの大農園をつくりました。それらの農園では，西アフリカから，多くの黒人奴れいを買い入れて働かせ，大きな利益を上げました。

奴れい貿易
　奴れい貿易が禁止される19世紀半ばまでに，1200万〜2000万人の黒人奴れいが，アメリカ大陸に運ばれた。

― マゼラン船隊の世界一周 ―

　1519年，マゼランは，二百数十人を乗せた5隻の船隊でスペインの港を出発した。地球を西まわりで，スパイスの産地・マルク諸島（インドネシア）をめざした。アメリカ大陸の最南端の海峡（マゼラン海峡）を通りぬけ，さらに，太平洋を北西に横断して，フィリピン諸島に到達した。マゼランは，マクタン島の王ラブ＝ラブを従わせようとして，島を攻撃したが敗北し，ここで戦死した。残された船員たちは，マルク諸島を経由して，アフリカの南をまわり，1522年にスペインに帰り着いた。無事にもどったのは，わずか18人であった。

⑧ラブ＝ラブ（1491〜1542）

① 鉄砲を使った戦い／1600年に出羽国（山形県）でおこなわれた合戦をえがいている。〈『長谷堂合戦図屛風』（複製）最上義光歴史館写真提供〉

（3）倭寇がもたらした火縄銃 —鉄砲とキリスト教—

火縄銃が日本に伝わってきた。鉄砲は日本の社会にどんな変化をおこしたのだろうか。

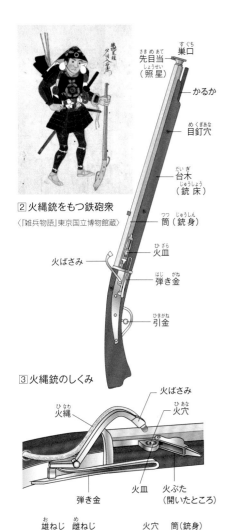

② 火縄銃をもつ鉄砲衆
〈『雑兵物語』東京国立博物館蔵〉

③ 火縄銃のしくみ

■ 火縄銃の伝来

1543年，種子島（鹿児島県）に，1隻の大きな船が流れつきました。船に乗っていた2人のポルトガル人は，もっていた火縄銃を試し撃ちして，島の人びとをおどろかせました。銃は，東南アジアでつくられたものと考えられています。

この船は，東アジアの海をさかんに行き来し，活動していた倭寇の中心人物，王直の交易船であったことが，明らかになっています。硝石や硫黄など，火縄銃には欠かせない品々の交易もおこなっていたようです。

■ 火縄銃の普及

鉄砲は，このほかにもいくつかのルートで，日本に伝わっていたようです。火縄銃は，はじめは猟の道具として使われるようになりました。さらに，兵器としても使用されるようになると，急速に広まりました。

火縄銃をあつかうには，特別な訓練が必要でした。火薬の調合も，天候によって変えなければなりませんでした。雑賀（和歌山県）では，鉄砲衆とよばれた武装集団が，地域の防衛にあたったり，石山本願寺（大阪府）などにやとわれて，各地の戦いに出かけたりしていました。ここでは，いち早く火縄銃を生産し，その技術は堺（大阪府）などにも伝えられました。とくに戦国大名は，鉄砲衆の戦力を重視して，大量の火縄銃を買い入れ，装備するようになりました。

なお，木綿は中国（明）や朝鮮から輸入していましたが，このころから国内でも綿花の栽培がはじまりました。それにともない，竹の繊維に

④**南蛮屏風にえがかれた港町**〈『唐船・南蛮船図屏風』九州国立博物館蔵〉

かわって，木綿が火縄に用いられるようになりました。

■ キリスト教の布教と南蛮貿易

　九州の各地には，交易のために中国や朝鮮から来た人びとが住む唐人町ができていました。西日本の大名たちは，早くからアジアとの交易によって力をたくわえていました。

5　豊後（大分県）の大友義鎮（宗麟）は，キリスト教を広めるために来ていた，イエズス会のザビエルと会いました。大友氏は領内での布教を許し，ポルトガル人との交易をはじめます。そのころポルトガルは，マカオ（中国）を拠点に，倭寇にかわって東アジアの交易に力をもっていました。ポルトガル人やスペイン人との交易を，南蛮貿易とよびます。

10　南蛮貿易とともに入ってきた，ヨーロッパの風俗や芸術，天文学や医術などの科学技術も，大きな影響をあたえました（南蛮文化）。

　その後，宗麟はキリスト教の洗礼を受け，ポルトガル国王に使いを送ります。ザビエルにつづいて，多くの宣教師が日本をおとずれ，西日本を中心にキリスト教の信者をふやしていきました。当時の人びとは，宣

15教師を西方から来た僧侶，教会を寺ととらえ，その教えを仏教になぞらえて理解していました。

― ザビエルとアンジロー ―

　ザビエルは，マラッカ（マレーシア）で，アンジローという日本人と出会った。アンジローが『聖書』の一節を暗唱し，ポルトガル語も話せたので，ザビエルは日本に興味をもった。1549年，ザビエルは鹿児島に到着した。いったんは薩摩（鹿児島県）でのキリスト教（カトリック教）布教の許可を得たが，のちに布教を禁止する動きがはじまった。そののち，京都に上り，豊後にまわってキリスト教を布教した。

　ザビエルは，2年ほどで日本を離れ，中国での布教をめざしたが，マカオ近くで死亡した。アンジローは，人を殺してマラッカに逃げていた薩摩の商人で，ザビエルに従って日本にもどったのち，倭寇の一員として姿を消したと伝えられる。

南蛮貿易の交易品

　ポルトガル人は，鉄砲・火薬・時計・ガラス製品・生糸などを日本に運び，日本からは銀・硫黄・刀剣・漆器などが輸出された。

　ポルトガル人は，日本の銀で中国の生糸・絹織物などを買いつけた。また，東南アジアからコショウなどのスパイスを入手して，ヨーロッパにもち帰り，莫大な利益をえた。

　なお，この時代，新しく日本にもたらされたものには，カボチャ・トウモロコシ・パン・カステラ・タバコ・地球儀などがある。

⑤**ザビエル（1506〜1552）**〈神戸市立博物館蔵〉

① 祇園祭の山鉾ひき〈『洛中洛外図屏風』米沢市上杉博物館蔵〉

（4）町衆と信長 ― 織田信長の統一事業 ―

京都に入り，統一をめざす信長は，どのような勢力と戦っていくのだろう。

■ 祇園祭をささえた町衆

惣が力をもった村と同じように，町でも自治がすすみました。室町幕府の足元の京都でも，豊かな商工業者である町衆の自力の動きがありました。京都のもっとも大きな祭りは，祇園祭です。古くからつづいてきたこの祭りも，応仁の乱で一時とだえました。復興した祇園祭では，下京の町を代表する人たちが，神事ができない場合でも，山鉾の巡行はやりたいと祇園社に求めたことが知られています。

この時代，京都の町衆のなかには，法華宗（日蓮宗）の信者がふえました。また争乱がつづいた京都で，法華宗の寺院と信者は一揆を結び，一向一揆や延暦寺に対抗しました。1532年には，一向一揆が京都に侵入しようとしたのに対して，法華一揆の人びとが武装して，幕府の武士とともに京都を守りました。しかし，法華宗と延暦寺との争いの結果，京都は焼け野原になるほどでした。

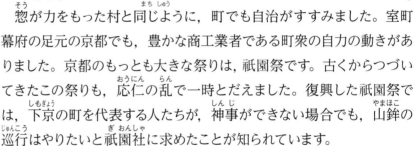

② 織田信長（1534〜1582）
〈東京大学史料編纂所蔵模写〉

石山本願寺
一向宗（浄土真宗）の本山。信長に攻められて焼けたのち，その土地に豊臣秀吉が大阪城を築いた。

■ 京都に入った信長

織田信長は，尾張国（愛知県）の小さな戦国大名でしたが，型破りなことを好む人物でした。駿河（静岡県）の今川義元を，桶狭間の戦いでやぶって，勢いをつけ，1568年，ほかの戦国大名に先んじて足利義昭を助けて京都に入り，将軍の位につけました。5年後には義昭を追放して，室町幕府を滅ぼしました。

③安土城(滋賀県)〈『安土城図』大阪城天守閣蔵〉

④戦国大名と織田信長・豊臣秀吉の
全国統一へのあゆみ

地図内:

× おもな戦場(織田信長)
織田信長が征服したところ
大名 織田信長に滅ぼされた戦国大名
豊臣秀吉が征服したところ

奥州の征服 1590年
関東の征服 1590年
中国の征服 1582年
紀伊の征服 1585年
四国の征服 1585年
九州の征服 1587年

日本海

南部氏
最上氏
伊達政宗
斉藤竜興
上杉景勝
宇都宮氏
佐竹義重
朝倉義景
北条氏政
浅井長政
武田勝頼
山名豊国
今川義元
延暦寺
京都
三方ケ原
徳川家康
宇喜多氏
石山本願寺
長篠
毛利輝元
桶狭間
清洲
安土
龍造寺隆信
大友義鎮(宗麟)
長宗我部元親
島津義久

0　　　200km

　信長は，尾張から京都にかけての町々と交通路をおさえ，すばやく軍勢を移動させ，鉄砲を使って，その後の戦いで優位に立ちました。1575年には，甲斐(山梨県)の武田勝頼を長篠の戦いでやぶり，よく年，安土城(滋賀県)を築いて，全国統一の事業をすすめました。関所を廃止し，座の特権を排除して(楽市・楽座)，経済活動をさかんにして力をのばしました。

■ 信長とキリスト教・一向宗

　信長は，新しいものに興味をもち，地球儀などの南蛮品(スペイン・ポルトガル船がもたらした品物)だけでなく，キリスト教にも関心をしめしました。宣教師と京都で面会したり，安土にイエズス会の神学校をつくるのを許すなど優遇し，交易の利益もねらいました。

　逆に，当時，経済に大きな影響力をもっていた仏教の諸宗派をおさえようとしました。1570年には，石山本願寺(大阪府)を中心とする一向一揆を攻め，よく年には，平安時代以来の仏教の中心寺院であった延暦寺を焼き討ちにしました。さらに一向宗に対抗していた法華宗も警戒して，京都市中の寺と信者に対して，巨額の罰金を課しました。

　とくに，一向一揆との戦争では，老若男女を皆殺しにするなど，多数の犠牲者を出しました。11年間の戦いのすえ，石山本願寺を降伏させました。しかし，1582年，信長は家臣の明智光秀に本能寺(京都府)で攻められ，自害しました。

⑤富田林の現在の町並み
〈富田林市教育委員会提供〉

富田林の寺内町
　一向宗(浄土真宗)の人びとは，石山本願寺(大阪府)に属する寺を建てて，寺を中心に町を建設した。用水を引いて周辺を開拓し，町に堀や土塁をめぐらせ，木戸をつくって，自治をおこなった。

― 将軍義昭を非難する信長 ―

　足利義昭は，将軍の位についたときには，信長のことを「御父」というほど感謝した。しかし，しばらくすると，ほかの戦国大名と連絡をとって，信長の上に立とうとした。信長は，これに不信をつのらせ，「異見十七カ条」を送りつけて，非難した。
　「諸国の大名に手紙を出すときには信長が手紙をそえ，承認した上でのことにした。この約束を守らないのはどういうことか。朝廷への奉仕をおこたるなと忠告したのに守らない。恩賞のあたえ方も不公平だ。世間の人びとは，この将軍は自分の欲にばかりふける『悪しき御所』だといっている」(一部省略)

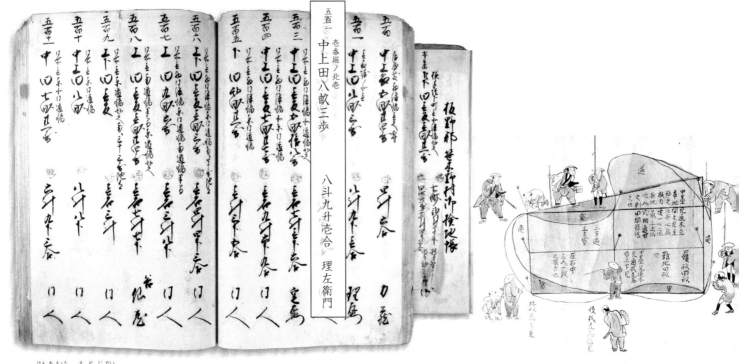

1 検地帳／江戸時代のもの。〈松茂町歴史民俗資料館・人形浄瑠璃芝居資料館蔵〉

2 検地／江戸時代に秋田地方でえがかれたもの。〈玄福寺蔵〉

（5）村に入ってきた秀吉 ー豊臣秀吉の政策と桃山文化ー

秀吉が村に役人を送り，検地や刀狩を始めた。社会や文化はどう変わっていくのだろう。

■ 太閤検地がはじまる

豊臣秀吉は，織田信長の死後，統一事業を引きつぎました。1584年，近江国（滋賀県）の今堀村の人たちは，秀吉が派遣した検地の役人の命令に従って，誓約書を提出しました。検地に協力し，ごまかしませんと約束し，もしそれを破ったらはりつけにされ，殺されてもかまいませんと誓っています。

田畑の良し悪しや面積，そこを耕している人の名などを惣（惣村）の責任で詳しく報告しなければなりませんでした。さらに，見込まれる収穫量が米に換算され，石高として，検地帳に書きしるされました。

検地帳に名まえを書かれた百姓は，石高に応じて年貢を納めることになりました。そのかわりに，田畑を耕作することが，保証されました。

こうして，村の石高が決まると，大名の領地全体の石高が決まります。秀吉に従う大名は，領地の石高に応じて，騎馬の武士や足軽の数をそろえて，戦いに参加しなければなりませんでした。

■ 刀狩の実施

1588年，秀吉は刀狩を命じました。たとえば，加賀国（石川県）の江沼郡では，百姓から刀1073本，脇差1540本・槍160本・小刀700本などを差し出させています。ただ，刀をもつことを許す場合もあり，鉄砲も田畑を荒らす動物を撃つためになら，もつことが認められました。

しかし，村が争いごとを，けんかや戦いで解決することはきびしく禁止されました。1592年に摂津国（大阪府）で，水を争う村と村の戦いが

太閤検地

豊臣秀吉が，1591年に全国の大名から提出させた，領地の石高の合計は，1800万石あまりであった。

島津氏（南九州）や上杉氏（新潟県など）の領地には，奉行を派遣して検地をおこなった。

誓約書

一，郡郷庄の境目をごまかしません。

一，田畑の年貢などは一粒残さず納めます。

一，検地のとき，役人に礼銭などで手心を頼むことをしません。

一，検地後に開墾した田畑があれば，きちんと申し上げます。

一，上田，中田，下田などをごまかして，年貢を少なくするようなことはしません。

一，役人となれあって，隠すようなことはしません。

以上のことを破ったら，家族・親類・女子どもまで，はりつけになってもかまいません。

（近江国今堀　1584年　一部要約）

③狩野永徳『唐獅子図屏風』〈宮内庁三の丸尚蔵館蔵〉

④腰刀を差す百姓／それまで腰刀は、百姓など成人した男たちのしるしでもあった。
〈『三十二番職人歌合絵巻』東北大学附属図書館蔵〉

おきたときには，実際に83人の人たちがはりつけにされています。

　秀吉や大名たちは，家臣の武士に，城下町に住むことを命じました。しかし，村に住んでいた武士で，そのまま村に残った人もいました。

■ 秀吉の平和令

　秀吉は，刀狩は，長くつづいた戦国の世を終わらせて平和をもたらす
5 ためにするのだと言っています。国や郡などの境の争いを裁き，決めるのは，関白となった秀吉の権限であるとしました。大名たちにも，国内の平和を守るように命じ，たがいに戦争することを禁じました。

　秀吉は，九州の島津氏，関東の北条氏を攻め，降伏させました。つづいて，会津（福島県）まで軍を進め，東北地方を征服しました。蝦夷地（北海道）
10 南端の蠣崎氏（のちに松前氏）も，その後，秀吉に服従しました。こうして，1590年，秀吉は全国を統一し，戦国時代は終わりを迎えました。

■ 桃山文化のきらめき

　信長・秀吉の時代，天下を争った武将や大商人たちの，伝統にしばられない，活気あふれた文化が育ちました（桃山文化）。

　安土城や大阪城には，高くそびえる天守閣がつくられ，彫刻やふすま・
15 屏風が内部をかざりました。このような壮大で豪華な文化が生み出されるなかで，千利休のわび茶も，秀吉などの権力者に好まれました。茶道で用いられる茶碗や茶室建築などは，日本の生活文化に大きな影響をあたえました。

> **刀狩令**（1588年）
>
> ○ 百姓が刀や脇差、弓、槍、鉄砲などの武器をもつことを固く禁じる。よけいな武器をもって年貢をおこたったり、一揆をおこしたりして役人のいうことを聞かない者は罰する。
>
> ○ 取り上げた武器は、今つくっている方広寺の大仏の釘やかすがいにする。そうすれば、百姓はあの世まで救われる。
>
> ○ 百姓は、農具だけをもって耕作に励めば、子孫代々まで無事にくらせる。百姓を思うから武器を取り上げるのだ。ありがたく思って耕作に励め。
>
> （一部要約）

― 島津氏の奄美群島と琉球王国への侵攻 ―

　奄美群島の与論島は，交易のほか農業もさかんで，島の中心部には大きなグスク（城）が築かれていた。この島は，琉球王国と九州を結ぶ交易の中継地となっていたが，15世紀ごろに，琉球王国に征服された。

　1609年，薩摩（鹿児島県）の島津氏が，奄美群島に攻め入り，激しい戦闘がおこなわれたが，島津氏の支配下に入れられた。ここを足がかりにした島津氏は，軍勢をさらに進め，琉球王国を服属させた。

　島津氏はすぐに検地をおこない，奄美群島の石高はおよそ2万4000石，琉球はおよそ8万9000石とした。

1 蔚山城の戦い／城を取り囲む朝鮮軍・明軍（1597年12月）。〈『朝鮮軍陣図屏風』鍋島報效会蔵〉

蔚山城に立てこもる日本軍（拡大図）〈『朝鮮軍陣図屏風』〉

（6）僧が見た朝鮮の民衆 ─秀吉の朝鮮侵略─

日本の大軍が朝鮮に攻め込んだ。日本，朝鮮はどうなっていくのだろう。

■ 大軍が朝鮮を攻める

　1592年4月，釜山の沖に，日本の軍船が数え切れないほどならびました。1万8000人ほどを第1陣に，日本全国から動員された約16万の軍勢が海を渡って攻め込みました。

　豊臣秀吉は，日本全国を統一すると，次には明の征服をめざし，朝鮮に先導するよう命じました。朝鮮は，明に対して朝貢する関係にあったので，これを拒否しました。それに対して，秀吉は全国の大名に命じ，名護屋城（佐賀県）を築いて侵略の基地として，朝鮮への攻撃を開始しました。

　朝鮮は混乱におちいり，5月には，都の漢城が攻め落とされました。さらに，北部の平壌も占領されると，朝鮮は明に応援を求め，明の大軍が南下しました。

　この戦争に医師として従軍した日本の僧・慶念は，戦場で見聞きしたことを，日記に書き残しました。「人買い商人が日本の軍勢のあとについて，朝鮮の老若男女を買い集め，首を縄でつないでひき連れている」「牛馬を引かせ，荷物を運ばせているありさまは，見るにしのびない」

■ 朝鮮民衆のたたかい

　このころ朝鮮は，きびしい身分制度の社会でした。とくに，最下層の人びとは，奴れいのような地位にありました。しばしば反抗し，身分から自由になることをめざして，立ち上がりました。日本軍があらわれると，朝鮮の役人たちは逃げだしたので，おさえられていた人びとは，戸籍を焼きすてて，自由になりました。

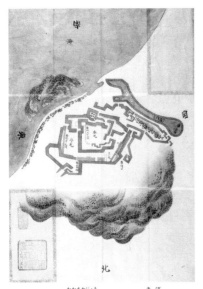

2 名護屋城／大阪城とほぼ同じ規模で，城の周辺に最大約30万人がくらしたとされる。
〈『諸国古城之図』広島市立中央図書館蔵〉

③李舜臣（1545〜1598）／
朝鮮の水軍を指揮して，
日本軍に打撃をあたえた。

④日本軍の侵攻路と
明軍・義兵の動き

- 義兵の活動地域
- ← 日本軍の全域への侵攻路
- ← 日本軍の南部への侵攻路
- ⇠ 明軍の進路
- ✕ 激戦地

明

義州

1592.6.15 ──平壌
日本軍が占領

1592.5.5 ──漢城
日本軍が占領

朝鮮

1592.4.13
日本軍
16万人が上陸

蔚山

釜山

対馬

名護屋城

済州島

日本

0　　　200km

⑤釜山城を攻める日本軍（1592年4月）
〈『釜山鎮殉節図』（模写）韓国陸軍士官学校博物館蔵〉

　日本の大名たちは，食料を確保するために，占領地で検地をはじめました。朝鮮の役人に命じて書類を出させ，それをもとに税を取り立てました。このようなやり方に対して，朝鮮の農民たちは，各地で，まとまって日本に抵抗する戦いをはじめ，朝鮮軍にいた兵士も加わりました。これを，朝鮮では義兵とよびました。地の利をいかした作戦で，日本軍を攻撃し，大きな打撃をあたえました。

■ 日本軍の敗戦と引きあげ

　朝鮮各地での激しい抵抗によって，孤立した日本軍は，城を築いて立てこもります。僧・慶念は，蔚山での激しい戦いを，「味方は，いよいよ水もなく，食料もない，あすは落城か」と書きしるしました。

　1598年，秀吉が死んだあと，追いつめられていた日本軍は，朝鮮軍・明軍との交渉をまとめて休戦し，引きあげました。こうして，7年におよぶ戦争が終わりました。

　戦場となった朝鮮では，田畑が荒れはて，多くの人が飢えに苦しみました。日本では，多くの百姓が荷物の輸送などにかり出されたため，農業生産が落ち込むところもありました。海を渡った日本軍の半数以上は，九州などの百姓でした。明も，この戦争で大きな痛手を受けました。

⑥薩摩焼『白釉茶碗火計手』（17世紀）／
薩摩焼は戦争のとき連行されてきた，朝鮮人の陶工が鹿児島ではじめた。西日本各地で，このような陶磁器がつくられた。
〈鹿児島市立美術館蔵〉

── 朝鮮の武将となった沙也可 ──

　戦争のなか，1万人にものぼる日本の武士や百姓が，朝鮮側に投降したり，逃亡したりしたといわれる。加藤清正の家臣だった武将は，朝鮮側に降伏し，日本軍と戦って，国王から金忠善という名をあたえられた。日本名は沙也可だったと伝えられる。投降した日本の武士には，火縄銃のつくり方などを教えた人もいた。
　日本軍が退却したとき，朝鮮の役人がもどってきて重税をかけようとした。そのとき，僧や最下層の身分の人びとが指導して，民衆700名が反乱をおこした。このとき金忠善は，国王の命を受けて，弾圧の先頭に立った。

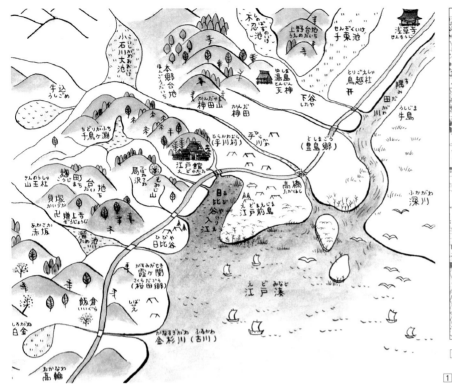

（7）江戸の町づくり ―江戸幕府と大名―

江戸の町は，だれがどのようにしてつくったのか。幕府と大名はどんな関係にあったのか。

③ 江戸城〈『江戸図屏風』国立歴史民俗博物館蔵〉

④ 石切り場〈『石切図屏風』小田原市郷土文化館蔵〉

■ 家康の江戸入り

1590年，徳川家康は，豊臣秀吉から関東に領地がえを命じられ，江戸に移りました。そのころ，江戸城（館）は，遠浅の日比谷入江を見下ろす高台にありました。石垣はなく，建物は荒れていました。

1600年，関ヶ原の戦い（岐阜県）で，家康がひきいる東軍は，石田三成らの西軍を破りました。次いで1603年，家康は征夷大将軍となり，江戸に幕府を開きました。こののち，本格的に江戸城と城下町の建設にとりかかります。1615年には大阪城を攻めて，豊臣氏を滅ぼしました。これ以後，大きな戦乱がない時代となりました。

■ 町づくりと土木工事

幕府は，大名に土木工事を命じました。日比谷入江を埋め立て，江戸前島の低湿地を整地し，江戸城と江戸湊を結ぶ水路をつくりました。神田山を切りくずして，外堀をつくりました。おもに東国大名には堀を掘らせ，西国大名には石垣を築かせました。人夫や石材は，石高に応じて割り当て，10万石の大名ならば100人の人夫を出させました。

大名は，家臣をとおして領地の百姓や職人を動員し，工事現場の小屋に集めました。伊豆（静岡県）などから切りだした石を船で運び，加工して積み上げました。人夫に対し，他の大名の人夫と交流することや，けんか・賭博をすることを禁じた法令が残っています。

江戸城を中心にして，外堀の内側に大名や家臣（旗本・御家人）の武家屋敷をつくり，埋め立て地を商人や職人が住む町人地としました。

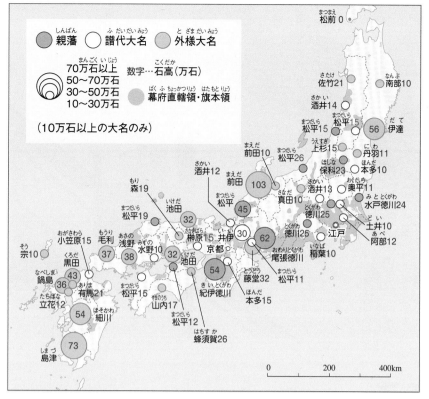

凡例:
- ● 親藩（しんぱん）
- ○ 譜代大名（ふだいだいみょう）
- ○ 外様大名（とざまだいみょう）

70万石以上（まんごくいじょう）
50～70万石
30～50万石
10～30万石

数字…石高（こくだか）（万石）

幕府直轄領・旗本領（ばくふちょっかつりょう・はたもとりょう）

（10万石以上の大名のみ）

松前 0（まつまえ）
佐竹21（さたけ）
南部10（なんぶ）
酒井14（さかい）
松平15（まつだいら）
伊達56（だて）
前田10（まえだ）
松平26（まつだいら）
上杉15（うえすぎ）
丹羽11（にわ）
保科23（ほしな）
本多10（ほんだ）
酒井12（さかい）
酒井13（さかい）
奥平11（おくだいら）
森19（もり）
松平19（まつだいら）
真田（さなだ）
水戸徳川24（みととくがわ）
前田103（まえだ）
松平45（まつだいら）
池田32（いけだ）
徳川25
土井10（どい）
小笠原15（おがさわら）
榊原15（さかきばら）
井伊30（いい）
京都
徳川25
阿部12（あべ）
稲葉10（いなば）
毛利37（もうり）
浅野38（あさの）
水野10（みずの）
池田32（いけだ）
池田54
尾張徳川
江戸
宗10（そう）
黒田43（くろだ）
鍋島36（なべしま）
有馬21（ありま）
松平15（まつだいら）
山内17（やまのうち）
藤堂32（とうどう）
松平11（まつだいら）
立花12（たちばな）
細川54（ほそかわ）
松平12（まつだいら）
蜂須賀26（はちすか）
紀伊徳川（きいとくがわ）
本多15（ほんだ）
島津73（しまづ）

0　200　400km

⑤大名の配置と石高（1664年）

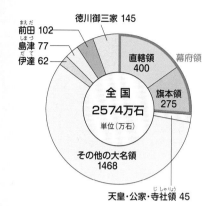

- [御三家（ごさんけ）] 尾張（おわり）・紀伊（きい）・水戸（みと）の徳川家
- [親　藩（しんぱん）] 御三家をふくむ徳川一門（とくがわいちもん）の大名
- [譜代大名（ふだいだいみょう）] 関ヶ原の戦いの前から徳川氏の家臣であった大名
- [外様大名（とざまだいみょう）] 関ヶ原の戦い後に徳川氏に従った大名

徳川御三家 145
前田102（まえだ）
島津77（しまづ）
伊達62（だて）
直轄領 400（幕府領）
旗本領 275（はたもとりょう）
全国 2574万石　単位（万石）
その他の大名領 1468
天皇・公家・寺社領 45（じしゃりょう）

⑥幕府と大名の石高（1730年ごろ）

■ 幕府と藩（はん）が全国を治（おさ）める

　幕府の領地は，旗本の領地を合わせて全国の石高の4分の1を占（し）めました。また，大阪・京都・長崎など主要な都市や，佐渡金山（さどきんざん）（新潟県）や石見銀山（いわみぎんざん）（島根県）などの重要な鉱山を直接に支配しました。貨幣（かへい）を発行する権限（けんげん）もにぎり，長崎での交易（こうえき）も独占（どくせん）しました。

5　将軍から，1万石以上の領地を認（みと）められた武士を大名といいます。幕府は，大名の領地をとりあげたり，減らしたり，他の地方に移したりして，配置を工夫（くふう）して統制（とうせい）しました。また，大名が守るべき法律として武家諸法度（ぶけしょはっと）を定め，違反（いはん）した場合，厳（きび）しく処分（しょぶん）しました。幕府の政治は，将軍のもと，譜代大名（ふだいだいみょう）から選ばれた老中（ろうじゅう）がおこないました。

10　大名は江戸城に登城（とじょう）して将軍にあいさつし，服従（ふくじゅう）のあかしとしました。3代将軍・家光のとき，大名の妻子が江戸の屋敷に住み，大名が1年ごとに領地と江戸を行（い）き来（き）する参勤交代（さんきんこうたい）の制度を整えました。

　大名が支配する領域（りょういき）と，そのしくみを藩とよびます。江戸時代を通じて，こうした藩は260前後ありました。幕府と藩が全国を治めるしくみを幕藩体制（ばくはんたいせい）といいます。また，幕府は，禁中並（きんちゅうならびに）公家中諸法度（くげちゅうしょはっと）を定め，天皇や公家（くげ）を統制しました。

── 大名行列の江戸への道のり ──

　加賀藩（かがはん）（石川県）前田家（まえだけ）の大名行列は，北陸道（ほくりくどう）（下街道（しもかいどう））・中山道（なかせんどう）の480kmの距離（きょり）を13日かけて江戸に入った。大名は籠（かご）に乗り，槍（やり）や鉄砲（てっぽう）をささげ持つ家臣・足軽（あしがる），医者など2000人あまりのお供（とも）を従え，寝具（しんぐ）・炊事用具（すいじようぐ）・風呂桶（ふろおけ）まで持っていった。人と馬の宿泊費（しゅくはくひ）や人足代（にんそくだい），将軍への献上品（けんじょうひん）などの総費用（そうひよう）は，1808年には，5500両（りょう）（現在の4億～5億円）にのぼった。

武家諸法度（ぶけしょはっと）（1635年）

1. 武芸（ぶげい）や学問に力を入れること。
2. 大名は自分の領地と江戸に交互（こうご）に住むこと。毎年4月に参勤すること。
3. 新たに城を築（きず）くことは厳禁（げんきん）する。石垣などがこわれ，修理（しゅうり）をするときは幕府の許可を受けてからにすること。
6. 謀反（むほん）をくわだて，仲間を集め，約束をかわすようなことは禁止する。
8. 大名などは，幕府の許可なく，勝手（かって）に結婚（けっこん）してはならない。
14. 政治は公正（こうせい）に行い，領国（りょうごく）をおとろえさせてはならない。
17. 500石積み以上の船を造（つく）ってはいけない。

（一部要約）

長岡
北陸道
高田
日光
富山
善光寺（ぜんこうじ）
金沢（かなざわ）
福井
塩尻（しおじり）
上街道（かみかいどう）
垂井（たるい）
甲府
追分（おいわけ）
高崎
中山道
江戸
名古屋
府中
箱根
浜松
東海道

0　50km

⑦加賀藩大名行列の経路（けいろ）

□1 フェフォの領主に会う茶屋新六〈『朱印船交趾渡航図』九州国立博物館蔵〉

（8）日本町が消える —江戸幕府の外交—

日本町はなぜ消えていったのか。外国やアイヌの人びととの関係はどう変わっていくのだろう。

□2 朱印船〈『異国渡海船図』長崎歴史文化博物館蔵〉

□3 朱印状／朱印に「源家康」の文字がある。
〈前田育徳会蔵〉

フォーカス

■ にぎわう港町フェフォ

18世紀にえがかれた絵巻物の主人公・茶屋新六は，交易で財産を築いた豪商の一族をモデルとしています。17世紀のはじめ，新六は銀・銅・漆器などを積み込み，九州の港を船出します。1カ月ほどで，ベトナムのフェフォ港（ホイアン）に到着します。現地の領主から商売の許可をえた新六は，地元の大商人をたずねます。象を買って日本に帰り，大もうけしようとする物語です。

このころ，フェフォは，港町として発展していました。中国・タイ・ポルトガルの商人でにぎわい，一時は，オランダの商館も建てられていました。日本町がつくられ，1000人以上の日本人が住んでいました。

■ 朱印状と日本町

豊臣秀吉の死後，徳川家康は，東南アジアの国々やイギリス・スペインなどと，交易関係を結びました。家康や2代将軍・秀忠は，東南アジアへ渡る商船に，正式に交易を認める証明書（朱印状）をあたえ，相手国の保護を求めました。朱印状は，京都・長崎などの大商人や西国の大名に発行され，1635年までに350通以上になりました。

当時，中国は，日本との直接の交易は禁じていました。そこで日本の商人は，東南アジアの港で中国船と出会い，生糸や磁器を買い入れました。そのほか，香木・サメ皮などの南方の産物を手に入れました。これらの支払いには，日本産の銀が用いられました。

アジアでは，中国・ポルトガル・オランダなどの船が，朱印船と競いあっ

④島原・天草一揆／幕府は，女性や子どももふくめて3万人近くを殺害した。幕府軍も，12万人のうち1万人の死傷者を出した。〈『島原陣図屏風』朝倉市秋月博物館蔵〉

て活動していました。各地に，日本町ができました。

■ 大一揆とキリスト教の禁止

　幕府は，交易の利益も重視しましたが，キリスト教が広まることをおそれました。1635年，3代将軍・家光は，日本人が海外渡航や海外から帰国することを禁止しました。これによって，日本船による東南アジアとの交易は幕をとじ，日本町も消えていきました。

　1637年，島原（長崎県）や天草（熊本県）で，重い年貢とキリスト教の厳しい取りしまりに反対する，大一揆が起こりました。キリシタンを中心とする百姓などの一揆勢は，原城（長崎県）に立てこもりました。幕府は大軍でこれを包囲し，全滅させました（島原・天草一揆）。

　幕府は，キリスト教の禁止を徹底するために，宗門改をおこないました。すべての家がどこかの寺に属することとし，仏教の信者であることを，寺に証明させました。多くの家が，寺の檀家となり，寺で葬式などをおこなう風習は，ここから受けつがれています。

■ 海外への四つの口

　幕府は，島原・天草一揆ののち，1639年にポルトガル人の来航を禁止しました。また，1641年，オランダ商館を長崎（長崎県）の出島に移し，長崎奉行の監督の下で，オランダ・中国に交易を許しました。

　オランダ船は，中国産の生糸や絹織物，ヨーロッパの文物などをもたらしました。中国から，生糸や絹織物・綿織物のほか，薬種（漢方薬の材料）・書籍などを輸入し，銀・銅・海産物などを輸出しました。

　このほか，対馬藩（長崎県）を通じて朝鮮と交流し，薩摩藩（鹿児島県）を通じて琉球（沖縄県）と，松前藩（北海道）を通じてアイヌと交易しました。これ以降，日本の外交や海外交易は，長崎・対馬・薩摩・松前の四つの口を通しておこなわれました。

⑤1630年ごろの東アジア・東南アジア／おもな日本町と1641年以降の四つの口。

⑥絵踏み
〈シーボルト『日本』京都外国語大学付属図書館蔵〉

⑦長崎港と出島（1820年代）／出島の向かいの大きな屋敷が長崎奉行所。唐人屋敷には，中国人の僧侶・医師なども住んで，学問や技術を伝えた。〈神戸市立博物館蔵〉

第4章をふりかえる

1 年表の（　　　）に適切なことばを入れ，AからFのおこった場所を，地図の（　　　）に記号で入れましょう。

1498 バスコ＝ダ＝ガマが（　　　）に到着する

1526 石見で銀の鉱山が発見される （A）

1533 スペインが（　　　）を滅ぼす

1543 種子島に火縄銃が伝えられる （B）

1549 ザビエルが，鹿児島に上陸して
（　　　）の布教をはじめる （C）

1576 織田信長が安土城を築く （D）

1588 （　　　）が刀狩令を出す

1603 徳川家康が（　　　）大将軍になる

1609 薩摩の島津氏が琉球を征服する （E）

1615 江戸幕府が大名に対して（　　　）を定める

1637 島原・天草で一揆がおこる （F）

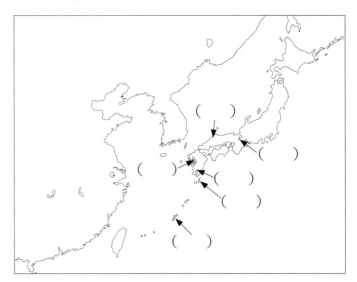

2 次の人が統一事業でおこなった政策から，それぞれ印象に残ったものを一つ上げて，政治や人びとのくらしにどのような影響をおよぼしたか，説明しましょう。グループやクラスで発表しましょう。

織田信長　　豊臣秀吉　　徳川家康（秀忠，家光）

インターネットで検索
「国立歴史民俗博物館」→「資料・データベース」→「Webギャラリー」→「屏風」→「洛中洛外図屏風（歴博甲本）左隻」

『洛中洛外図屏風（歴博甲本）』

この屏風には，室町時代の終わり（16世紀の中ごろ）の，京都の町とまわりの村のようすが，えがかれています。

このころの京都は，公家や守護大名が住み，商工業者がくらす，日本最大の都市でした。絵には，清水寺・金閣などや室町幕府の建物も見られます。さらに，たくさんの人びととくらしのようすを，読みとることができます。

屏風は，左隻と右隻の2枚に分かれています。1枚の大きさは，高さ138cm幅342cmです。インターネットを利用すると，国立歴史民俗博物館（歴博）のホームページで見られます。16世紀の京都はどんな町だったか，どんな人がいたのか，さがしてみましょう。

104

インターネットで『洛中洛外図屏風』を見る

●人や物・町のようすなどについて，発見したり，疑問に思ったりしたことをメモし，発表しましょう。

① 店番をする女

見世棚に品物を広げています。客も来ています。

京都では，毎日営業する店がたくさんならんでいました。この店では，何を売っているのでしょうか。

② 井戸で水をくむ女

商人が住む家は，おもて側が店で，裏側の四角い土地が，共同で使う場所でした。

井戸の左の方にも，女がいます。女が見ている小さな建物は何でしょうか。

③ 天びん棒をかつぐ男

この男は，魚を運んでいます。ほかにも，品物を肩にかついだり，頭にのせたりしながらいろいろな品物を運んでいる人がいます。

どんな物を運んでいるか，見てみましょう。

④ せなかに大きな荷物を背負う男

この男は，琵琶という楽器を弾きながら，『平家物語』などを町の人に聞かせていた琵琶法師です。

町かどで芸を見せて，金を得ていた芸人は，ほかにもいます。どんな芸人がいるでしょうか。

ここは，上京の小川通りというにぎやかな町です。おもしろそうなところを，パソコンで拡大して見てみましょう。

〈国立歴史民俗博物館蔵〉

105

第5章 百姓と町人の世

世界遺産に見る世界

第5章の扉ページでは, 世界の王国がつくった大建築を訪ねました。

紀元前1000年

紀元前500年

紀元

500年

1000年

1500年

2000年

ベルサイユ宮殿
太陽王とよばれたルイ14世が, 1661年に建設をはじめました。豪華な建物と, 広大な庭園があります。部屋は, 世界中から集めた美しい家具や道具類で飾られました。

古都スクレ
ボリビアがスペインの植民地だったとき, 金と銀による富をもとに建設された都市です。当時は, ラ・プラタ(スペイン語で銀)とよばれていました。現地の伝統的な技法と, ヨーロッパのスタイルがとけ合って建てられた, 美しい教会がいくつも残っています。

フランスの植民地

イギリスの植民地

スペインの植民地

ポルトガルの植民地

フランス

大西洋

ダホメー王国

ポルトガルの植民地

アボメイの王宮群
ダホメー王国は, ヨーロッパ諸国を相手に奴れい貿易をおこない, 300年間ほど栄えました。国王は大きな富と権力をにぎり, この王宮にも王をたたえる装飾がほどこされています。

スルタンアフメト・モスク
イスラム教国のオスマン帝国は, イスタンブールを首都としました。世界で最も美しいモスクといわれ, 内部は青いタイルや, ステンドグラスで飾られています。

姫路城

戦国時代に土木・建築技術が発達し，平地に天守閣がある城が築かれるようになりました。城づくりの技術は，江戸時代になると新田開発や用水路の建設に応用されました。

昌徳宮

朝鮮王朝の王宮で，豊臣秀吉による侵略のときに焼失し，1610年に再建されました。朝鮮は，明や清に朝貢をつづけ，深い関わりをもちました。

太平洋

清

オランダの植民地

ムガル帝国

スマン帝国

インド洋

北京の故宮

紫禁城ともよばれ，中国（明・清）の皇帝の城でした。南の正面の門を，天安門といいます。約800棟の建造物があり，世界で最も規模の大きな宮殿です。

タージ・マハル（イスラム教の墓所）

ムガル帝国では，イスラム教とヒンドゥー教とが信仰されていました。ムガル帝国が長い期間栄えたことにより，ヒンドゥー文化とイスラム文化がとけ合って，独特の文化が生まれました。

① 「米こしらえ」〈『農業図絵』©農プロ〉

② 「お蔵入れ」〈『農業図絵』〉

（1）武士のいない村 ―江戸時代の村―

米こしらえとは，何をするのか。人々は年貢など村の運営をどのようにやっていたのか。

村に住む人びと

田や畑をもち，検地帳に名まえがのった本百姓のほか，田畑をもたず小作などをしていた水呑百姓がいた。

商業・林業・漁業・大工・鍛冶屋などさまざまな職業の人，機織りや馬方などで賃金を得る人もいた。

③ 稲刈り後の休み日〈『農業図絵』〉

年貢の割合

領主と百姓の取り分は，四公六民・五公五民などで，時期と地域によってちがった。田畑や屋敷地にかかる年貢，山野の利用や特産物にかかる税のほか，街道で運搬の労働をする助郷役などの負担もあった。

■ 家族総出の「米こしらえ」 🔍フォーカス

加賀藩（石川県）の村々では，百姓たちは秋の稲刈りのあと，一日のんびり過ごします。よく日は，すぐに朝早くから家族全員で，「米こしらえ」の仕事に追われます。

くず米・くだけ米などが混じらないように，念には念を入れ，一粒ずつ玄米を選別します。1人で1俵分終えるのに2日はかかります。枡で正確にはかり，新しく編んだ二重の俵につめ，縄をかけます。

春先から半年間，手をかけて育て，収穫した米を年貢として領主（幕府・藩など）に納めます。百姓たちは俵を馬に背負わせ，代官所に運びました。代官所の役人は，さらに厳しく検査し，はかり直して蔵に入れました。

■ 村ごとの年貢の取り立て

代官所の役人は，毎年秋になると村の数カ所の田で，1坪分の稲を刈り取って，実り具合を調べます。これによって，その年の年貢の割合が決まるので，村では役人のもてなしに気をつかいました。

しばらくすると，村全体の年貢の量と，納入の期限を書いた年貢割付状が，代官所から名主（庄屋）に送られてきます。名主は本百姓を集め，年貢の量を1戸ごとに割り当てます。

本百姓5〜6戸をまとめて五人組がつくられ，連帯責任で年貢を納め

④米の実りを調べる代官所の役人
〈『老農夜話』東京大学史料編纂所蔵〉

⑤結でおこなう田植え〈『農業図絵』〉

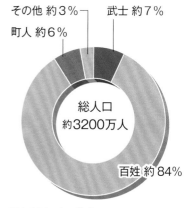

⑥入会地から草木を運ぶ〈『農業図絵』〉

ました。年貢は，兵農分離で村に武士がいなくても，村に請け負わせて，集められるようになりました（村請制度）。藩の財政と武士の生活は，この年貢によって成り立ちました。

■ 村の自治と百姓の家

　名主（庄屋）や組頭・百姓代などの村役人が中心となって，村を運営しました。用水や山林（入会地）の管理，火の用心や犯罪防止，祭りや年中行事も，村でおこないました。費用は百姓全体で負担しました。
　百姓の家が代々成り立つようになり，その家が集まってできた村が長くつづくようになるのは，江戸時代からです。村では田植えなどで助け合い，いきづまった家が出たときには，本百姓が集まって対策を立てました。百姓の家は家族全員で働き，生活するところでした。土地や屋敷は，家長（長男）に受けつがれました。女性は，農作業や家事で大切な働き手でしたが，村の寄合には参加できませんでした。

■ 身分による社会

　江戸時代の人びとは，身分に応じた役（負担）を果たし，集団に属して生活し，社会のなかで認められていました。上下の秩序が重んじられました。支配身分の武士は，武力を独占して政治・行政をおこない，名字帯刀の特権をもっていました。
　支配される人の多く（人口の80％以上）は，村に住む百姓身分の人びとで，田畑を耕作するなどして，年貢を納めることが役でした。町人身分の人びとは，城下町などの都市に家や店をもち，商業や手工業を営みました。町役人が選ばれ，町の運営にあたりました。
　そのほか，僧侶や神主，芸能にかかわる人など，さまざまな身分の人たちがいました。「かわた（長吏）」「えた」とよばれた人びとは，農業や皮の加工などに従事し，死んだ牛馬の処理を役としました。「ひにん」は，村や町の番人・清掃などの役を負担しました。これらの人びとは，住む場所や服装などで他の身分と区別され，一段低く見られていました。

村の面積と人口
　江戸時代を通じて，村の数は6万前後であった。村の平均の耕地面積は50ヘクタールほど，人口は400人ほどであった。

その他 約3％
町人 約6％
武士 約7％

総人口
約3200万人

百姓 約84％

⑦身分別の人口構成
（江戸時代末の推定値）〈関山直太郎による〉

⑧雪駄／ぞうりの裏に皮をはり防水性をもたせた。かかとが減らないように金物を打った。「かわた」などがつくった。

1 底ぬけタンゴ〈大蔵永常『綿圃要務』八尾市立歴史民俗資料館彩色〉

2 底ぬけタンゴの桶〈八尾市立歴史民俗資料館蔵〉

（2）綿花と底ぬけタンゴ ―産業の発展―

底ぬけタンゴにはどんな工夫があるか。それで栽培された綿花（木綿）は、暮らしをどう変えたか。

3 綿の花と綿花（綿のタネを包む白色の繊維）

4 糸車〈菱川師宣『和国百女』国立国会図書館蔵〉

■ 穴のあいた桶

　河内（大阪府）の村々では、17世紀末には、綿の栽培がさかんになりました。水田を綿畑につくりかえる百姓も多くなりました。秋の彼岸のころになると、村は、はじけた綿の実で一面真っ白になります。

　綿を育てるには、多くの水と肥料が必要でした。この地域の百姓は、綿に水をやるために、独特の桶を工夫しました。桶の底に十円玉より大きめの穴をあけ、筒状の布をたらします。この桶を、「底ぬけタンゴ（担桶）」とよびました。百姓は担ぎ棒でかついで、畔の間を歩き、桶の中にある棒を引き上げてせんを開けて水をやります。綿の苗がのびはじめたころは、葉をなでるように水をかけ、大きくなると根元にかけました。

　百姓は、肥料に人糞尿（下肥）や、イワシをゆでて干したもの（干鰯）、ニシンから油をとった絞りかす（〆粕）を買い、大量に使いました。下肥は町から、干鰯は九十九里浜（千葉県）や紀伊（和歌山県）、〆粕は蝦夷地（北海道）から運ばれてきました。

■ 綿花は村を変える

　綿づくりは、手間や肥料代がかかりますが、上手に育て、天候にめぐまれれば、米をつくるよりずっと多くの現金収入が得られます。村の女

5

10

15

⑤河内の農家〈『河内名所図会』八尾市立歴史民俗資料館彩色〉

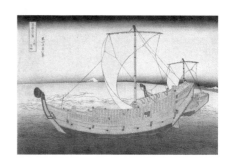

⑥主な商品作物の生産地

性は，糸車で綿花をよって綿糸をつくる賃稼ぎをしました。豊かな家では織機を置き，綿織物（綿布）をつくりました。綿糸や綿布を百姓から仕入れ，大阪の木綿問屋に売る，村の商人がふえました。河内の綿糸や綿布は，河内木綿として全国に知られました。

5 　綿づくりが各地に広がると，木綿の染料となる藍の栽培がさかんになりました。また，灯りに使う油の原料となる菜種の栽培や，養蚕もさかんになりました。木綿や生糸は，国内生産でまかなえるほどになりました。売って現金を得るための作物を，商品作物とよびます。

　このほか，酒・しょうゆ・みそづくりなどが発展し，これらが大阪や江戸，さらに地方の都市に運ばれました。また，鉱業で金銀の産出量が
10 ふえましたが，17世紀中ごろには，銅の生産がのびました。

■ 木綿と人びとの生活

　木綿は，それまでの長い間，衣服の素材であった麻に比べ，はだざわりがよく，温かでした。あざやかな色に染めやすく，安価な衣服として，百姓や町人，さらには武士のふだん着として広まりました。足袋や手ぬ
15 ぐいなど日用品にも，木綿が使われました。

　また，木綿は網の改良につながり，ニシンやイワシなどの漁獲量がふえました。さらに船の帆に使われ，横風や逆風にも強いため，遠距離の航海ができるようになりました。海上交通の発展が，全国の物資の輸送を支え，人びとの生活に影響をあたえました。

⑦木綿の帆をはった船
〈葛飾北斎『富嶽三十六景』慶應義塾蔵〉

⑧こきばし〈宮崎安貞『農業全書』国立国会図書館蔵〉

― 新田開発と新しい農具 ―

　17〜18世紀には，用水路を引いたり，沼地を干拓したりして，各地で新田開発がすすめられた。この結果，全国の石高が約700万石ふえ，2500万石ほどになった。

　また，新しい農具が工夫され，広まった。千歯こきは，並んだ鉄製の歯に稲や麦の穂を打ち入れて脱穀する道具である。それまでの2本の竹に穂をはさんでモミをしごき取るこきばしに比べると，作業能率は10倍ほども上がった。ほかにも，土を深く耕すことができる備中鍬が普及した。

⑨千歯こき〈『老農夜話』東京大学史料編纂所蔵〉

① 町人と武士の上野での花見〈菱川師宣「上野浅草風俗図巻」東京国立博物館蔵〉

(3) 刀より金銀の力 ―商業の発展と元禄文化―

金銀の力が刀より上とは，どういうことか。そういう時代には，どんな文化が生みだされたか。

② 堂島の淀屋の屋敷跡

③ 絵馬に描かれた菱垣廻船〈若宮八幡宮蔵〉

両替商
　江戸では金貨（小判），大阪では銀貨（丁銀など）での支払いが中心だった。両替商は，その交換や貸し付けなどの金融の仕事をおこなった。

金1両＝銀60匁＝銭4000文
（18世紀はじめ）

■ 全財産の没収

　1705年，幕府の命令で，大阪の大商人・淀屋が五代目辰五郎のときに，取りつぶされました。1万坪の豪邸・18隻の船，200万両以上ともうわさされた現金など，全財産を幕府に没収されました。町人の身分をわきまえていないとの理由からです。辰五郎は金を座敷にはりつめ，夏座敷の天井には長崎から仕入れたガラスの水槽をはめて，金魚を泳がせていたといわれます。

　淀屋は大阪の堂島に屋敷をかまえ，家の前で，はじめて米市場を開きました。また，加賀藩（石川県）の年貢米の販売を請け負い，大名への貸し付けや海運業で，巨額の財産を築いていました。

■ 大阪に集まる船、江戸から出る街道

　17世紀後半には，大阪は，全国の商品と金の流れの中心となりました。その流れをいち早くつかみ，富をたくわえたのが大阪商人でした。

　西廻り航路や東廻り航路が整備され，東北・北陸地方の米や特産物が大阪や江戸に運ばれました。さらに，蝦夷地（北海道）の昆布や〆粕も，大阪に運ばれました。大阪の問屋から，菱垣廻船や樽廻船で，木綿・しょうゆ・菜種油・酒などが，江戸に定期的に運ばれるようになりました。こうして，全国的な物資流通ルートができあがりました。

　幕府は，江戸の日本橋を起点とする道路をととのえました。東海道・中山道・日光道中・甲州道中・奥州道中を，五街道とよびました。参勤交代による巨額の消費は，街道筋の町や村をうるおしました。

慶長小判
（1601年）

慶長一分金
（1601年）

慶長丁銀
（1601年）

寛永通宝
（1636年）

縦7.3cm　横3.9cm
重量17.9g　金含有量84%

④江戸時代はじめに使われた貨幣〈日本銀行貨幣博物館蔵〉

⑤江戸時代の航路と街道

■ 米から金銀へ

　商業が発達し，貨幣の使用がさかんになる
と，両替商を営む大阪の鴻池家・住友家や，
三都（京都・大阪・江戸）を中心に店をかま
えた三井家など，新興の大商人（豪商）が富をたくわえました。これら

5　の豪商のなかには，大名に金を貸し付け，藩の財政をにぎるほどの力を
もつ人もあらわれました。

　これに対して，武士の収入は，俸禄や知行地（領地）からの年貢でし
た。これらは先祖から代々決まっていて，物価が上がってもふえず，武
士たちの日々の生活や冠婚葬祭の出費はふえるばかりでした。

■ 上方からはじまる町人文化

10　17世紀末から18世紀はじめには，世の中も安定し，京都・大阪（上
方）では，財力をもつ商人などが，新しい文化のにない手となりました。
この文化を元禄文化とよびます。

　上方の大商人などは，琴や三味線の芸事を学び，花見を楽しみました。
家の中には斬新なデザインの装飾画を飾りました。一方，多くの町人た

15　ちは，井原西鶴の小説に夢をいだきました。西鶴の『日本永代蔵』には，
実在の町人たちを題材にして，節約にはげみ知恵をしぼりながら，財力
をたくわえる生き方が書かれていました。

　また，松尾芭蕉が高めた俳諧は，自然と人生に重きをおき，地方の豊
かな商人や百姓に広まりました。

20　上方や江戸には，人形浄瑠璃や歌舞伎の芝居小屋が立ちました。大阪
の竹本座が公演した人形浄瑠璃『曽根崎心中』は，多くの観客を集めま
した。近松門左衛門の脚本で，義理と人情の板ばさみになる男女をとり
あげた作品です。歌舞伎の芝居小屋では，着飾った人びとが，朝から夕
方まで人気役者の芸を楽しみ，役者絵（浮世絵）を求めました。舞台は

25　工夫がこらされ，豪華な衣装と演目が観客をひきつけました。

⑥人形浄瑠璃文楽『曽根崎心中』
〈国立劇場蔵・協力：人形浄瑠璃文楽座〉

⑦豪快な演技の市川団十郎〈東京国立博物館蔵〉

②昆布をとるアイヌの人びと
〈『日本製品図説』国立国会図書館蔵〉

①昆布などを交易の場所（運上屋）に持ち込むアイヌの人びと〈『日本山海名産図会』早稲田大学図書館蔵〉

（4）北の海から来た昆布 —蝦夷地と琉球—

アイヌの人びとが採集した昆布は，どこへ運ばれていったか。アイヌの暮らしはどうなったか。

■ 昆布をとるアイヌの人びと

18世紀中ごろになると，京都などの芝居小屋では，饅頭などとともに昆布の煮物が観客に売られました。また，昆布は，料理の出汁や佃煮として広く用いられました。

昆布は，蝦夷地（北海道）で，アイヌの人びとが採取していました。夏になると，アイヌの人びとは小舟に乗って海に出ます。舟の上から見えた昆布を柄の長い鎌で刈り取り，潜水して根元を切り取ります。海中の昆布は長さ10mもあり，作業は熟練が必要でした。

とった昆布は砂浜や家の屋根に広げて，日に干します。乾かしてから，扱いやすい長さに切って束にして，交易の場所に運びます。昆布のほかサケやニシン，熊やラッコの毛皮なども持ち込んで，和人（本州などから来た日本人）の米・酒・綿布などと交換しました。

■ 戦うアイヌの人びと

アイヌの人びとは，長編の詩を語りついできました（ユカラ・ユーカラ）。その中には，少年が敵と戦って勝利し，敵側で味方してくれた少女とともに故郷に帰還する英雄物語があります。

この蝦夷地に進出していた松前氏は，江戸幕府から松前藩の大名として認められ，アイヌとの交易を独占しておこなう権限をあたえられました。松前藩は，家臣や商人を蝦夷地の特定の場所に送り込み，アイヌと交易

③アイヌの首長・イコトイ／蝦夷錦を着て，ロシアのコートをはおっている。
〈蠣崎波響『御味方蝦夷之図』函館市中央図書館蔵〉

④絵馬に描かれた北前船〈南越前町教育委員会提供〉

⑤蝦夷錦と昆布の交易ルート

させました。しかし松前側は、俵を小さくし、入れる米の量を大幅に減らすなどして、アイヌに不利な交易を強制しました。

　苦しい状況に追いやられたアイヌの人びとに、1669年、首長シャクシャインが、結束をよびかけました。2000人のアイヌが商船などをおそうなど、戦いは蝦夷地の南部から東部に広がり松前藩は追いつめられました。しかし、和平の交渉にもち込んだ松前藩は、交渉の場でシャクシャインをだまし討ちで殺害しました。1789年にも、クナシリなどのアイヌの人びとは、和人に対する戦いを起こしました。

　一方、蝦夷地のアイヌは、黒竜江（アムール川）下流の住民や、カラフト（サハリン）のアイヌと交易していました。松前藩は、こうした交易でもたらされた、中国の絹織物の衣服（蝦夷錦）をアイヌの人びとから入手しました。

　これらは、昆布、サケ、ニシンなどとともに、北前船とよばれる商船が、蝦夷地から日本国内に運び込みました。北前船は、酒田、新潟、富山、敦賀など日本海岸の港で取り引きしながら、瀬戸内海経由で大阪に到着します。北前船は大阪で米・酒・日用品・薬などを積み込み、再び瀬戸内海・日本海岸の港に立ち寄りながら、蝦夷地に向かいます。

■ 昆布は琉球からも中国へ

　昆布は薩摩藩・琉球王国を通じて中国にも輸出されました。薩摩藩は、琉球王国が中国に使節を派遣して、交易することはつづけさせ、交易の利益を吸い上げました。この中国との交易では、蝦夷地からの昆布、琉球産の織物、硫黄、海産物が輸出され、生糸、薬種（漢方薬の材料）、陶磁器などが輸入されました。

　とくに、大阪から運ばれてきた昆布は、1820年代以降、中国への積み荷の70～90％にのぼりました。これは、当時中国で、甲状腺障害になる人が多く、その予防・治療のために、ヨードを多くふくむ昆布が求められたためです。昆布は長崎からも中国に輸出されました。

交易の拡大

　18世紀後半には、蝦夷地の和人商人がクナシリ島に入り、アイヌと交易し、ラッコの毛皮などを手に入れた。ウルップ島にはロシア人が進出してきた。

日本海側のにぎわい

　北前船などの商船で日本海側の港町はにぎわった。酒田港（山形県）には、1683年に月平均400艘の商船が出入りし、人口も1622年の4105人から、1683年に12604人に増加した。（『酒田市史 上』）

昆布の消費が多い都市

富山市　金沢市　福井市　大阪市
京都市　那覇市
（2011年から5年間。
総務省『家計調査年報』による）

軍宣

正使

月刀

（5）江戸を行く朝鮮通信使 ―朝鮮・琉球との外交―

通信使の行列は2000人。朝鮮はなぜ送り，幕府はなぜ受け入れたか。人びとは行列をどう見たか。

■ 漢城から江戸へ

江戸幕府は，徳川吉宗が将軍になると，祝いの使者を送るように，対馬藩（長崎県）を通じて朝鮮に求めました。それにこたえて，1719年，朝鮮は通信使を派遣しました。

正使や副使には教養ある高官が任命され，多くの芸術家や医師も同行して，使節は全部で500人にもなりました。この一行を対馬藩の役人が案内し，行く先々の藩からも人数が加わって，全部で2000人近い大行列になりました。江戸に着くと，正使たちは江戸城に入り，将軍や老中と会見して，国書を交換する儀式をおこないました。

各藩は，行列が通る道を清掃すること，道沿いの家の主人は羽織を着て迎えること，見物人に不作法がないようにすることなどの触れを出しました。通信使が通らない地域の人びとも，接待の負担を求められました。

めったに見られない行列だったので，多くの人びとが見物しました。また，地方の儒学者は宿を訪ね，漢文を用いた筆談で教えを請いました。今でも，通信使を迎えたことが，祭りや人形として各地に残っています。

[2] 雨森芳洲（1668〜1755）／対馬藩の儒学者。釜山に渡って朝鮮の地理・歴史・朝鮮語を学んだ。「誠信の交わりが大切だ」と説いた。〈芳洲会蔵〉

■ 申維翰と雨森芳洲

このときの通信使の書記官・申維翰は，対馬藩の役人・雨森芳洲と，半年以上，いっしょに旅をしました。二人は，朝鮮語を使って遠慮なく話し合える間柄になったといわれます。次は，二人の会話です。

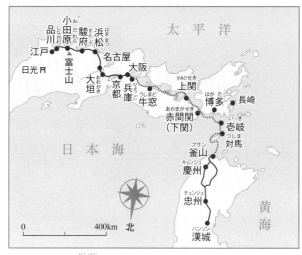

③朝鮮通信使の漢城（ハンソン）から江戸までのルート

④江戸の山王祭に取り入れられた通信使の行列〈『朝鮮通信使来朝図』神戸市立博物館蔵〉

雨森「日本と朝鮮は，海一つへだてた隣の国で，国王と将軍が国書を交わしていることを，みな知っている。しかし，朝鮮の書物を見ると，わが国を倭賊などとしている。これはどういうことなのか」

申　「それは，壬辰の乱（豊臣秀吉の朝鮮侵略）のあとに書かれた本だろう。秀吉はわが国にとってはかたきであり，朝鮮人がこれを賊というのは当然である。ただ，秀吉も日本では，何らかの功績があったのではないか」

雨森「秀吉は，天の災いとともに，マムシが生まれてきたような者だ。朝鮮ばかりか，日本でも，皆殺しにあった一族は数えきれない。だが，秀吉の天下平定によって，戦の世が終わった」

■ 日本と朝鮮の国交回復

秀吉の朝鮮侵略によって，室町時代以来つづいてきた通信使も中止されていました。朝鮮は，日本が国交の再開を望んでいることを確かめるために，僧侶の松雲大師を使いとして送りました。大師は，義兵として日本軍と戦ったこともありました。伏見城（京都府）で将軍・徳川家康と会見し，戦争のときに連行されてきた多数の朝鮮人を帰国させることになりました。

その後，日本と朝鮮は国交を回復し，対馬藩を窓口として，外交や交易をおこないました。しかし，幕府は，朝鮮を日本に朝貢してくる国としてとらえました。一方，朝鮮は，儒教文化など自国の文化の高さを，日本に示すねらいをもっていました。

⑤額を書いて贈る朝鮮通信使／「清見寺」と書いている。
〈葛飾北斎『東海道五十三次 由井』慶應義塾蔵〉

釜山の倭館
釜山には33万㎡の敷地に，日本風の建物が建てられた。対馬藩の役人ら400人あまりが駐在し，外交や交易にあたった。

朝鮮からの交易品
対馬藩は，朝鮮から朝鮮人参，綿織物のほか中国産の生糸を入手していた。

― 琉球王国の使節 ―

琉球王国は，薩摩藩（鹿児島県）に服属したあと，1634年から国王や将軍が代わるたびに，使節を江戸に送るようになった。1850年までに，18回を数える。

琉球の王子が正使となり，百数十人の薩摩藩の役人とともに，6月ごろ首里を出発した。那覇から鹿児島・京都を経由して東海道を通り，11月ごろ江戸に着いた。使節は，儀式の場では，中国の冠と官人の服を着た。一行には，琉球音楽を演奏し，琉球舞踊をおどる人たちも加わっていた。

⑥琉球王国の使節
〈『琉球人行列図錦絵』琉球大学附属図書館蔵〉

① 長崎での交易〈『蘭館図絵巻』〉〈長崎歴史文化博物館蔵〉

② コンペイトウ／ポルトガル人宣教師が織田信長に献上したとされるコンペイトウを復元したもの。

（6）将軍吉宗のなげき ― 享保の改革と田沼の政治 ―

砂糖が国産化されていく。将軍吉宗，田沼意次はどんな考えでどんな取りくみをしたのか。

■ 長崎に荷揚げされた砂糖

フォーカス
Q

16世紀半ば，コンペイトウなどの南蛮菓子が伝えられました。砂糖の味が知られるようになると，砂糖は長崎にさかんに輸入されるようになりました。しかし，砂糖は高値で取り引きされたので，大量の金銀が海外に流出しました。

そこで，8代将軍・徳川吉宗は，輸入に頼っていた砂糖や朝鮮人参などを，国内で生産しようと考えました。漢文に翻訳されたヨーロッパの書物の輸入制限をゆるめ，海外からも情報を集めました。サトウキビの苗などを取りよせて，江戸城などで試作をしました。

■ 財政の立て直しの改革

幕府は，幕府領からの年貢収入と，金や銀の鉱山からの収入によって，大きな経済力をもっていました。ところが，17世紀後半，5代将軍・綱吉のころには，金銀の産出量が減少する一方，出費が増大して幕府の財政は苦しくなりました。幕府は，金や銀の量を減らした質の悪い貨幣を大量に発行し，そのために物価が上昇して，政治への批判が高まりました。

1716年，将軍となった吉宗は，新しい政策を進めました（享保の改革）。有能な人材を登用して，財政の立て直しをはかりました。吉宗は，武士に質素・倹約を求め，大名たちに一時的に米を差し出すように命じました（上米の制）。

一方，幕府の収入をふやすために，新田開発を奨励し，年貢率を上げ

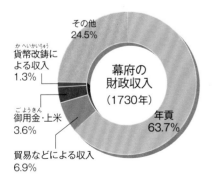

③ サツマイモの研究／吉宗はききんに備えてサツマイモの栽培を奨励した。
〈青木昆陽『重刻甘藷記』国立国会図書館蔵〉

その他
24.5%

貨幣改鋳による収入
1.3%

御用金・上米
3.6%

貿易などによる収入
6.9%

幕府の財政収入（1730年）

年貢
63.7%

④ 幕府の財政収入（1730年）／1年間のおもな財政収入は，米収入と貨幣収入であった。

⑤大阪の蔵屋敷〈『摂津名所図会』大阪市立中央図書館蔵〉

⑥天明の大ききん／
食料を求めてさまよう人びと。
〈『凶荒図録』国立国会図書館蔵〉

ました。享保の改革直前の幕府領の米の石高は，約400万石でしたが，1730年代に約450万石にまで増加し，年貢の量はふえました。しかし，さまざまな商品の値段が下がるなかで，米価はとくに下がり，財政収入の増加には結びつきませんでした。

　そのほかに吉宗は，裁判での刑罰の基準を定めた公事方御定書を制定し，庶民の意見を取り入れるために目安箱を設けました。

■田沼意次の政治

　18世紀後半，政治の実権をにぎった老中・田沼意次は，幕府の収入をふやすために，さまざまなことに取りくみました。砂糖の国産化もその一つです。武蔵国大師河原村（神奈川県）の名主・池上幸豊は，幕府からサトウキビの苗を受けとり，栽培に適した土地を探し，栽培方法を研究しました。また，黒砂糖，白砂糖の製糖技術を向上させました。やがて，砂糖は安定して生産できるようになり，幸豊は各地に出向いてその技術を伝えました。

　意次は，年貢だけでは赤字はなくならないと考え，発展する商工業に目を向けました。商工業者の組合に独占的な営業を認める株仲間をつくることをすすめ，営業税などを納めさせました。また，印旛沼（千葉県）の大規模な干拓をはじめたり，ロシアとの交易や蝦夷地の大規模な開発を構想したりしました。

　しかし，意次の政策はいきづまり，天明のききんや浅間山の噴火にもみまわれ，百姓一揆・打ちこわしなどがたびたび起こるようになりました。1786年，意次は老中の職を退きました。

公事方御定書
20条 関所を通らずに山をこえた者は、その場ではりつけとする
28条 領主に対して一揆を起こし、集団になって村から逃げ出したときは、指導者は死刑、名主(庄屋)は追放する
56条 人を殺し、盗みをした者は引きまわしのうえ、獄門。金を十両以上盗んだ者は死罪
71条 人殺しを手伝った者は遠島とする
（一部要約）

⑦上杉治憲（1751〜1822）
〈米沢市上杉博物館蔵〉

― 藩の財政の立て直し ―

　年貢米をお金にかえる財政は，藩も幕府と同じだった。多くの藩は参勤交代や江戸の生活で支出が増え，財政の赤字がつづいていた。米沢藩（山形県）は，18世紀後半には総支出の6年分にあたる20万両ほどの借金を抱えていた。藩主・上杉治憲（鷹山）は，漆器・絹織物・紅花などの特産物の生産をふやし，その売買を藩が独占して利益を上げた（専売）。また，武士に徹底した倹約を求めるなどの藩政改革をおこない，藩が幕府から自立していく動きがはじまった。

① 室町一丁目あたり／『熙代勝覧』は，江戸の神田から日本橋まで約760mの表通りを描いている。〈『熙代勝覧』ベルリン国立アジア美術館蔵〉

（7）裏長屋に住む棒手振 —江戸の町の暮らし—

棒手振が魚などを売り歩く。彼らは，そしてそれを買う人びとは，どんな暮らしをしていたか。

■ 日本橋の表通りと裏長屋

『熙代勝覧』という絵巻物には，江戸の日本橋の表通りの大きな店88軒とさまざまな身分・職業の男女1671人が描かれています。

天秤棒をかついだ棒手振が魚や野菜を売り歩いています。市場などで商品を仕入れ，「あさあり，むっきん」などと独特の売り声を出しながら，表通りや路地をまわって売り，その日の銭を稼ぎました。

大商店が並ぶ表通りから路地に入ると，裏長屋が軒を連ね，そこには大工などの職人，棒手振や日雇いの労働者などが住んでいました。

江戸の町方の人口（1843年）

男	30万6451人
女	25万7236人
合計	56万3687人

＊江戸以外の土地で生まれた人が，人口の30%
＊その日稼ぎの人　28万1844人

〈藤田覚「遠山景元」による〉

■ 百万都市・江戸

17世紀，幕府は江戸の町づくりをすすめ，日本橋を中心に，商人・職人などが住む町人地を造成しました。町人地は1町（約109m）四方に区画し，青物町，鍋町，瀬戸物町などと名づけました。家屋敷をもつ町人身分の人は，町の自治に関わり，火消・木戸番などの役をうけもちました。

町人地は埋立地で，飲み水がえられません。そこで幕府は水源を探し，井の頭池（東京都三鷹市）から流れる神田川の水を使うことにしました。地下に木樋をめぐらし，武家屋敷や町人地まで送りました。神田上水の総延長は67kmにおよびました。江戸の人口がふえると玉川上水もつ

② 神田上水／
上水は外堀（神田川）にかけられた橋を通った。右の土手に見守番屋があり，うなぎ屋を兼業していた。〈歌川広重「東都名所・御茶之水之図」たばこと塩の博物館蔵〉

③日本橋と水路〈『江戸名所図屏風』出光美術館蔵〉

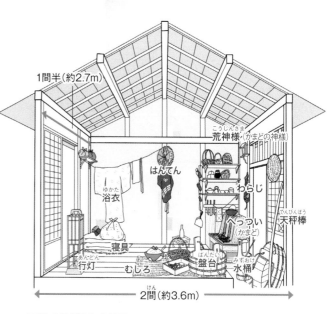

④棒手振が住む裏長屋〈深川江戸資料館より〉

くられました。

　町人地には水路がはりめぐらされ，隅田川の河口や江戸湊から船が入りました。近郊からは野菜や魚が，全国から年貢米や生活物資が運び込まれ，河岸に荷揚げされました。日本橋には魚市場，神田には青物市場がつくられました。

　築地・深川などの下町が開発され，18世紀には，「大江戸八百八町」とよばれるほど町がふえました。江戸は，武家地・町人地を合わせ，人口が推定100万人をこえる巨大都市に発展しました。

⑤共同井戸・便所とごみ溜め
〈深川江戸資料館蔵〉

■ 裏長屋の暮らし

　18世紀には，50万人をこえた町方の人びとのうち，半数以上が裏長屋を借りて生活していました。一般的な裏長屋の1軒分の部屋は，畳敷か板敷の四畳半に，かまどのある土間がついていました。月払いの家賃は300文ほどで，大家が地主の代理人として集めました。

　棟と棟の間のせまい通路には，共同で使う井戸，下水の溝，ごみ溜め，便所が設けられていました。井戸は，水道管から井筒に引いた水をくみ上げて使いました。便所の糞尿は，大家が江戸周辺の百姓に売りました。

　裏長屋には，家族持ちだけでなく，独り暮らしの男性も多く住んでいました。百姓の二男・三男で働き口を求めてきた人や，ききんのため村で暮らせなくなった人，農作業のないときに出稼ぎに来て，そのまま住みついた人などさまざまです。地方の農村から出てきた人たちは，江戸の人別帳に登録されて，町の住民となりました。

　江戸には，武家屋敷で家事や礼儀の見習いをする豊かな家の娘や，口減らしに売られた貧しい家の娘もいました。武家屋敷や商家に住み込んで，掃除・炊事・雑用などをする女性もいました。裏長屋に住む女性たちの多くは，洗濯や物売りなどをして，その日の銭を稼ぎました。髪結いや助産師，三味線などの芸事や手習いの師匠もいました。

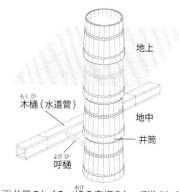

⑥井戸のしくみ／桶の底板をとって逆さに重ねた。最下部には底板をつけた。

⑦屋台のそば屋／
江戸時代中期，かけそばは1杯16文だった。

121

②老中に駕籠訴する百姓〈『夢の浮橋』〉

①庄内藩の百姓一揆

〈『夢の浮橋』致道博物館蔵・国立歴史民俗博物館提供〉

（8）地鳴り山鳴り、のぼりを立て ―百姓一揆―

百姓一揆は武器を持たず、行動のきまりをつくった。そこに見える百姓たちの願いをあげてみよう。

■ 村ぐるみ、のぼりを立てて

　江戸時代を通じて、約3700件の百姓一揆が起こっています。前の時代とは違って、神に誓う形ではなく、人びとの知恵で、犠牲者を出さずに要求を通す一揆のあり方が工夫されていきました。

　1840年、庄内藩（山形県）は、長岡（新潟県）への領地がえを幕府から命じられました。領内の百姓たちは、その費用を負担させられ、新しい領主に年貢を引き上げられることを恐れました。

　そこで、百姓たちは、領地がえの中止を幕府に訴えることにしました。誓約書を交わした数十人の代表が、密かに江戸に向かいました。公事宿の助言を受け、2～3人の組をつくり、江戸城から帰る老中の駕籠に、願い状を、直接差し出しました。

　この間、庄内の百姓たちは、各地で何万人もの大集会を開きました。人びとは村の名まえを書いたのぼりをもって集まり、ひょうたんをつけた目印の旗が動くと真ん中に寄り、太鼓が鳴りホラ貝が吹かれると、いっせいに鬨の声を上げました。「火元に気をつける」「畑を荒らさない」など、一揆のきまりを書いた立て札が立てられました。

　この一揆は、よく年の夏までつづき、幕府に領地がえの中止を認めさせて終わりました。百姓たちに犠牲者は出ませんでした。

公事宿
　裁判や訴えのために、江戸に出てきた百姓を泊めた、幕府が公認した宿屋。書類を整え、手続きを教えるなどの世話もした。

③百姓のいでたち〈『夢の浮橋』〉

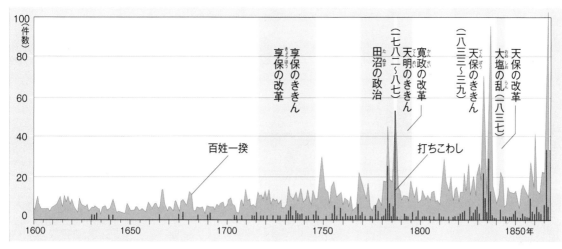

（件数）

④江戸時代の百姓一揆と打ちこわしの件数〈青木虹二による〉

グラフ内の注記（右から左へ）：
天保の改革／大塩の乱（一八三七）／天保のききん（一八三二〜三九）／寛政の改革／天明のききん（一七八二〜八七）／田沼の政治／享保のききん／享保の改革／百姓一揆／打ちこわし

■ 百姓一揆のいでたち

　このころの多くの一揆に共通する百姓のいでたちは，簑や笠を身につけ，手には鎌や棒を持つというものでした。竹槍や刀などの武器は持ちません。農具を描いた旗や，村の名を書いた旗や目印もつくられるようになりました。「大願成就」などと書いたのぼりも立てるようになりました。また，村の代表者が寄り合って計画を立て，規律のある行動を求めるきまりをつくりました。このようにして，村ぐるみ，藩全体，領地をこえた大規模な一揆が起こるようになりました。

■ 厳しい処罰をこえて

　江戸時代の百姓たちの願いは，いつまでも農業がつづけられることでした。初期には，重い年貢・労役の引き下げを求めて集団で村から逃げたり，名主（庄屋）などの代表者が，奉行所や代官に訴えたりしました。

　中ごろからは，幕府や藩の財政悪化による年貢の引き上げや，商品作物を安く買い上げる専売制に反対する一揆がふえました。しかし，幕府は，政治を批判し大勢で徒党を組むことを，固く禁じました。

　一揆の指導者は，死刑・さらし首など厳しく処罰されました。指導者は死を覚悟して行動を起こしました。指導者が死罪になったときには，残された家族の生活を村の責任で支える場合もありました。

　庄内藩の領地がえ反対一揆のほか，長州藩（山口県）全域に広がった専売反対一揆など，百姓が要求を勝ち取る一揆がふえていきます。

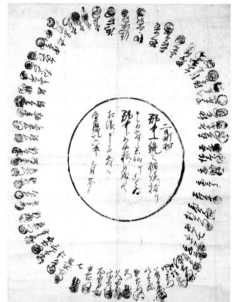

⑤傘連判状／
1756年，岐阜県郡上の百姓一揆のときのもの〈個人蔵・白山文化博物館提供〉

⑥三閉伊一揆の記念像〈田野畑村民俗資料館〉

― 百姓一揆のなかから生まれた思想 ―

■「小○の旗」を掲げた三閉伊一揆（岩手県）で，百姓が言った言葉
「汝ら役人が，百姓などと軽く考えるのは心得違いである。天下の民はみな同じである。なかでも百姓こそが命を養っているから，百姓とよばれるのだ。汝らも百姓に養われているのだ」（『遠野唐丹寝物語』）
■前橋（群馬県）で起こった一揆の指導者，八右衛門が家族に書いた獄中記の言葉
「上御一人から下万民に至るまで，人はみな人であって，人という字に区別はない。もともと貴賤上下の差別は天下を治めるための政治の道具である」（『勧農教訓録』）

123

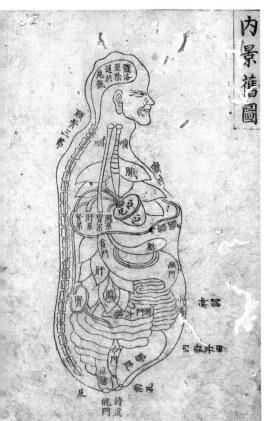

① 五臓六腑を描いた漢方医学の人体図
〈九州大学附属図書館蔵〉

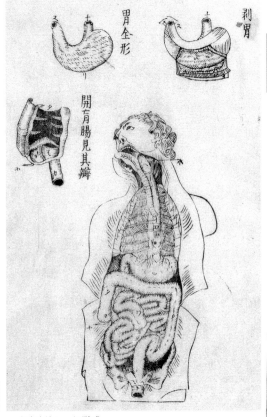

② 『解体新書』の解剖図
〈津山洋学資料館寄託仁木家資料〉

五臓六腑説
　人体内部は、5個の内臓（心臓・肝臓・脾臓・肺臓・腎臓）と6個の腸（大腸・小腸・胃腸など）からなるとしていた。

③ 『解体新書』の扉絵
〈津山洋学資料館寄託仁木家資料〉

（9）人体解剖の驚き —新しい学問—

はじめて解剖を見た医師たちの驚きとは、どんなものか。それは学問をどのように発展させたか。

④ 杉田玄白（1733〜1817）
〈東京大学史料編纂所蔵模写〉

腑分けを見た医師
　1754年、京都の山脇東洋が、日本で最初に腑分けを観察した。

■ はじめて見る人体解剖

　1771年、小塚原刑場（東京都）において刑死体の腑分け（人体解剖）をおこなうと、奉行所から、医師の杉田玄白に知らせが届きました。前々から人体の内部を見てみたいと願っていた39歳の玄白は、これに興奮して、前野良沢やほかの医師にも伝えました。

　腑分けの当日、刑場に集まった医師たちの前で、90歳になる老人が腑分けをはじめました。玄白と良沢は、ドイツ人医師クルムスの解剖書を、オランダ語に訳した『ターヘル（図譜）・アナトミア（解剖学）』を持ってきていました。腑分けされた臓器の位置や形を照らし合わせてみて、この本の図が正確に描かれていることに驚きました。このとき玄白らは、中国の医学（漢方医学）の五臓六腑説による胃や腸の位置が、ちがっていることも確かめました。

■ オランダ語解剖書の翻訳

　刑場からの帰り道、玄白らは「医者はまず、体の内部を正しく知らなければならない。それを知らずに、医を生業としてきたのは恥ずかしいことだ」と話し合い、よく日から『ターヘル・アナトミア』の翻訳に取りかかりました。当時、日本にはオランダ語の辞書もなく、そのなかでオランダ語を学んでいたのは良沢だけでした。玄白は、「たった一語を、

⑤大槻玄沢らが、江戸の蘭学塾でオランダ正月を祝う〈早稲田大学図書館蔵〉

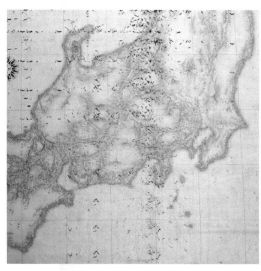

⑥『大日本沿海輿地全図』の一部〈東京国立博物館蔵〉

春の長い日、日暮れまで考えつめた」とふり返って述べています。

この翻訳のなかで、現在でも使われている「神経」「軟骨」「動脈」などの医学用語がつくられました。3年間かかって翻訳を完成し、解剖図も加え、『解体新書』全五巻として出版しました。

■ 西洋の学問が花開く

8代将軍・徳川吉宗は、漢文に翻訳されたヨーロッパの書物の輸入制限をゆるめました。これをきっかけに、ヨーロッパの学問や技術の研究がすすんでいました。『解体新書』が翻訳・出版されると、ヨーロッパの天文学や地理学などへの関心が高まりました。玄白の門人・大槻玄沢が江戸で塾を開くなど、各地に蘭学塾が広がりました。

また、玄白と親しかった平賀源内は、長崎でオランダ語を学び、薬草を収集し、エレキテル（摩擦発電機）を製作するなど、多彩な才能を発揮しました。造り酒屋を営んでいた伊能忠敬は、50歳で家業をゆずり、江戸に出て天文学と測量術を学びました。56歳のときから17年間かけて、蝦夷地（北海道）から屋久島（鹿児島県）まで、約4万kmを歩いて測量し、実測にもとづく日本列島の地図・『大日本沿海輿地全図』を作成しました。

こうして、オランダ語からヨーロッパ諸国の文化を学ぶ学問（蘭学）が発展します。儒学や国学も、新たな展開を見せます。

⑦江戸・浅草の天文台
〈葛飾北斎『富嶽百景 鳥越の不二』国立国会図書館蔵〉

― 国学を大成させた本居宣長 ―

本居宣長は、伊勢松阪（三重県）の医師で、『古事記』などの古典を研究し、『古事記伝』を著した。仏教や儒教が取り入れられる前からの、古代の人びとの考えを明らかにしようとする国学を大成させた。

宣長の教えを学んだ平田篤胤は、古来の信仰を大切にする神道を唱え、各地の人びとの共感を得た。篤胤は、天皇の権威を尊ぶ「尊王」を説いた。この考え方は外国人を排除する考え（攘夷）と結びつき、幕末の尊王攘夷運動に影響をあたえた。

⑧本居宣長（1730〜1801）〈本居宣長記念館蔵〉

① 寺子屋の風景
〈『文学万代の宝 末の巻』(部分)東京都立中央図書館特別文庫室蔵〉

往きは牛 帰りは馬の 手習子
_いき　　　　　　　　　　　　　 _てならいご
大浚 小浚 手本取られて 泣浚
_{おお}さらい _こさらい　　　　　 なきさらい
（川柳）
せんりゅう
（江戸の童謡）
どうよう

＊「浚」は復習テストのこと。
さらい

② 手習いの手本『江戸方角』／手本の最後に, 学習を終
えとうほうがく
えた記録を子どもが書き入れている。〈「森家文書」個人蔵〉

（10）寺子屋の子どもたち —教育と化政文化—

教室の先生と子どもたちのようすを想像しよう。やがて, どんな文化に接するようになるのか。

③ 寺子屋への入学(寺入り)／
てらい
父親が天神机をかついでいる。
〈『熈代勝覧』ベルリン国立アジア美術館蔵〉

A 滋賀県伊香郡での識字率の調査
しがいか　ぐん　　しきじりつ
（1877年に6歳以上）
　自分の氏名を書ける者
　　　　　　男子89%　女子39%

B 長野県常盤村での識字率の調査
ときわ
（1881年に15歳以上）
　自分の氏名・村名だけが書ける者
　　　　　　　　　　　　　63.7%
　日常の帳簿が書ける者　22.5%
　手紙や証書が書ける者　6.8%
しょうしょ
　公文書・新聞が読める者 2.6%
こうぶんしょ
〈八鍬友広による〉
＊江戸時代の読み書きの能力は, 地域
や男女などに差があった。

■ 寺子屋の風景
てらこや

フォーカス

18世紀後半になると, 町にも村にも寺子屋がたくさんできました。子どもたちは寺子屋で, 読み書き・そろばん(計算)を学びました。

6歳ぐらいで寺子屋に入り, 5～6年間通うというのが多かったようです。寺子の数は20人ぐらい, さまざまな年齢の男女が, いっしょに学びました。男子に比べて, 寺子屋に通う女子は少数でした。

謝礼は月200文ほどで, 村では, 銭のかわりに米や野菜を納めることもありました。師匠には, 僧侶や神主, 浪人している武士, 有力百姓などがなりました。町では, 女性の師匠もいました。

朝, 子どもたちは, 文箱(筆やすずりなど)と草紙(練習帳)を持って寺子屋に行きます。天神机を自分で出して, 午後まで学びます。はじめは, 師匠の書いた「いろはにほへ」の手本を見ながら, 草紙が真っ黒になるまで練習します。いろは四十八文字を習い終えると, 漢字を学ぶ子もいました。名まえに使う文字や地名からはじめ, 手紙の書き方や商売に必要な文字にすすみました。

■ 読み書きの広がり

商業の発達で, 町では商売のために文章を書くことや, 計算することが欠かせなくなりました。村でも商売が広がり, 子どもたちが町に奉公ほうこうに出るようになると, 読み書きと計算の力が求められました。有力百姓は村役人として, 村の運営のために, 書類や記録を書きました。農業経

5

10

15

④喜多川歌麿『高名美人六家撰 辰巳路考』
〈東京国立博物館蔵〉

⑤葛飾北斎『富嶽三十六景 神奈川沖浪裏』
〈東京国立博物館蔵〉

営や商業活動のために，帳簿や手紙を書く必要もふえました。

　19世紀になると村でも，人びとが，俳諧・書道・芝居などを楽しむ
ようになりました。江戸などから俳人を招いたり，自分で俳句をつくっ
たりする人もいました。こうした活動を通して，村の人たちが周辺の村
や町ともつながりをもち，交流しました。

　藩政改革が求められるなかで，多くの藩校が開かれました。武士やそ
の子弟の間では，『論語』など儒学にもとづく教育が盛んになりました。

■ 江戸から広がる庶民の文化

　19世紀になると文化の中心は江戸に移り，庶民をにない手とし，地
方にも広がりました。これを化政文化といいます。

　浮世絵は，多色刷りの版画（錦絵）が大流行しました。風景画では葛
飾北斎の，富士山とともにさまざまな職業の人びとが登場する『富嶽
三十六景』が注目されました。美人画は，服装・髪型や化粧品などの情
報を，庶民に伝える役割もはたしていました。また，判じ絵，さかさ絵
などを，庶民が娯楽品として楽しみました。

　政治や世相を皮肉る川柳や狂歌がはやり，こっけい本が多くの読者を
つかみました。十返舎一九の『東海道中膝栗毛』は，旅先での失敗談や
庶民の生活を織り込んで，21年にわたり書きつづけられました。

　当時，蔦屋重三郎などの出版業者は，積極的に作家を育て，作品を世
に送り出すことに力をいれました。なかでも，黄表紙（絵入りの小説）
はたいへんな人気で注文が多く，製本が間にあわないほどでした。

　本の値段は高かったので，多くの庶民は貸本屋を利用しました。一冊
が，かけそば一杯（16文）ほどの値段で借りられました。

　このころ村で講という集団をつくり，旅費を積み立て，順番に寺社参
りをすることが流行しました。伊勢参りはその代表です。こうして旅が
各地の人びとの交流を生み，文化が伝わる一因になりました。

⑥判じ絵〈歌川重宣『江戸名所はんじもの』個人蔵〉

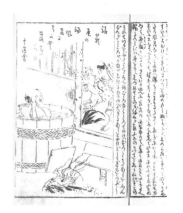

⑦十返舎一九『東海道中膝栗毛』
〈国立国会図書館蔵〉

⑧行商で得意先を回る貸本屋
〈平木浮世絵美術館蔵〉

127

① ロシア使節一行と大黒屋光太夫〈天理大学付属天理図書館蔵〉

（11）北からの黒船 ─ロシアの進出と寛政の改革─

蝦夷地にロシア船が来た。日本人漂流民も連れてきた。ロシアの目的は何か，幕府はどうするか。

■ ラクスマンと大黒屋光太夫

フォーカス🔍

　1792 年，ロシアの使節ラクスマンの乗った船が，蝦夷地（北海道）のネモロ（根室）に到着しました。船には，大黒屋光太夫ら3人の日本人も乗っていました。

　9 年前，光太夫らは，伊勢（三重県）の港から船で江戸に向かう途中，嵐にあって漂流し，アムチトカ島に着きました。その後，光太夫らは，ロシア人とシベリアに渡りました。ロシアの皇帝エカチェリーナ 2 世は，光大夫らの帰国の願いを聞き入れ，かれらを送り届けるとともに，使節を派遣し，日本に通商と国交を求めようとしたのです。

　根室では，松前藩と幕府の役人がロシア人に対応しました。日本側は，地球儀を写しとり，ロシア船の模型を作り，ロシア語の単語集を作成しました。ロシア側は，蝦夷地の地図を写し，根室周辺を測量し，アイヌと和人商人との関係を聞きとりました。

② エカチェリーナ 2 世（1729〜1796）

■ 毛皮を求めて太平洋へ

　ロシア人の多くは，ロシア正教会に属するキリスト教徒の農民でした。16 世紀末から，軍人と開拓民がシベリアに進出し，森林地帯を東に進み，オホーツク海にまで達しました。ロシア人は，トナカイなどを遊牧する先住民からクロテンの毛皮を税として取り立てました。

　ロシアは 17 世紀末には，中国（清）との国境を画定し，交易をはじめました。18 世紀になると，首都をモスクワからペテルブルグに移し，西ヨー

③ 大黒屋光太夫の行路（漂流から帰国まで）

④ロシア船エカチェリーナ号とロシア人住居〈天理大学付属天理図書館蔵〉

ロッパの文化を取り入れて、商工業の発展に力を入れました。

　また、ロシア人は、カムチャツカ半島から千島列島に入り、アリューシャン列島からアラスカにも上陸しました。ここでは、海で猟をする先住民を働かせて、ラッコの毛皮を手に入れ、中国へ運んで利益を上げました。

　1770年代から、ロシアのほか、イギリス、フランス、アメリカ、スペインも北太平洋に探検隊や商船を派遣しました。領土をひろげ、毛皮を手に入れ、中国に運んで売り込もうとして争いました。

■ 内に外に、寛政の改革

　1787年、あいつぐ打ちこわしに幕府は危機感をもちました。老中になった松平定信は、祖父の8代将軍・吉宗の改革を理想として、幕府政治の立て直しに取りくみました（寛政の改革）。

　打ちこわしの原因は、江戸などに出稼ぎにくる人がふえていることだとして、故郷の村に帰らせました。また、凶作やききんに備えて、大名に米をたくわえさせ、町や村に穀物を入れた倉をつくらせました。

　倹約令を出し、旗本・御家人を救うために、商人からの借金を帳消しにしました。幕府の学校では、朱子学以外の学問を禁止し、庶民が読む小説の内容も取りしまりました。

　林子平が、「江戸の日本橋より中国、オランダまで境なしの水路なり」と述べて、江戸湾の防衛の必要を主張すると、定信は、幕政を批判したとして子平を処罰しました。ラクスマンに対しては、松前で光太夫らを引き取りましたが、通商の要求には応じませんでした。

― 北方の探検 ―

　1804年に、ロシアの使節レザノフが長崎に来たが、幕府は半年待たせたのち、追い返した。そして、探検隊を派遣して蝦夷地から千島列島、カラフト（サハリン）方面の調査をした。1807年には、蝦夷地全体を幕府領とし、海岸の警備を強化した。1809年、間宮林蔵はカラフトが島であることを確認した。

ロシアの農民

　ロシア農民の多くは、貴族などの領主に支配され、移動や結婚などの自由をもたなかった。そのため、農民たちは、しばしば逃亡したり、大きな反乱を起こしたりした。

⑤ 松平定信（1758〜1829）
〈東京大学史料編纂所蔵模写〉

⑥北方探検の行路

① アメリカ捕鯨船とキャッチボート〈『マッコウクジラの群れ』ピーボディ・エセックス博物館蔵〉

② アメリカでのジョン万次郎
〈『漂洋瑣談』京都府立京都学・歴彩館蔵〉

（12）外に危機、内にも悩み ― 異国船と天保の改革 ―

14歳の少年がアメリカに渡ったころ、日本近海で何が起きていたか。蘭学者と幕府はどうしたか。

■ 運命をきりひらいたジョン万次郎

フォーカス

1841年、土佐（高知県）の万次郎（14歳）は、はじめて漁にでましたが、嵐にあい無人島に漂着してしまいました。143日後、アメリカの捕鯨船が通りかかり救助されました。そのころ日本近海には、アメリカの捕鯨船がたくさん操業していたのです。

日本では、沖合で、鯨を多数の船で囲んで網と銛で捕っていました。　5
万次郎は、アメリカの捕鯨が日本とまったくちがうことに驚き、興味をもちました。アメリカで、英語をはじめ数学、測量術、航海術などの本格的な教育をうけ、捕鯨船をまかされる技術を身につけました。

24歳になった万次郎は、母のいる故郷にもどろうと、1851年、琉球への上陸に成功しました。よく年、土佐で母との再会をはたしました。　10

③ モリソン号
〈『浦賀奉行異船打払ノ始末届書』国立公文書館蔵〉

■ 欧米への関心を恐れる幕府

18世紀末から、日本沿岸に、イギリスやアメリカの船が、たびたびあらわれました。幕府はこうした動きに危機感をもち、1825年に、「異国船を発見した場合、すぐさま攻撃し追い払うように」と、各藩に命じました（異国船打払令）。　15

1837年、江戸湾の入り口の浦賀沖（神奈川県）に、アメリカ船のモリソン号（このときは、イギリス船と誤り伝えられた）があらわれました。幕府は警告なしに砲台から攻撃したため、船は湾外に去っていきました。この船は、日本人の漂流民7人を送り返すこととあわせて、通商を求めてきたことが、1年後にわかりました。　20

④ 高野長英（1804〜1850）〈高野長英記念館蔵〉

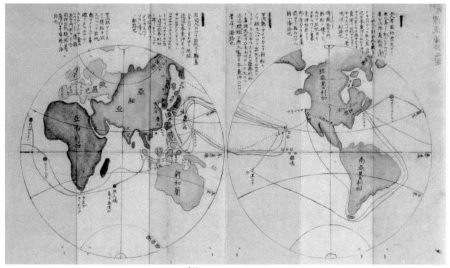

⑤ 万次郎の航海を聞きとって土佐の絵師が描いた世界地図／万次郎は大西洋からインド洋をまわって，太平洋で捕鯨をおこなった。〈『管見蘴話』東京都立中央図書館蔵〉

蘭学者の高野長英や田原藩（愛知県）の家老・渡辺崋山たちは，外国の実情や海防について学びあっていました。モリソン号事件を知った長英は，「漂流民を連れてくる船を攻撃すれば，人を憐れむことを知らない国とみなされる」「漂流民のことは，江戸では許可できないが，長崎などで受け取り，イギリスからは海外の事情を聞きとればよい」と，夢物語として書きました。

1839 年，幕府は，幕政を批判したとの罪で，崋山や長英とそのグループを処罰しました。よく年，イギリスと中国（清）の戦争（アヘン戦争）の情報が伝えられました。1842 年，幕府は，戦争を避けるため異国船打払令を撤回し，流れ着いた外国船には薪や水・食料をあたえることにしました。

■ 生活を引きしめる天保の改革

1833 年の東北地方の冷害からはじまり，数年後には全国的なききんとなりました。米の値段が大幅に上がり，いき倒れる人や餓死者が数多く出て，各地で百姓一揆や打ちこわしが起こりました。江戸では，幕府が救い米を配りました。1837 年，大阪町奉行所の元役人・大塩平八郎は，周辺の百姓などに参加をよびかけ，「救民」の旗を立てて兵をあげましたが，大阪城の兵にしずめられました。

1841 年，老中・水野忠邦が，幕政の改革をはじめました（天保の改革）。村から江戸への人口の流入を防ぎ，出稼ぎに来ていた人びとを村に帰そうとしました。また，ぜいたくが物価高の原因の一つだとして，倹約を命じました。高価な着物や菓子などを売ることを禁止し，とうふの寸法まで規制しました。民衆の楽しみであった落語の寄席や，曲芸・手品を見せる見世物小屋を減らしました。これらの政策は人びとから反発を受け，改革は 2 年あまりで失敗しました。

同じころ，西日本の諸藩は，有能な中・下級武士を重要な地位につけ，財政の立て直しや軍事力の強化をすすめる改革をおこないました。

⑥行進する大塩平八郎軍〈大阪歴史博物館蔵〉

地域の博物館で調べる

羽村市郷土博物館　〒205-0012　東京都羽村市羽741　入館料；無料
休館日；月曜日／12月29日〜1月3日
開館時間；午前9時〜午後5時(野外展示；午前9時〜午後4時)

● 地域にある博物館を訪ねると，歴史を実感したり，深く調べたりすることができます。

● 羽村市郷土博物館を訪ねました。
玉川上水や羽村取水堰について，具体的に，わかりやすく展示してあります。地域の歴史や，実際に使われていた民具などの展示もあります。たくさんの資料を集めて，保存しています。

玉川上水の流れを示す大きな模型があります。

■羽村の取水堰から，江戸の市中まで，約40kmの水路と地形が一望できます。取水口がなぜ羽村につくられたのか，よくわかりました。

取水堰の実物大の模型です。

■多摩川の本流から玉川上水に，水を分ける取水堰の構造がよくわかります。洪水になっても流されないように工夫したものです。

博物館には学芸員がいます。

■展示パネルを見ながら，詳しく説明してくれました。質問にも答えてくれます。課題に合わせて，どこを調べるか，だれを訪ねるといいかなど，相談にのってくれます。

歴史を体験する　## 地域の歴史を歩く（東京都小平市）

① 水路をたどってみよう

学校の近くを小さな水路が流れています。これはもしかしたら古くからあったものかもしれません。近くに川は流れていません。水は，どこから来て，どこに流れていくのか，たどってみましょう。

さっそく，地域の資料や副読本などで調べ，歩いてみると，やはりそれは江戸時代に引かれた玉川上水につながっていました（鈴木分水）。

写真①

② 水路は街道に沿ってうねうねと

鈴木分水は，街道に沿って，農家の間をうねうねと流れています。用水が2つに別れる地点に稲荷神社がありました。この神社も用水と関係があるようです。

神社にあった説明板を見ると，やはり，稲荷神社は，鈴木分水を通した鈴木利左衛門が，その分水で新しい村（鈴木新田）を開いたときに建てた神社でした。

写真②

写真③

① どこを歩き，何を見るのか，何を調べるのか，あらかじめチェックしておきましょう。

② 地域の方，博物館の学芸員，説明員に積極的に質問してみましょう。

③ わかったこと，さらに調べてみようと思うことなど，メモしておきましょう。

④ 写真も撮っておきましょう（ただし，写真は許可をえてから撮るようにしましょう）。

⑤ 調べたことを，レポートや地図にまとめ，グループやクラスで発表しましょう。

玉川上水の分水が新田をつくった

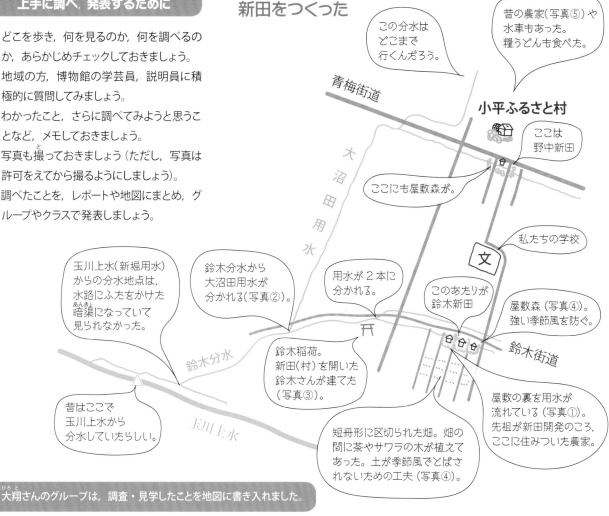

この分水はどこまで行くんだろう。

昔の農家（写真⑤）や水車もあった。糧うどんも食べた。

小平ふるさと村

ここは野中新田

ここにも屋敷森が。

私たちの学校 文

用水が2本に分かれる。

このあたりが鈴木新田

玉川上水（新堀用水）からの分水地点は，水路にふたをかけた暗渠になっていて見られなかった。

鈴木分水から大沼田用水が分かれる（写真②）。

屋敷森（写真④）。強い季節風を防ぐ。

鈴木稲荷。新田（村）を開いた鈴木さんが建てた（写真③）。

屋敷の裏を用水が流れている（写真①）。先祖が新田開発のころ，ここに住みついた農家。

昔はここで玉川上水から分水していたらしい。

短冊形に区切られた畑。畑の間に茶やサワラの木が植えてあった。土が季節風でとばされないための工夫（写真④）。

大翔さんのグループは，調査・見学したことを地図に書き入れました。

---

③ 新田村の屋敷森と畑

　街道に沿った鈴木新田の農家には，今でも鈴木分水が流れ，屋敷森が残り，その裏側に短冊形に畑が広がっていました。農家を訪ねて話を聞いてみましょう。

　いくつかの農家は，この分水ができたころ，先祖がここに来た人たちです。分水は，農家の屋敷の中を通っています。水路の水を飲み水などにして，台地の上に新しい畑を開いたのです。

　畑の間には，茶やサワラの垣根もつくられています。屋敷森もこの垣根も，強い季節風から屋敷や畑を守る工夫です。畑には，落ち葉からつくった堆肥を入れました。

写真④

④ 小平ふるさと村

　用水と新田について調べるため，小平ふるさと村に行ってみました。この近くにも，分水（野中分水）が流れています。1654年に羽村（東京都）から江戸まで引かれた玉川上水は，江戸の飲み水だけでなく，途中で何本もの用水路を分け（分水），その水で，武蔵野台地に多くの新しい村が開かれました（新田開発）。

　ふるさと村には，そのころの農家や水車も復元されており，糧うどんも食べることができました。うどんは，田んぼがほとんどないこの地域の郷土料理です。

写真⑤

133

1 年表を見て，問いに答えましょう。

```
1669 アイヌの首長（          ）らが戦いを起こす。

1716 （          ）が享保の改革をはじめる
     A

1772 （          ）が老中になり，
     砂糖の国産化にも取りくむ

1787 （          ）が寛政の改革をはじめる
     B

1825 幕府が異国船打払令を出す

1837 （          ）が大阪で反乱を起こす
     C

1839 渡辺崋山や（          ）が幕府の外交政策を
     批判して捕らえられる

1841 （          ）が天保の改革をはじめる
     D
```

(1) 年表中の（   ）に人名を入れましょう。

(2) 次の外国の動きは，年表中AからDのどの時期に起こったでしょうか。

① 朝鮮通信使書記官の申維翰が，雨森芳洲とともに江戸に到着した。（   ）

② ロシアの使節ラクスマンが，蝦夷地にやってきた。
（   ）

③ アメリカ船モリソン号が浦賀沖にあらわれた。
（   ）

2 幕府の政治の改革について考え，まとめましょう。グループやクラスで発表しましょう。

享保の改革 → 田沼の政治 → 寛政の改革 → 天保の改革

(1) これらの改革で，幕府はそれぞれどのような政策に取りくんだでしょうか。

(2) 幕府の改革はうまくすすんだでしょうか，気づいたことを書いてみましょう。

第3部　近世（4章・5章）　学習のまとめ

1 第3部の時代は，国内では「幕府と藩が全国を治める」，国外とは「四つの口を設けて交渉・交易する」という政策・方針でした。前の時代とくらべて，大きなちがいだと思う点を上げて，ちがいを説明しましょう。

2 第3部に登場した文化（桃山文化　元禄文化　化政文化）について，まとめましょう。

(1) それぞれの文化のにない手は，どのような人びとだったでしょうか。どのような特色がありましたか。

(2) 元禄文化と大阪の商人との関係はどのようなものでしたか。

(3) 関心をもった作品などを上げて、どんな作品か説明してみましょう。

桃山文化

元禄文化

化政文化

3 第3部に出てきた次の人物たちに，インタビューをして，記事を書きましょう。

(1) あなたがいた時代に，あなたはどんなことをしていましたか。

(2) その時代をどんな時代だと思っていましたか。あなたの言い分を聞かせてください。

　① グループやクラスで，だれをインタビューするか，分担しましょう。

　② できあがったら，グループやクラスで発表しましょう。

豊臣秀吉

大阪の大商人

昆布をとるアイヌの人びと

底ぬけタンゴをかつぐ百姓

千歯こきで作業をする女性

徳川吉宗

裏長屋に住む棒手振

寺子屋の師匠

ジョン万次郎

4 3の人物インタビューの発表を聞いて，近世・江戸時代はどんな時代だったか考えましょう。前の時代と比べたりしながら，まとめましょう。グループやクラスで発表しましょう。

翔太さんは，次のように書きました。

> 　ジョン万次郎が見たアメリカは，学問や技術が進んだ国でした。でも江戸時代の百姓だって工夫をこらして木綿を作り，衣類を大きく変えました。商人だって，武士なんかに負けないで文化を発展させました。それに比べて，政治の改革はうまく進まず，江戸幕府はあぶなくなると思いました。

第6章 世界は近代へ

万国博覧会に見る世界

第6章の扉ページでは,
欧米諸国で開かれた万国博覧会の会場を見学します。

紀元前1000年

紀元前500年

電灯でつくられたエジソンタワー
〈1893年シカゴ万博〉

シカゴ万博では,電灯やモーターなど,電気の力を示す製品がたくさん出展されました。新しい電気の時代がやってきたことを象徴しています。

〈国立国会図書館蔵〉

紀元

鉄とガラスの水晶宮
〈1851年ロンドン万博〉

第1回万国博覧会の目玉は水晶宮でした。当時の最新技術である,鉄とガラスが用いられています。機械や工業デザインが展示され,イギリスが世界一の工業国であることを内外に示しました。

500年

〈京都大学人文科学研究所蔵〉

セントルイス

シカゴ

ロンドン

パリ

大西洋

1000年

1500年

エッフェル塔と万博会場
〈1889年パリ万博〉

パリのエッフェル塔は,1889年の万博に合わせて建設されました。展望室には,水圧で動くエレベーターでのぼることができ,たくさんの見物客が訪れました。

2000年

イゴロット村の人びとのダンス
〈1904年セントルイス万博〉
アメリカは，万博会場に植民地フィリピンの村を再現し，現地の人びとを連れてきて生活させました。

近代の学習課題

世界で，日本で，社会が大きく変動します。新しい産業が発展し，人びとの生活が変化します。新しい思想が芽生え，新しい国家のしくみがつくられます。きびしく対立する国と国，人びとどうしの関係を見ていきましょう。出版物などからも，時代の変化を読みとることができます。何が人びとの暮らしを変えたのでしょうか。話し合い，考えを深めていきましょう。

中国館の陶磁器展示場
〈1878年パリ万博〉
陶磁器の生産の中心地だった景徳鎮などでつくられた製品が，展示されました。

太平洋

インド洋

植民地の職人による実演
〈1889年パリ万博〉
植民地やアジアの国々の展示は，欧米諸国のものとは対照的で，人気をよびました。フランスの植民地アルジェリアの人びとは，民族衣装を着て，手作業や民族芸能などを見せました。

〈京都大学人文科学研究所蔵〉

〈京都大学人文科学研究所蔵〉

日本の展示の案内〈1900年パリ万博〉
日本政府は，工芸品や美術品，伝統的な建物や庭などを紹介しました。これらはヨーロッパの人びとの関心を集めました。

1 ヨーロッパ人が描いた北アメリカ先住民の生活／16世紀にヨーロッパで出版された版画（彩色）。

（1）アメリカの大地に生きる ― 合衆国の成立 ―

農業を営み代表会議も開いていたインディアンの土地に，どうやって合衆国を成立させたのか。

■ ロングハウスで開かれた代表会議

　北アメリカの先住民インディアンは，部族ごとに都市や村をつくり，地域の自然を生かした農業や，狩り・漁をして暮らしていました。

　農業は女性が中心となっておこない，トウモロコシやマメ・カボチャなどを栽培しました。3種類の作物を同じ畑に植えて，雑草を生えにくくし，土の水分や養分を保って，豊かな収穫をあげました。

　ヨーロッパ人がやってくると，インディアンはビーバーや鹿の毛皮を，銃や日用品と交換しました。17世紀には，部族の間で，毛皮の取り引きをめぐって，銃を使った激しい戦いが起こりました。

　東部の5つの部族は，イロコイ連合をつくっていました。各部族の代表がロングハウスに集まり，戦争や領土などの問題について論議しました。多数決で決めるのではなく，全員が一致するまで話し合いました。代表議員は男性でしたが，女性の推せんを受けて選ばれました。

　イギリスとフランスは，北アメリカで植民地を広げようとして対立し，戦争をはじめました。これに対して，イロコイ連合はどちらの国にもつかず，領内が戦場にならないようにして，平和を守りました。

■ イギリスからの独立

　17世紀になると，イギリスなどヨーロッパから渡ってきた人びとは，東部各地に住みついて，植民地をつくりました。小麦やトウモロコシの畑をつくり，森を伐りひらいて，インディアンの土地に侵入しました。

　大農園でタバコをつくり，輸出して大きな利益を上げる人もあらわれ

2 ボストン港でのイギリスへの抗議行動（1773年）／植民地の人びとがインディアンの姿をして，茶箱を海に投げ入れた。

アメリカ合衆国独立宣言
（1776年）

　われわれは，次のことを真理として認める。すべての人は平等につくられ，神によって，ゆずりわたすことができない権利をあたえられていること。そのなかには，生命・自由・幸福を追求する権利がふくまれていること。そして，これらの権利を確保するために，政府がつくられ，その権力は，人びとの同意にもとづくこと。

（一部要約）

③「涙の旅路」／強制移住させられるチェロキーを描いた絵。

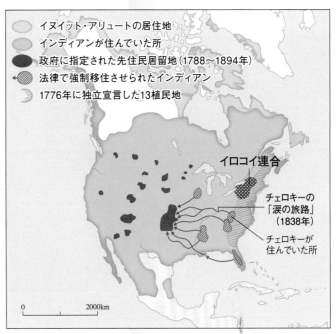

④北アメリカの先住民

ました。大農園には，イギリスから大勢の貧しい人びとが送り込まれ，きびしい労働をさせられました。また，アフリカから連れてこられた黒人は，奴隷として働かされました。

5　18世紀，フランスとの戦争にかかった莫大な費用にあてるため，イギリス議会は，植民地にいくつもの新しい税をかけようとしました。人びとはこれに抗議して，独立戦争をはじめます。

　1776年，植民地の人びとは，「すべての人は平等につくられている」とする「独立宣言」を発表しました。フランスの応援もあって，8年間
10　の戦争のすえ，イギリスからの独立を達成します。その後，各州の自主性を重んじるアメリカ合衆国憲法を定めました。

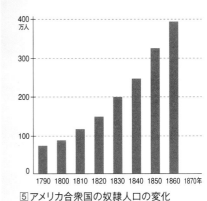

⑤アメリカ合衆国の奴隷人口の変化
〈『アメリカ黒人の歴史』ほかによる〉

■ 涙の旅路

　イロコイ連合のインディアンは，独立戦争のとき2つに分かれ，イギリス側・植民地側のそれぞれに付いて戦いました。戦後は，住む土地の範囲をせばめられ，多くの人が北に移住しました。

15　一方，19世紀に入ると南東部に住む部族・チェロキーは，自分たちの憲法を制定しました。独自の文字をつくり，新聞を発行して土地を守る思いを訴えました。しかし，チェロキーの土地は，綿花の栽培に適していたうえ，金鉱も発見されたため，白人たちがおしよせてきました。

　1838年，合衆国政府は軍隊を送り，チェロキーの人びとを，西の
20　荒れた土地に移住させました。1900kmにおよぶ移動の途中で，1万5000人のうち約4000人が死亡しました。

⑥南部の黒人奴隷（1862年 バージニア州）／読み書きを学ぶことが，法律で禁止されていた。

──「奴隷制度は憲法違反」と訴えた黒人女性──

　北部のマサチューセッツ州に住む黒人奴隷・エリザベス＝フリーマンは，女主人に暴力をふるわれ，腕にひどいケガをした。主人の家に集まる白人たちが，「独立宣言」について議論していたので，フリーマンはその内容を聞いて知っていた。州の憲法でも，「すべて人は，自由で平等に生まれる」と定めていた。

　1781年，フリーマンは，弁護士にたのみ，「奴隷制度は州憲法に違反している」と裁判所に訴えた。これが認められ，フリーマンは自由の身になり，北部の州では奴隷制度が廃止されていった。しかし，南部の州では，綿花の農園で働かされる黒人奴隷がふえ，奴隷の逃亡を罰する法律が厳しくなっていった。

① バスチーユ監獄攻撃を描いた絵
〈ベルサイユ美術館蔵〉

（2）バスチーユを攻撃せよ ―フランス革命―

バスチーユを襲撃，村々では一揆。このあと，フランスの革命はどのように進んでいくのだろう。

② 革命前の3つの身分／
聖職者・貴族・平民の3つの身分があった。革命前は，わずか2％の聖職者と貴族が，領地と農民を支配し，さまざまな特権をもち，税も免除されていた。

③ オランプ゠ド゠グージュ（1748〜1793）

■ 平民こそ国民の代表だ

1789年7月14日，パリ（フランス）の民衆が，バスチーユ監獄におしよせました。武器・弾薬を引きわたすように，ここを守る司令官に要求しましたが，拒否されます。人びとは，はね橋を下ろしてなだれ込み，激しい銃撃戦のすえバスチーユ監獄を攻め落としました。この監獄には，国王の専制政治を批判した人が捕らえられていると考えられていました。 5

同じころ，農村では，年貢の引き下げを求める一揆が起こっていました。バスチーユでの勝利は，フランス全土に伝わります。農民たちは，領主の館におしかけ，土地の証文を焼いたり，火を放ったりしました。

国王ルイ16世は，5月に，身分ごとの会議を開いて，増税を決めようとしました。これに対して，平民代表は，「自分たちこそが，国民を代表している」と主張して，国民議会をつくりました。さらに，ルイ16世がこれを武力でおさえようとしたため，人びとはバスチーユ監獄を攻撃したのです。こうして，フランス革命がはじまりました。 10

■ 国民の権利、女性の権利、黒人の権利

国民議会は，重い年貢を取り裁判権をにぎって，農民を支配していた領主の特権を，廃止しました。そして，自由と平等，国民主権をうたう「人権宣言」を発表しました。さらに，教会の領地や，国外に亡命した貴族の領地を，農民が買い取れるようにしました。 15

革命に参加した平民には，豊かな商工業者や地主と，貧しい人びとが

④ベルサイユ宮殿へ向かう民衆〈カルナヴァレ美術館蔵〉

⑤ナポレオンのヨーロッパ支配

いました。貧しいパリの民衆は，パンの値上がりに抗議し，政治への発言権を求めて，地区の集会を開きました。女性たちを先頭に，7000人が「パンをよこせ」と叫びながら，ベルサイユ宮殿まで行進しました。1792年には，民衆が王宮を攻撃し，王政を廃止させます。

5 　そして，21歳以上の男性のすべてが，選挙権を得ました。しかし，女性には選挙権は認められず，政治集会への参加も禁じられました。劇作家のオランプ゠ド゠グージュは，「女性の権利宣言」を発表し，「女性は生まれながら自由であり，男性と同等の権利をもつ」と，第1条に掲げました。グージュは，黒人の地位にも関心をもち，フランス植民地
10 だったハイチでの奴隷制度に反対する劇を上演しました。

フランス革命と選挙権
　1795年，選挙権は，財産をもち一定の額を納税する男性だけに，ふたたび制限された。

■ 皇帝になったナポレオン

　ルイ16世が処刑されると，ヨーロッパの国々は，革命の広がりを恐れて，フランスに攻め込みました。フランスの革命政府のなかでも対立が起こり，政治が混乱しました。このようなとき，軍人ナポレオン゠ボナパルトは，外国軍を次々と破って，人びとの人気を集めました。
15 1804年，議会の議決と国民の投票によって，皇帝の位につきました。
　ナポレオンは，法の下の平等や財産権など，革命のなかで宣言されたことを，国民全体に保障する法律にまとめあげました（ナポレオン法典）。このような法律が地方でも実施されていくと，人びとは，フランス国民の一員だという意識をもつようになっていきました。

⑥ナポレオン゠ボナパルト（1769〜1821）
〈1812年　皇帝のときの肖像画より〉

― ハイチ革命――小さな国の大きな革命 ―

　フランスの植民地だったカリブ海の島・ハイチは，砂糖の生産量で世界の40％を占めていた。サトウキビ農園や製糖工場では，40万人以上の黒人奴隷が働かされていた。
　フランス革命が伝えられると，1791年，黒人たちは計画的に農園から脱走し，農園を焼き払い，黒人の支配する地域を広げていった。奴隷制度は廃止され，解放されたハイチの人びとは，次にフランスからの独立をめざした。人びとをまとめて戦った指導者は，トゥサン゠ルベルチュールだった。トゥサンは，ナポレオンが送った軍に捕らえられて死亡したが，1804年，ハイチは独立を達成し，世界ではじめての黒人の共和国となった。

⑦トゥサン゠ルベルチュール（1740ごろ〜1803）
〈2001年のハイチ紙幣〉

①糸車で羊毛から糸を紡ぐ（1814年）

②ミュール紡績機（1830年代はじめ）／綿花から一度に300本ほどの綿糸を紡ぐ。

（3）工場で働く子どもたち ─産業革命─

少年が朝5時半から働く工場は，どのように変わっていくのか。労働者は何を求めるようになったか。

③世界で最初に営業した鉄道（1830年）／スチーブンソンの設計した蒸気機関車が，マンチェスター─リバプール間を時速27kmで走った。

● 人口10万人以上の工業都市
╫╫╫ 1852年の鉄道

グラスゴー
カーライル
ニューカッスル
リバプール
リーズ
マンチェスター
シェフィールド
バーミンガム
ブリストル
ロンドン

0   200km

④産業革命のころのイギリスのおもな都市

フォーカス

■ 蒸気と綿ぼこりの中で

7歳の男の子ブリンコウは，朝の5時前にベルで起こされます。麦がゆの朝食をかきこみ，寄宿舎を出て，5時半には工場に入ります。綿花から糸を紡ぐ工場の中は，綿ぼこりがたちこめ，むし暑くて35℃になることもあります。腰をかがめて床をはいまわり，綿くずを掃除します。昼に30分の食事時間をはさんで，夜の8時まで働きつづけます。疲れて床にすわりこむと，監督のムチがとびました。

事故は目の前で起こりました。10歳のメアリのエプロンが，回転する機械の軸にはさまれ，体ごと巻き込まれたのです。片足を失った女の子に，工場主は見舞金さえ払いませんでした。1847年には，イギリスの綿工場の労働者の70％以上が，女性や18歳以下の子どもでした。

■ 手作業から機械へ

イギリスの人びとは，長い間，職人が手作業でつくった毛織物を着てきました。18世紀には，インドから綿織物が輸入され，人気を集めました。あざやかな色に染まり，軽くて，洗濯しやすいからです。

イギリスでは，綿織物を速く，安く，大量に生産するために，新しい機械が次々に発明されました。アークライトは水力紡績機を発明し，いくつもの紡績工場を経営しました。

蒸気機関を動力に使うようになると，工場は町につくられるようにな

⑤ロンドンで開かれた第1回万国博覧会の水晶宮（1851年）／ガラスと鉄骨でつくられ，世界各地の産物を集めて展示した。

⑥炭鉱で働く子どもたち（1850年）

りました。マンチェスターは，綿工場の煙突が立ち並ぶ大都市になりました。蒸気船や蒸気機関車が，原料や商品を速く大量に輸送しました。鉄や兵器なども，工場で機械を使って大量生産されました（産業革命）。19世紀，イギリスは，工業製品を世界各地に輸出し，「世界の工場」とよばれました。

■ 労働は1日10時間に

1832年，マンチェスターの近くの町で集会が開かれ，大勢の労働者が旗を持って集まってきました。工場で働く子どもたちも参加しました。皮ひものムチに「見てください。涙を流してください」と書いた札をつけ，掲げて歩きました。会場では，「1日10時間労働の法律を勝ち取るぞ」と歌いました。

労働者は，労働時間を短くし，賃金を引き上げることなどを求め，労働組合をつくりました。また，労働者の生活や権利を守る法律を制定することや，普通選挙を実現することをめざして運動をすすめました。

そして，このような経済のしくみ（資本主義）を改めるべきだとする，社会主義の考え方が生まれました。土地や工場を社会の共有にして，平等な社会を実現しようとするものです。マルクスは，貧富の差を生み出す資本主義のしくみを分析し，エンゲルスの協力のもとに『資本論』を著しました。

Go to work you devils or I'll cut you in half -

⑦ムチで追い立てられる子ども（1832年）

工場法の成立

イギリスでは，1802年，綿工場で働く子どもを保護する法律が，初めてつくられた。労働時間が10時間以下と定められるのは，1840年以降の工場法となる。

これにならって，欧米諸国では同様の法律が成立した。日本では，1911年の工場法によって，15歳未満と女子の労働時間は12時間以下とされた。

― エンゲルスが見た労働者の住宅 ―

エンゲルスは22歳のとき，マンチェスターの町を歩きまわって調査し，次のように記録している。

「マンチェスターの中心には，商業地区があり，ここはほとんど事務所と倉庫だけが集まっている。工場などを経営する資本家は，高い台地の上に広大な邸宅をかまえ，自然で健康な空気の中で暮らしている。工場は，3本の川と多くの運河の流れに沿って建てられている。川沿いの労働者地区には，小さな平屋の掘っ立て小屋が密集している。たいていの住宅は1部屋しかなく，床に板がはってある小屋はほとんどない。ドアは開け放しだが，家具などは一つも見えなかった。ドアの前の道路は，いたるところ瓦れきや汚物だらけだった」

① 『グリム童話』を描いたドイツの切手

（4）グリム兄弟の願い ―国民国家の成立―

グリム兄弟はなぜドイツ語の童話を広めたのか。そのころヨーロッパでどんな動きがあったのか。

② グリム兄弟／
兄：ヤーコプ＝グリム（1785〜1863）
弟：ヴィルヘルム＝グリム（1786〜1859）
『グリム童話』とよく似た物語は，ドイツ以外の地域にも，数多く伝わっている。

③ 1815年のドイツ連邦

（地図：デンマーク王国，ネーデルランド王国，プロイセン王国，ベルリン，ワルシャワ，ポーランド，チェコ，パリ，フランス王国，ウィーン，ハンガリー，オーストリア帝国，スイス，ローマ，オスマン帝国，----- ドイツ連邦の範囲（1815年），0 300km）

■ドイツ語と赤ずきん

『グリム童話』には，「赤ずきん」や「白雪姫」などが収められています。グリム兄弟は，ドイツ語で語りつがれてきた各地の民話や伝説を収集して，それをもとにこれらの童話を書き，1812年に出版しました。さらに，二人は，ドイツ文学やドイツ語の歴史についても研究を重ね，のちに『ドイツ語辞典』をつくりました。

グリム兄弟は，同じ言葉を話す人びとが，伝統文化に誇りをもち，ドイツ人としての一体感をもてるように，こうした仕事に取り組みました。

このころ，ドイツ人が住む地域は，大小30以上の領地に分かれていました。そのなかでも有力だったオーストリアとプロイセンが，ナポレオンとの戦争に敗れると，これらの地域はフランスに支配されるようになりました。これに反発した多くのドイツ人は，独立と統一を求めていました。

■プロイセン王国からドイツ帝国へ

1814年にナポレオンが敗北すると，以前の君主たち（国王や領主）が，ふたたびそれぞれの領地を支配しました。その後，ウィーン（オーストリア）やベルリン（プロイセン）では，議会の開設と憲法の制定を要求する民衆の運動が激しくなりました。

1848年には，ドイツ人の統一国家をつくることをめざして，各地の代表が集まり，国民議会を開きました。オーストリア・プロ

④バリケードを築いて戦うベルリンの民衆（1848年）

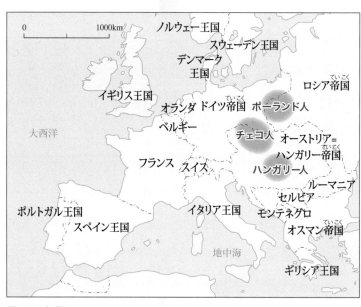

⑤1870年代のヨーロッパ

イセン両国の皇帝・国王は，こうした動きを，軍隊の力でおさ
えました。

　そのころ，プロイセン王国は，議会を開設し，工業を発展させ，
軍備の増強をすすめていました。また，全国に小学校をつくって，
5　ドイツ語による教育を普及させました。こうして，ドイツ人と
しての自覚を高め，まとまりを強めることをめざしました。

　そののち，プロイセン国王は，オーストリアやフランスとの
戦争に勝ち，オーストリア以外の小国を統合して，1871年にド
イツ帝国を樹立しました。

⑥ドイツ帝国の樹立（1871年）／プロイセン
国王がドイツ皇帝の位についたことを宣言し
た（フランス・ベルサイユ宮殿）。

■ 民族の独立をめざす人びと

10　この時代まで，ヨーロッパでは，君主がその領地に住む人びとを支配
するしくみが，つづいていました。これに対して，一つの民族が国民と
してまとまって，国家をつくろうとする考えが広まりました。

　しかし，実際には，ドイツ帝国の東部にはポーランド人が多く住んで
いました。また，ドイツ人がたてたオーストリア＝ハンガリー帝国には，
15　ハンガリー人やチェコ人など，言葉や伝統の異なるさまざまな人びとが
住んでいました。

　そこで，これらの人びとの間から，民族ごとの自治や独立を要求する
運動が起こりました。指導者たちは，身分の差をこえて，同じ民族とし
てまとまるようによびかけ，民衆のなかに運動を広めていきました。

⑦コシュート＝ラヨシュ
（1802〜1894）／ハンガリーのオー
ストリアからの独立をめざした。

― フランス語が話せないフランス人 ―

　フランス革命以後のフランスは，フランス語を，国民の共通語とすることに力を入れた。革命政府は，フランス人すべてに，同
じフランス国民だという一体感をもたせるには，言葉を統一することが重要だと考えた。

　それでも，1860年代になっても，フランス人の4人に1人は，フランス語を使わずに暮らしていた。とくに，北西部や南部で
は，フランス語とは異なるその地方独特の言葉が話されていた。その地方の言葉を使った子どもに対して，罰の札を首にかけさせて，
むりやり，フランス語を覚えさせようとした小学校もあった。

① アヘンを焼き捨てる／アヘンに石灰を混ぜると，化学変化が起こり，白煙が立ちのぼる。
〈『海外新話』国文学研究資料館蔵〉

② 林則徐（1785～1850）

（5）アヘンを持ち込むな —アヘン戦争—

中国はイギリスのアヘンを没収した。イギリスはどう出てくるか。中国はどうするか。

■ 林則徐、アヘンを没収する

③ ケシの花と実／アヘンは，ケシの実の乳液からつくる。20世紀になると，アヘンの貿易や吸煙が国際的に規制されるようになった。〈東京都薬用植物園提供〉

　1839年，中国（清）の広州近くの海岸から，異様な白い煙が立ちのぼりました。清の大臣・林則徐の命令で，イギリス商人から没収したアヘン2万箱が，巨大な池に投げ込まれたのです。すべてを処分するのに21日間もかかりました。

　林則徐は，イギリス国王あてに，「有害と知りながら，なぜ他国へ持ち込むのか」と手紙を書きました。また，イギリス商人に対して，持ち込んだアヘンをすべて差し出せと命じ，イギリス側がこれを拒否すると，軍隊に命じてイギリス商館を包囲し，アヘンを没収しました。

■ イギリス、アヘンを売り込む

④ アヘンを吸う人たち

　アヘンは麻薬の一種で，くり返し吸うと中毒となってやめられなくなり，身体も精神も弱らせます。イギリスが広州で売りさばいたアヘンは，年間4万箱にのぼりました。イギリス商人への支払いのため，清国内の銀が流出しました。そこで清政府は，アヘンの密輸をやめさせるために，実力行使したのです。

　イギリスでは，労働者が紅茶を飲むようになり，中国から大量の茶を買うようになっていました。そこで，綿織物や綿糸を清に輸出しようとしました。しかし，中国国内でも綿製品の生産は盛んで，貿易も広州の港に限られていたため，イギリスの輸出はのびませんでした。

⑤アヘン戦争／イギリスの小型軍艦と中国軍艦。〈(公財)東洋文庫蔵〉

⑥アヘン戦争／イギリス海軍の侵攻路。

地図凡例：
←- 1840年のイギリス海軍の侵攻路
← 1841～42年のイギリス海軍の侵攻路
○ 南京条約による開港場

　　イギリスは，綿製品は植民地化をすすめていたインドへ売り込み，インドで栽培させたアヘンを清に密輸するようになりました。

■ アヘン戦争と南京条約

　　イギリスは，アヘンの没収は，イギリス国民の財産と生命を危うくするものだと主張し，1840年，20隻の軍艦を広州に向かわせました。
5 林則徐は，軍艦29隻で防備をかためました。
　　イギリス艦隊は，広州から北上して上海付近を攻め，さらに天津に迫りました（アヘン戦争）。天津は，皇帝がいる北京の近くです。これに驚いた皇帝は，イギリスと交渉に入ることを命じ，1842年に南京条約を結びました。
10 　　これにより，イギリスは，広州・上海など5港を開港させ，香港を植民地として獲得し，さらに賠償金・約2100万ドルを支払わせました。また，イギリス人が中国国内で罪を犯しても，中国の法廷で裁判させないという領事裁判権も，のちに認めさせました。
　　アメリカ・フランスも，同様の条約を清と結びました。これらの条約
15 は，のちに不平等条約とよばれるようになります。

関税自主権
　貿易品にかける関税を自国で決める権利。アヘン戦争後，清はこれを失った。

― アヘン戦争と江戸幕府・琉球王国 ―

　江戸幕府は，長崎に来るオランダ人と中国人に，ヨーロッパ・中国など海外の情報を『風説書』として提出させていた。1840年，幕府はこれらの『風説書』によって，清がアヘンを没収して，イギリスと戦争になった経過をつかんでいた。この情報から，幕府は，それまでの異国船打払令では外国と紛争になると恐れて，1842年には水や燃料の補給を認めるようにした。
　オランダ国王は，1844年に長崎へ使節を派遣して，親書を幕府へ手わたした。アヘン戦争によって清が大きな被害を受けたことがくわしく書かれ，日本の開港をすすめる内容だった。
　一方，琉球王国は，清に定期的に朝貢使節を送り，交易もおこなっていた。そのため，アヘン戦争の情報は，中国商人からいち早く手に入れていた。

① イギリス軍と戦うインド人兵士（1857年 ラクナウ）

② イギリス軍にやとわれたインド人兵士

（6）インド大反乱と太平天国 ─アジアの抵抗─

インド人兵士は，なぜイギリスに対して反乱を起こしたのか。中国ではどんな反乱が起きたか。

■ 綿織物のインド

インドは古代から，綿織物の生産が盛んな土地でした。職人のすぐれた技術でつくった，軽く，やわらかで，美しい綿織物は，北アフリカから東南アジア，さらにはヨーロッパまでの広い地域へ輸出されていました。日本にも，16世紀には南蛮貿易で，17世紀以後はオランダ人を通した交易で，インド更紗として輸入されました。

インドには，イスラム教が早くから広まり，16世紀には，ムスリム（イスラム教徒）が北インドを中心にムガル帝国をつくりあげました。しかし，18世紀になると，イギリスがインドに侵入してきました。イギリスは軍事力でしだいに植民地を広げ，ムガル帝国の皇帝は実権を失っていきました。

イギリスは，植民地化をすすめるなかで，原料の綿花をインドから運び，機械で大量生産した綿織物を，逆に，インドに売りつけるようになりました。インドの織物職人たちは，次々に仕事を失っていきました。

③ インド更紗／17世紀に，長崎でのオランダとの交易で輸入したもの。

■ インドの大反乱

イギリスは，インド人兵士をやとって軍隊をつくり，植民地支配をすすめていました。兵士たちは，いつもイギリスの軍人から差別されていたので，イギリスへの反感を強めていました。

1857年の夏，イギリス軍にやとわれていたインド人兵士が，反乱を起こしました。インド人兵士たちは，イギリス軍を打ち破りながら，宮殿のあるデリーへ進撃しました。ここでムガル帝国の皇帝を立てて，反乱軍政府をつくりました。農村では，火縄銃などの武器で，イギリス人

④戦う太平天国軍〈筑波大学附属図書館蔵〉

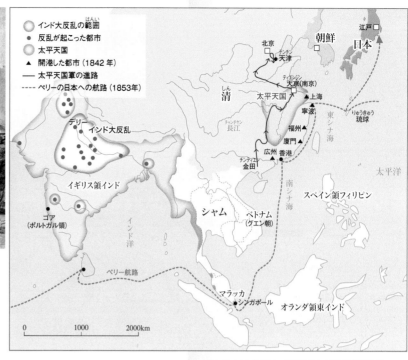

凡例
- ◎ インド大反乱の範囲
- ● 反乱が起こった都市
- ◯ 太平天国
- ▲ 開港した都市（1842年）
- ── 太平天国軍の進路
- ---- ペリーの日本への航路（1853年）

⑤インド大反乱と太平天国（19世紀半ば）

の役所を襲撃しました。イギリスの支配によって，土地をうばわれた人たちにも，反感が広がっていたのです。

　イギリスは軍隊を増強して，デリーの反乱軍政府をおさえました。植民地にされたインドの人びとのイギリスに対するたたかいは，20世紀になると，さらに大きなものとなっていきます。

■ 太平天国をつくろう

　1851年，中国では，清を倒して太平天国をつくろうとする運動が起こりました。この運動は，中国南部から長江沿いの都市に広がりました。20万をこえる大軍で南京を占領し，ここを太平天国の都と定めました。

　指導者の洪秀全は，キリスト教の影響を受け，民衆の暮らしを安定させる地上の天国をつくるには，清を倒すべきだと訴えました。アヘン戦争後，中国の人びとは，賠償金のための増税と物価の上昇に苦しみ，多くの民衆がこの運動に家族ぐるみで参加しました。

　イギリス・フランスなどは，太平天国軍と戦っていた清政府に，新たな条約を要求しました。天津など11港での貿易を許し，中国国内で自由に活動できるようにする内容です。1860年，清政府がこの条約を認めると，イギリスなどの外国軍は清軍を支援し，1864年に太平天国は滅びました。

　のちに辛亥革命で清を倒した孫文は，少年のころ洪秀全の考えを知って，その理想に共感し，洪秀全2世を名のったといわれています。

⑥洪秀全（1814〜1864）

太平天国の政策

　田があればみんなで耕し，食物があればみんなで食べ，衣服があればみんなで着る。銭があればみんなで使い，みな均等にする。一人残らず暖衣飽食できるようにする。

（一部要約）

― インド大反乱のなかの女性 ―

　インド大反乱には，多くの女性が参加していた。小国の王妃ラクシュミー＝バーイーは，女性軍を編成して戦い，イギリス軍を驚かせた。自分の城が占領されても，別の城へ移り，戦いをやめなかった。1858年の夏，拳銃を持ち，剣を腰に馬にまたがり，イギリス軍に向かって突き進んだ。インド独立後の初代首相・ネルーは，バーイーは名高く，人びとの敬愛を集めた人物だったと，たたえている。

⑦ラクシュミー＝バーイー（1835ごろ〜1858）

149

① 黒船を見物する人びと〈『黒船来航風俗絵巻』埼玉県立歴史と民俗の博物館蔵〉

（7）黒船を見に行こう —ペリーの来航—

人びとはなぜ黒船見物に行くのだろう。黒船が来て幕府・大名はどう反応したか。

② 黒船を描いた瓦版〈横浜開港資料館蔵〉

③ 日本人が描いたペリーの顔
〈横浜開港資料館蔵・神奈川県立歴史博物館蔵〉

ペリー艦隊の琉球（沖縄県）への来航
　1853年4月，軍艦3隻で那覇に入港した。兵士を上陸させ，首里城を訪問した。以後，5回にわたって寄港し，貿易を認める条約を琉球王国と結び，石炭の貯蔵施設をつくった。

■ 大騒ぎの江戸

　1853年6月，アメリカの使節ペリーが率いる軍艦4隻が，江戸湾の入り口，浦賀（神奈川県）にあらわれました。蒸気船2隻をふくむこの艦隊を，人びとは黒船とよびました。

　これを知った江戸の人たちのなかには，一目，黒船を見ようと，浦賀まで出かける人が大勢いました。戦争がはじまるのではないかと，家族で逃げ出す江戸の町人もいました。さまざまな情報が手紙でやりとりされ，瓦版も多数発行されました。 5

　黒船の来航は全国に伝わりました。よく年，陸奥国（福島県）の百姓・菅野八郎は，神奈川（神奈川県横浜市）に出かけて，実際に見た黒船の威力や人びとの不安を書き記しました。 10

■ ペリー、江戸湾に侵入

　アメリカは，1848年には，領土を太平洋側のカリフォルニアまで広げていました。日本を寄港地として，太平洋を横断する航路を開いて，中国に進出したいと望んでいました。また，灯油にする鯨油をとるために，多くの捕鯨船が日本近海で活動していました。

　ペリーは琉球（沖縄県）に寄港したのち，日本に来航しました。江戸湾の中まで軍艦を進め，強引に上陸して，貿易を求める大統領の国書を幕府にわたそうとしました。幕府は，衝突を避けるため，湾内での測量 15

④横浜に上陸するペリー〈横浜開港資料館蔵〉

⑤ペリーの来航経路（年月日は太陽暦）

などをとがめませんでした。結局，幕府は国書を受け取り，よく年に回答すると約束しました。国書にどう答えるか，態度を決めかねた幕府は，朝廷に報告し，大名たちに意見を求めました。

　ペリーは，1854年1月，今度は軍艦7隻で来航し，幕府と交渉をはじめました。モリソン号事件の例をあげ，漂流民の保護と貿易を求めました。交渉の結果，ペリーは貿易についてはあきらめ，日米和親条約を結びました。この条約で，下田（静岡県）・函館（北海道）の2港を開き，燃料・食料・水の補給と漂流民の保護を認めました。下田にはアメリカの領事館がおかれました。

■ 通商条約を結ぶ

　1856年，下田に着任したアメリカの総領事ハリスは，幕府の役人と面談しました。ハリスは，イギリスの脅威が日本に近づいていること，貿易は両国の利益になることなどを述べ，強く説得しました。幕府は，中国（清）で軍事行動をとるイギリス・フランスの動きや，軍事力の差を考え，欧米諸国との武力対決を避けたいと考えていました。

　1858年，大老・井伊直弼が反対意見をおさえ，幕府は日米修好通商条約を結びました。この条約で，貿易港として5港を開き，居留地に限って自由な貿易を認めました。幕府は，ほぼ同じ内容の条約をイギリス・オランダ・ロシア・フランスとも結びました。

　これらの条約によって，日本国内での外国人の犯罪は，外国の領事が，その国の法律によって裁判することになりました（領事裁判権）。また，日本側が輸入品の関税率を決める権利（関税自主権）はなく，協定で決めることとしました。日本にとって不平等な内容をふくむこの条約の改正が，以後の外交の大きな課題になっていきます。

　井伊直弼が，朝廷の許可なく条約を調印したことや，将軍の後継ぎを独断で決めたことは，反対派から激しく批判されました。これに対して幕府は，80数名を処罰しました。さらに反発した水戸藩（茨城県）などの浪士は，1860年，江戸城の桜田門外で井伊直弼を殺害しました。

⑥アメリカ東インド艦隊司令官ペリー（1794～1858）

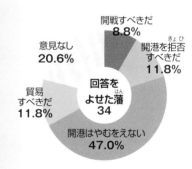

⑦日米修好通商条約をめぐる大名の意見
〈『日本経済思想史研究』による〉

開港する5港
　神奈川（横浜）・函館・長崎・新潟・兵庫（神戸）

居留地
　外国人が居住し，営業することを許した特別の地域。横浜や神戸などには，中国人も多く移り住んだ。

151

①横浜港のようす〈横浜開港資料館蔵〉

（8）横浜港のにぎわい ―開港と人びとの生活―

貿易がはじまると人びとの暮らしはどうなったか。外国と紛争や戦争が起きる。どうなるのか。

■ 輸出される生糸

横浜（神奈川県）は小さな海辺の村でしたが，1859年に外国との貿易がはじまると，3000軒以上の家が立ち並ぶ町になりました。

横浜港からは，生糸が大量に輸出されました。外国人は居留地の外での取り引きが認められなかったので，日本の商人たちが生糸を居留地の中まで運んで，大きな利益を手にしました。中居屋重兵衛は，間口が 5
54mもあり，屋根を銅の瓦でふいた銅御殿とよばれる豪華な店を横浜に建てました。店内にはガラス張りの水槽を部屋の壁にして金魚を泳がせ，オルゴールで美しい音楽を流しました。

関東各地や長野，福島などの農家では，副業として養蚕が盛んでしたが，貿易がはじまると，生糸の生産はさらに活発になりました。幕府の 10
役人は，「生糸の生産地帯では貧民までがうるおい，一度に富を蓄積した者が少なくない」と記しています。

その反面，国内の絹織物業が盛んな地域では，原料の生糸が品不足になり，生糸の値段は例年の3倍になっていました。このままでは仕事ができないので生糸の輸出を中止してほしいと，桐生（群馬県）の35 15
カ村の代表者が幕府に訴え出ています。

■ 開港後の人びとの生活

一方，イギリスから安い綿織物が輸入され，国内の綿花や綿織物の生産地に大きな打撃をあたえました。これに対し，安い輸入の綿糸を使って綿織物を生産する動きが，各地ではじまりました。

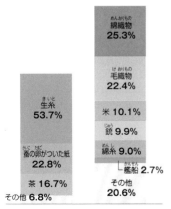

②座ぐり器を使った製糸／左手でハンドルを回し，右手で糸を引き出して，枠に巻きつけた。座ぐり器は上州（群馬県）ではじまり，開港後に広まった。
〈群馬県立日本絹の里蔵〉

輸出	輸入
生糸 53.7%	綿織物 25.3%
蚕の卵がついた紙 22.8%	毛織物 22.4%
茶 16.7%	米 10.1%
その他 6.8%	銃 9.9%
	綿糸 9.0%
	艦船 2.7%
	その他 20.6%

輸出 970万ドル　輸入 1490万ドル

③横浜港の貿易（1867年）
〈『横浜市史』による〉

④ 4カ国艦隊による下関砲台の占領〈横浜開港資料館蔵〉

　外国への輸出がふえたことで、国内の物価は上がりました。さらに、幕府が金の海外への流出を防ぐために、貨幣の質を悪くしたので、物価の上昇は激しくなり、ついには4, 5倍まで上がっていきました。

　このため、生活にいきづまる人がふえ、人びとの間に幕府への批判や不満が高まりました。そのうえ、大地震やコレラ・はしかの全国的な大流行と重なり、社会不安が広がりました。

■ たかまる尊王攘夷運動

　こうしたなか、幕府は朝廷を利用して、幕府の権威を取りもどそうとする公武合体政策をとりました。他方、天皇を尊ぶ「尊王」と外国人をうち払う「攘夷」の考えが結びつき、尊王攘夷運動が活発になりました。その中心になったのは、水戸藩（茨城県）や長州藩（山口県）でした。

　1863年、長州藩は、下関海峡の砲台と軍艦から、アメリカ、フランス、オランダの船を砲撃しました。よく年、イギリスも加わった4カ国は、通商条約を守らせ、海峡の自由な通行を認めさせるために、長州藩を攻撃しました。軍艦17隻、総兵力5000人からなる大艦隊は猛烈な砲撃を加え、その日のうちに下関砲台を占領しました。

■ 薩摩藩と長州藩が手を結ぶ

　1862年、薩摩藩（鹿児島県）の藩士が生麦（神奈川県）で、イギリス人を殺傷しました。よく年、この事件の報復に、イギリス艦隊は鹿児島を砲撃しました（薩英戦争）。軍事力の大差を感じた薩摩藩は、イギリスとの関係を深め、銃や軍艦を購入して洋式軍備を整えました。

　幕府は1864年、幕府に従わない長州藩を攻撃するために兵を結集しました（第1次長州戦争）。下関で4カ国に敗北した長州藩は、戦わずに幕府に屈しましたが、それまで対立していた薩摩藩に近づきました。

　1866年、土佐藩（高知県）の坂本龍馬らの仲立ちで、薩摩藩の西郷隆盛と長州藩の木戸孝允が会談し、両藩はひそかに同盟を結んで幕府を倒すために動きはじめました。

攘夷をせまった孝明天皇

　孝明天皇は、「皇国の一端が焼け野原になろうとも、開港や貿易は好まない」と、通商条約を破棄し攘夷を実行するよう幕府にせまった。幕府は朝廷の要求にこたえて、1863年5月10日から攘夷を決行すると宣言した。長州藩が外国の船を砲撃したのはその日だった。

⑤ 坂本龍馬（1835～1867）
〈国立国会図書館蔵〉

153

1 江戸の打ちこわし(1)〈『幕末江戸市中騒動図』東京国立博物館蔵〉

（9）打ちよせる世直しの波 —幕末の民衆—

世直しに参加した人びとは何を求めたのか。長州との戦争で，幕府はなぜ負けたのか。

2 徳川家茂（1846〜1866）〈徳川記念財団蔵〉

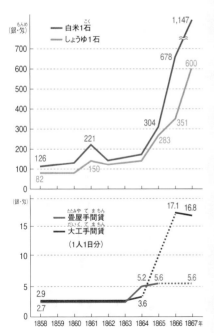

3 開港前後の物価と賃金／白米・しょうゆは，各年の春の京都の値段。〈『開国と倒幕』などによる〉

■ 大阪で、江戸で

1866年5月のはじめ，14代将軍・徳川家茂は，長州藩攻撃（第2次長州戦争）の総指揮をとるために，大阪城内にいました。このとき，西宮（兵庫県）の女性たちが，米の安売りを求めて米屋におしかけました。ここからはじまった打ちこわしは大阪の中心部に広がり，米屋や質屋など885軒をおそいました。このとき捕らえられた男は，「騒動の張本人はお城の中にいる」と言い放ったといわれます。

5月下旬，江戸周辺でも打ちこわしが起こりました。品川宿の本覚寺境内で太鼓が打ち鳴らされると，それを合図に，多くの人がいっせいに宿場の商家をおそいました。子どもまでが加わりました。

よく日，騒動は江戸の中心部にも広がりました。その日稼ぎの貧しい人びとが，町ごとにのぼりを立て，施し米・施し金を求めて，米屋や呉服屋などにおしかけました。日本橋，神田などで，商家200軒を打ちこわしました。この騒動のとき，江戸の町奉行所の門前には，「御政事売切申候」と書いた紙がはられました。

■ 広がる世直し一揆

開港のあと，物価は上がりつづけていました。そのうえ，幕府が，長州藩を攻撃する準備のために米を買い上げたので，米価が上昇しました。また，1866年には，生糸の外国への輸出量がそれまでより減ったため，生糸の価格が下がり，養蚕農家は打撃をうけました。

6月，武州（埼玉県・東京都），上州（群馬県）の養蚕地帯に一揆が

④江戸の打ちこわし(2)〈『幕末江戸市中騒動図』〉

広がり，十数万人が参加しました。この年は，長雨がつづき凶作でした。物価高に苦しむ人びとは，「平均世直将軍」「天下泰平世直シ」などの旗やのぼりを掲げ，米の安売りや，地主に取られた土地の返還を求めました。村々の豪農（有力百姓）や横浜商人をおそい，打ちこわされた家は520軒にのぼりました（武州世直し一揆）。

　世直しを求める一揆は各地で起こり，1866年は，江戸時代で一揆と打ちこわしが最も多い年となりました。

■ 失敗に終わった長州攻撃

　幕府の高官からも，「下々の者たちの騒ぎがどう動くか，はかり知れない。人びとの気持ちが幕府から離れるのが，最もこわい」という声があがりました。

　このようなとき，幕府は諸大名の兵力約15万人を動員して，ふたたび長州藩との戦争（第2次）をはじめました。長州藩の勢力は約4000人でしたが，薩摩藩（鹿児島県）を通じて新式の兵器を手に入れ，西洋式の訓練をした百姓・町人をふくむ100あまりの部隊で幕府軍を圧倒しました。8月に家茂が死去すると，幕府側は長州から軍を引きあげ，長州藩を従わせることは失敗に終わりました。

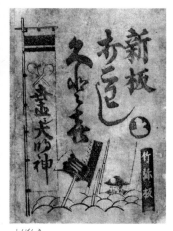

⑤『新版打ちこわしくどき』武州世直し一揆の経過をつづった唄の本の表紙／しゃもじの印の旗，農工具を持つ人びとなどが描かれている。〈埼玉県立歴史と民俗の博物館蔵〉

農兵隊

　武士にたよらず地域の治安を守るため，代官所の命令で，豪農を中心に，鉄砲で武装した農兵隊が組織された。
　日野や田無など多摩（東京都）の農兵隊は，武州世直し一揆の百姓たちを攻撃し，多数を殺傷した。

― 長州藩の軍隊 ―

　長州藩の高杉晋作は，武士身分以外の人びとを加えた奇兵隊という軍隊をつくった。兵士は防具をつけず，新式の銃を装備して戦闘に加わった。奇兵隊のきまりによれば，兵士はみな同じ場所で寝起きして，軍事訓練にはげむことになっている。武士も庶民も平等にあつかわれ，一人ひとりに月給が支払われる。訓練は，2時間の休憩をはさんで，午前5時から午後8時までおこなわれた。
　長州藩では，奇兵隊のような軍隊がいくつもつくられたが，訓練の厳しさに耐えかねて逃亡する兵士もいた。隊の幹部に不満をもった兵士たちの反乱も起きていた。

⑥奇兵隊（1869年 下関）〈個人蔵〉

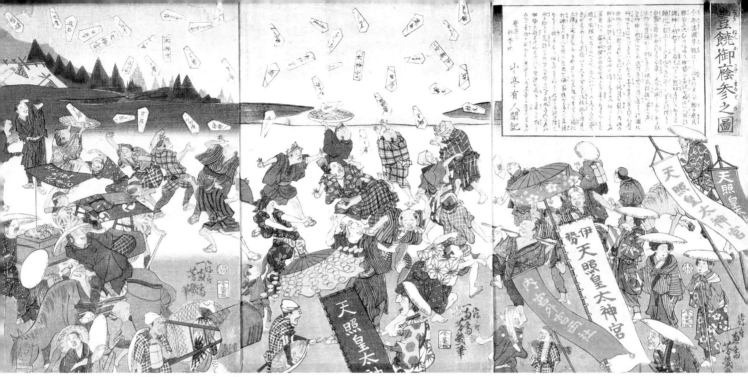

1 「ええじゃないか」とお札降り〈三重県総合博物館蔵〉

（10）大政奉還のゆくえ ―江戸幕府の滅亡―

「ええじゃないか」おどりは，なぜ大流行したか。新政府軍はなぜ幕府軍に勝ったのだろう。

2 徳川慶喜（1837〜1913）
〈茨城県立歴史館蔵〉

戊辰戦争を戦った百姓・町人の部隊

豪農出身の相楽総三は，戊辰戦争がはじまると，相楽隊を結成した。その隊の60％が百姓や町人だった。

相楽隊は，新政府軍の先頭に立って，年貢半減の布告を広めながら進軍した。その後，新政府は年貢半減令を取り消し，相楽たちを偽官軍として処刑した。

■「ええじゃないか」の大流行

1867年7月，牟呂村（愛知県）では，村人たちが祭りを楽しんでいました。空から伊勢神宮（三重県）のお札が降ってきたというので，急に祭りを開いたのです。お祭り騒ぎは，近くの宿場町に広がりました。

これをきっかけに，東海道から中国・四国・関東地方まで，「ええじゃないか」が大流行しました。人びとは，お札が降った家におしかけて，太鼓や三味線を打ち鳴らし，手をふり，足をあげて乱舞しました。「日本国の世直りええじゃないか」「豊年おどりはおめでたい」などと，はやしたてました。京都や大阪では，取りしまりをする役人も，おどりのうずに巻き込まれるほどでした。

■大政奉還と戊辰戦争

1867年10月，15代将軍・徳川慶喜は，政権を朝廷に返しました（大政奉還）。政権を返上したうえで，朝廷のもとで引きつづき政治を動かそうと考えたのです。これに対して，薩摩藩（鹿児島県）の西郷隆盛や長州藩（山口県）の木戸孝允，公家の岩倉具視らは，同年12月，「王政復古の大号令」を出し，天皇を中心とした新政府をつくることを宣言しました。260年余りつづいた江戸幕府は倒れました。

新政府は，慶喜にたいして，すべての官職をやめて旧幕府領を返還するよう要求しました。1868年1月，これに反発した旧幕府軍1万5000人が，薩摩藩や長州藩などの新政府軍4500人と，鳥羽・伏見（京都府）で戦いをはじめました（戊辰戦争）。新しい兵器で訓練された新

③戊辰戦争での新政府軍の進路

五箇条の誓文 （1868年3月14日）

一. 広ク会議ヲ興シ、万機公論ニ決スヘシ

一. 上下心ヲ一ニシテ、盛ニ経綸ヲ行フヘシ

一. 官武一途庶民ニ至ル迄、各其志ヲ遂ケ、人心ヲシテ倦マサラシメン事ヲ要ス

一. 旧来ノ陋習ヲ破リ、天地ノ公道ニ基クヘシ

一. 智識ヲ世界ニ求メ、大ニ皇基ヲ振起スヘシ

万機	：政治上の大事なこと
経綸	：国家を治め、整えること
陋習	：古くからの悪い習慣
天地の公道	：世界共通のすじ道

政府軍は，鳥羽・伏見の戦いに勝利しました。

新政府軍は，西日本の諸大名の兵力を動員し，江戸に向かって進撃しました。4月に江戸城があけわたされ，新政府軍は，江戸と関東一帯をおさえました。このあと，会津藩（福島県）などを攻め，新政府に反対した東北諸藩を降伏させました。1869年5月には，函館（北海道）の五稜郭に立てこもる旧幕府軍を破り，戊辰戦争は終わりました。

■ 新政府への期待と不満

戦いのさなか，1868年3月，天皇は，政治の基本方針を神々に誓うかたちで，五箇条の誓文を示しました。よく日，民衆の心得を示し，一揆やキリスト教を禁じる高札が立てられました（五榜の掲示）。

7月，江戸を東京と改め，9月に元号を明治としました。15歳の明治天皇は京都御所から江戸城に入りました。東京では町ごとに1〜3樽の酒がふるまわれ，その費用は，1万4000両にのぼったといわれています。よく年，東京を首都としました。民衆はこのような動きを「御一新」とよび，新政府に期待しました。しかし，新政府が民衆の生活をかえりみずに戦争をつづけたため，「天朝（天皇）のご趣旨はまやかしものだ」と不満の声も上がりました。

④五榜の掲示・第三札／「切支丹宗門ノ儀ハこれまで御制禁の通り堅く相守る可き事」などと書かれている。〈名古屋市博物館蔵〉

⑤江戸城に入る天皇の行列〈東京大学史料編纂所蔵〉

― 戊辰戦争の最前線で ―

「矢島（秋田県）付近で，農家2軒に放火した。その家の主人を捕らえて道案内をさせた。野営のとき，近くの村の百姓が，『放火をしないでいただけるなら，食料の米はいくらでもさし上げます』と申し出たので，夜どおし，炊き出しをさせた」

これは，新政府軍と戦った庄内藩（山形県）の武士の記録である。東北地方では，新政府軍と東北諸藩の軍が，激しい戦いをくり広げた。どちらの軍隊も，村に火をつけ，食料をとり立てることがあった。武器・食料などを輸送させるために，大勢の百姓を動員した。一方で，手柄があれば武士身分にとりたてられることもあったので，積極的に戦闘に参加する百姓もいた。浪士や豪農（有力百姓）も，各地で百姓や町人を組織して，新政府軍に加わった。

1 年表のAからGに入ることばを，語群から選びノートに書きましょう。

1776	13植民地の人びとが（　A　）を出す
1789	フランスで（　B　）が発表される
1825	幕府が異国船打払令を出す
1830	ミュール紡績機が改良される
1840	（　C　）戦争がはじまる
1853	ペリーが（　D　）に来航する
1858	幕府が（　E　）を結ぶ
1863	（　F　）が下関で外国船を砲撃する
1866	一揆，打ちこわしが多発する
1867	徳川慶喜が（　G　）をおこなう
1868	鳥羽・伏見の戦いが起こる

語群

人権宣言　　大政奉還　　アヘン　　薩摩藩　　長州藩
浦賀　　日米修好通商条約　　長崎　　独立宣言

2 下線のできごとが起こった場所を，地図の（　）に，D，F，Gの記号で入れましょう。

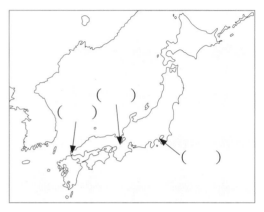

3 学習をふりかえり，(1)から(3)の課題を文章にまとめましょう。グループやクラスで発表しましょう。

(1) 欧米では，18世紀から19世紀に，政治や社会がどのように変化しましたか。

(2) イギリスは，なぜアジアに進出したのでしょう。アジアの国々とのあいだに，どんなことが起きましたか。

(3) 欧米との貿易がはじまり，日本はどのように変化しますか。幕府，諸藩，民衆の動きをまとめましょう。

歴史を体験する ## 綿から糸を紡ぐ

1 まず、手で紡いでみる

　左手で，手のひらに包むようにして，綿のかたまりを持ちます。右手の親指と人さし指で，綿の繊維をつまみます。親指を前に押し出すようによりをかけながら引っぱると，繊維が引き出されて糸になっていきます。糸の先端をつまんで，さらによりをかけて，引っぱります。

　よりをかける回転数と，引っぱるときの力の入れ具合は，練習でこつをつかみましょう。15cmぐらいの丈夫な糸がつくれるようになるまで，練習しましょう。

2 紡錘（スピンドル）をつくる

　斜めにカットされたわりばしを用意します。そこに写真の右端のように切り込みを入れて，糸を引っかけてぶらさげることができるようにします。

　五円玉を2枚，下から差し込み，しっかり押し込みます。輪ゴムを何重にも巻いて，五円玉がずり落ちないように，下から固定します。これで紡錘の完成です。

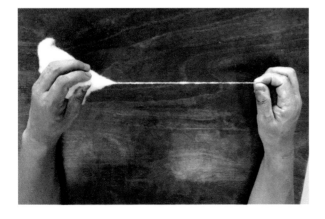

ヨーロッパの糸紡ぎ（13世紀）／左側の人が紡錘を使って羊毛から糸を紡いでいる。中央の人は、繊維をくしけずってほぐし、紡ぎやすいように準備をしている。

室町時代／麻で糸をつくるのは、大変な手間がかかった。
《『石山寺縁起絵巻』（模本）東京国立博物館蔵》

アフリカのマリの女性（2011年）／綿花から紡ぐ。紡錘はぶらさげるのではなく、金属製の皿の上で回転させる。右はその紡錘。

③ 紡錘を使って糸を紡ぐ

①まず、手で紡いだ15cmの糸を、棒のまん中あたりに、かた結びでしばりつけます。

②糸を上から見て時計と反対回りに、らせん状にからませていきます。上部の切り込みのところにひっかけてぶらさげます。

③綿から糸が引き出される出口は、左手の親指と人さし指でつまんで押さえています。ぶらさげた紡錘の下の端を右手でつまみ、時計と反対回りに回転させます。

④糸の引き出し口を押さえていた左手の指をゆるめ、手のひらで包み込むように持ちかえます。綿のかたまりをつかんだまま、右手で紡錘の端を持って下に引っぱると、糸が自然に引き出されてきます。

⑤紡いだ糸は、棒の下の方に巻き取り、さらに、③の作業をくり返します。

●当時の人は、手工業での糸紡ぎと機械化された糸紡ぎを比べて、何を感じたでしょうか。想像して200字くらいの文章を書いてみましょう。グループやクラスで発表しましょう。

第7章 近代国家へと歩む日本

岩倉使節団が見た世界

> ⓘ 第7章の扉ページでは, 世界をめぐった岩倉使節団に同行します。

〈『米欧回覧実記』久米美術館蔵〉

②サンフランシスコ到着：1872年1月15日

③ワシントンで足止め, 条約改正交渉失敗
：1872年2月29日着〜1872年7月27日発

④イギリスで工場を見学。毛織物工場の停車場
：1872年10月25日

〈『米欧回覧実記』〉

メキシコ

アメリカ合衆国

イギリス

ハイチ

ブラジル

大西洋

⑤フランスでパリのマーケットを見学
：1872年12月17日

⑥ベルギーでガラス工場を見学
：1873年2月21日

〈『米欧回覧実記』〉

〈『米欧回覧実記』〉

① 横浜港から出発：1871年12月23日

〈山口蓬春「岩倉大使欧米派遣」聖徳記念絵画館蔵〉

太平洋

朝鮮（チョソン）

清（しん）

ロシア帝国（ていこく）

フランス領インドシナ

イギリス領インド

インド洋

⑩1年9カ月・632日の旅を終え，横浜に帰着：1873年9月13日

⑨『米欧回覧実記（べいおうかいらんじっき）』には，植民地にされていた地（ち）域（いき）のことや，欧米諸国（おうべいしょこく）に利益を奪（うば）われないため貿易に力を入れるべきであることなども記（しる）されている。シンガポール着：1873年8月18日

⑧スエズ運河を通過：1873年7月27日

⑦ドイツでビスマルク首相の演説（えんぜつ）を聞く。ブランデンブルク門を見る：1873年3月15日・16日

〈『米欧回覧実記』〉

②武士の姿も変わる
（1870年代　山口県）

①廃藩置県／皇居となった江戸城の大広間で藩の廃止を言いわたした。〈小堀鞆音『廃藩置県』聖徳記念絵画館蔵〉

（1）大名も武士もいなくなった —明治維新—

藩をなくす，刀もなくす。大名，武士はどう受けとめるだろうか。社会はどう変わっていくのか。

■ 藩の廃止を言いわたす

　1871（明治4）年7月，薩摩藩（鹿児島県）・長州藩（山口県）・肥前藩（佐賀県）・土佐藩（高知県）の元藩主やその代理が，皇居により出されました。いずれも，幕府を倒して新政府をつくる中心となった，有力藩です。

　「このたび，藩を廃止して県を置くので，天下の大勢を理解して協力せよ」と，明治天皇の言葉が伝えられました（廃藩置県）。木戸孝允（長州藩）は，主君である元藩主より上座に座っていました。午後には，ほかの藩の代表も大広間に集められ，廃藩置県を知らされました。

　これを強力にすすめたのは，木戸・西郷隆盛・大久保利通ら，薩摩・長州出身の新政府の高官たちでした。下級武士出身の彼らは，戊辰戦争で軍隊の指揮をとるなどして力をつけ，政治を動かすようになっていたのです。

　西郷は，大名たちから異議が出されたら「兵をもって撃ちつぶす」と，述べました。たしかに元薩摩藩主の父・島津久光は，鹿児島の屋敷で一日中花火を打ち上げて，怒りを表しました。しかし，大名たちから反対の声はあがりませんでした。

■ 中央集権の国家へ

　2年前の1869年，各地で世直し一揆が起こりましたが，力を失っていた藩は，これをおさえられませんでした。また，多くの藩が，戦争や大凶作のため，財政が苦しくなっていたり，多額の借金をかかえたりし

版籍奉還
　1869年，大名が領地と人民の支配権を天皇に返した。大名は，あらためて地方を治める知藩事に任命された。

廃藩置県前後の動き
年月	できごと
1867年10月	大政奉還
12月	王政復古の大号令
1868年 1月	戊辰戦争が始まる
9月	元号を明治と改める
1869年 5月	戊辰戦争が終わる
	各地で世直し一揆が起こる
6月	版籍奉還
1871年 2月	8000人の兵を東京に集める
7月	廃藩置県
1876年 3月	廃刀令
8月	武士の俸禄を廃止する

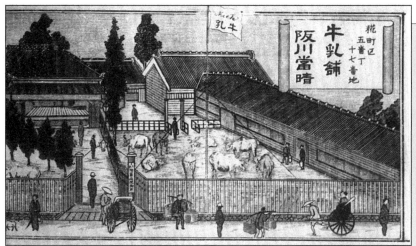

③士族が始めた牧場／
大名屋敷などを使って牛を飼い, 牛乳を売った。
〈毎日新聞社提供〉

④廃藩置県後（1871年11月）の府県／
1871年7月には、261の藩が廃止され、旧幕
府領などを合わせて3府302県となった。
これが、さらに3府72県にまとめられた。

ていたので, 廃藩置県を受け入れました。
大名は, 領主の地位を失いましたが, 天皇を支える華族とされ, 高額の給与があたえられました。

5 　廃藩置県により, 新政府は, 各地に県令（県知事）を派遣して, 中央の方針によって地方の行政に当たらせました。これによって日本は, 政府が全国を同じ方法で支配する, 中央集権の国家へと変わりました。

　こののちも, 政府は軍事・教育・税制などさまざまな改革を実行していきます。幕末から始まった政治や社会の大きな変動を明治維新とよびます。

■ 古い身分の廃止と新しい身分

　政府は, 1869年, それまでの身分制度を改めました。武士を士族, 百姓・町人などを平民とし, そののち身分による職業・居住・結婚などの制限を廃止しました。士族の特権もなくされ, 平民も苗字を名のるようになりました。古い身分制度をとり払うことで, すべての国民を一つにまとめ, 同じように, 税や教育などの政策がとれるようにしたのです。

15 　1871年には, 差別されていた人びとの, 「えた」「ひにん」などのよび方を廃止して, 平民としました。しかし, それまで認められていた職業にかかわる権利を失い, 生活は苦しくなりました。就職や結婚や生活面での社会的差別も根強く残りました。

20 　一方で, 天皇の一族を皇族, 公家や旧大名などを華族として, 血筋や家柄による新たな身分がつくり出されました。

⑤軍服姿の明治天皇（1873年）／政府高官や華族の礼服も, 洋風に代えられていった。

― 職を失った武士 ―

　多くの武士たちは, 地位と職を失い, 先祖代々支給されてきた俸禄も, 5年後には払われなくなった。役人や軍人・警官などになれたのは, ごく少数だった。農業や商売など, それぞれ生活の道を探ったが, 多くは失敗した。武士だった汁粉屋が, 「町人, おかわりを食すか」「少々ひかえておれ」などと, 客を見下して応対する「士族の商法」をして, 落語などで笑いの種にされた。

① 1890年ごろの教室（お雇い外国人・モースのコレクション）

〈Photograph courtesy of THE PEABODY ESSEX MUSEUM〉

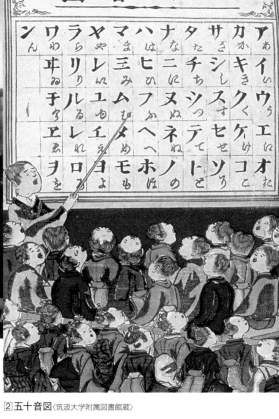

② 五十音図〈筑波大学附属図書館蔵〉

（2） 村に学校ができた ―学制と徴兵令―

学校に子どもを入れる，男子はみな兵士になる。村の人びとはどう受けとめるだろうか。

学校の数

1875年までに，現在の小学校数とほぼ同じ約2万4000校が開校している。このとき，全国の学校の40％が寺を，33%が民家を校舎にしていた。

小学校の平均児童数は，約60人。教師が1人しかいない学校が全体の58%で，教師3人以下の学校がほとんどだった。

③ 旧開智学校（長野県松本市）／1876年に，地域の人びとが洋風の校舎をつくった。

授業料

政府は，授業料を1カ月50銭と定めた。実際に，地域の学校で集めたのは，その10分の1から5分の1だった（当時の米1升［1.5kg］は約5銭）。

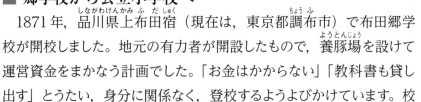

■ 郷学校から公立小学校へ

1871年，品川県上布田宿（現在は，東京都調布市）で布田郷学校が開校しました。地元の有力者が開設したもので，養豚場を設けて運営資金をまかなう計画でした。「お金はかからない」「教科書も貸し出す」とうたい，身分に関係なく，登校するようよびかけています。校則には「文明開化の世，万国交際の時代なので，国学で古きを知り，漢学で道を学び，洋学で知識をひらくべきである」とあります。

栄法寺という寺が校舎として使われました。読み書き，算術（算数）を学び，『論語』や『農業全書』など，江戸時代からの書物が教科書とされる一方，ヨーロッパの国際ルールをまとめた『万国公法』などの翻訳書も教科書とされました。布田郷学校は，養豚の不振で閉校しますが，これを引きついで1874年，公立小学育英学舎（現在の調布市立第一小学校）が開校しました。

■ 義務教育が始まる

新政府は，学問は身を立てるもとであるとして，1872年に学制を公布しました。「村に不学の戸がなく，家に不学の人がないように」と，男女とも6歳以上の子どもに，教育を受けさせることとしました。4年間を義務教育とし，全国の村々に小学校をつくることを命じました。

校舎の建設費は住民にとって大きな負担でしたが，新しい教育に期待

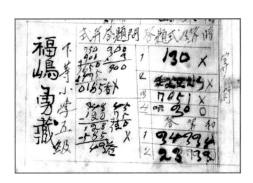

④下等小学５級（現在の２年生）の進級試験の答案（1877年）／半年に１回ずつ進級試験があり，落第する子どももいた。
〈油谷満夫提供〉

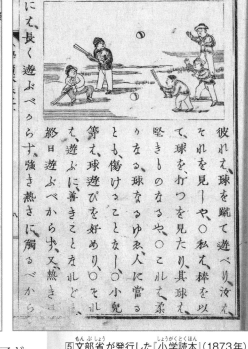

⑤文部省が発行した『小学読本』（1873年）／アメリカの『ウィルソン・リーダー』（左）をほぼそのまま翻訳している。〈唐澤博物館蔵〉

する人びとの寄付によって，各地で学校がつくられました。しかし，政府が定めた授業料が高額だったこともあって，学校に通う子どもは，なかなか増えませんでした。とくに女子の通学はとても少なく，男子の半分ほどでした。学制に反対する一揆が起こり，学校が打ちこわされた地域もありました。

■ 男子のだれもが兵隊に

新政府は，1873年に徴兵令を出し，満20歳になった男子に，士族・平民の区別なく兵役につくことを義務としました。徴兵検査を受け，抽選に当たった合格者は，３年間，兵営で生活し，訓練を受けなくてはなりませんでした。働き手がとられることをきらって，各地で徴兵反対一揆が起こりました。

しかし，一家の主人と後継ぎや養子，役人・学生，代人料270円を納めた人は，兵役が免除されました。そこで，徴兵免除の解説書が出版され，養子となる人が大勢いました。はじめのころ，実際に徴兵されたのは，20歳以上の男子の３〜４％でした。

その後，徴兵免除の規定はしだいに狭められ，1889年には，すべての男子が徴兵の対象となりました。

⑥徴兵検査の身体検査〈『ビゴー日本素描集』〉

■ 国民を育てる学校へ

1880年代には，学校教育も変化しました。政府は教育内容の統一をはかり，国の基準にもとづいた教科書が使われるようになりました。

修身という教科が第一とされ，忠義や孝行などの道徳が教えられました。また，体操も重視されるようになります。隊列運動が小学校に取り入れられ，号令によって，「気をつけ」「回れ右」などの動作をとり，歩調をとって行進することが重要とされていきました。運動会もこのころから小学校に広がり，二人三脚や綱引きなどが競技種目になっています。

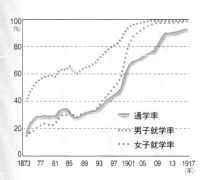

⑦就学率（入学した子どもの割合）と通学率（通学する子どもの割合）の変化
〈『日本近代教育百年史』による〉

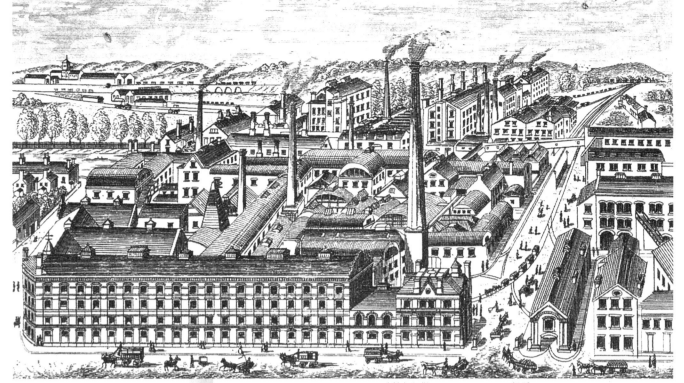

① 岩倉使節団が見学したロンドン近郊の大工場〈『米欧回覧実記』久米美術館蔵〉

（3）632日、世界一周の旅 ―文明開化―

岩倉具視らは世界各地を訪れた。工場などを見学しながら何を学んだのだろうか。

② 使節団の中心メンバー（1872年）／左から、木戸孝允・山口尚芳・岩倉具視・伊藤博文・大久保利通。使節団46名が、留学生などをともない、合計100名以上で横浜港から出発し、アメリカへ渡った。さらにヨーロッパをまわり、政治・産業・文化を視察した（使節団の経路は、160〜161ページ参照）。〈山口県文書館蔵〉

③ 中江兆民（1847〜1901）／岩倉使節団に同行して、フランスへ留学した。ルソーなどの民主主義思想を広め、自由民権運動に大きな影響をあたえた。〈国立国会図書館蔵〉

■ 西洋文明の衝撃

　1872年11月（太陽暦）、岩倉具視らの使節団は、イギリスのビスケット工場を見学しました。2300人ほどが働く大工場です。ゴーゴーと音が鳴り響き、蒸気機関が大きなローラーを回転させています。小麦粉をねり、砂糖をまぜあわせ、生地をつくって型をぬく作業も、大がかりな機械がやっていました。ビスケットを焼く炉は長さ10mほどで、歯車がベルトをまわして、焼き上がると自動的に落ちるしかけになっていました。

　使節団は、イギリスで、造船・製鉄・織物などの最先端の工場を、連日のように見学しました。使節団の一人は、「科学によって機械を改良し、力を省き、分業している」と感心しています。

■ 小国も侮れない

　岩倉使節団は、1871年12月から1年9カ月かけ、欧米の12カ国を訪れ、各国政府の首脳と会見しました。最初の訪問国アメリカで、不平等条約の改正について交渉しましたが、受け入れられませんでした。

　ドイツでは、ビスマルク首相が、「世界各国はみな礼儀正しく交わっているように見えるが、たがいに力のぶつかり合いで、大国が小国を侮っているというのが実情だ」と、熱意をこめて語りました。

　一方、一行は、ウィーン（オーストリア）の万国博覧会では、ベルギーやスイスの展示品の技術の高さに感動し、「小国であっても侮れない」とも感じました。スイスでは公園で子どもたちの訓練を見て、中立・自

④『東京名所之内銀座通煉瓦造鉄道馬車往復図』〈東京ガス・ガスミュージアム蔵〉

衛の考えがいきわたっていることに関心を示しています。

　帰路，セイロン（スリランカ）では，アヘンを中国向けに積みかえているのに出会います。使節団の一人は，「ヨーロッパの強国は争って熱帯の弱い国を支配し，豊かな産物を自国に送っている」と記しました。

5　使節団が帰国すると，政府や士族のあいだで，武力を使ってでも朝鮮に国交をせまろうとする主張（征韓論）が，高まっていました。使節団に参加した木戸孝允・大久保利通らは，徴兵反対の一揆などをしずめ，国内の体制を整えるのが先だと考えて，これに反対しました。そのため，征韓論を主張していた西郷隆盛・板垣退助らは政府から退きました。

⑤福沢諭吉（1834〜1901）／1860年に江戸幕府の使節に従ってアメリカを訪問した。欧米諸国の政治などを紹介した『西洋事情』で「文明開化」の語を用いている。〈慶應義塾図書館蔵〉

■ 新しい思想と文明開化

10　欧米の視察や留学から帰った人たちによって，新しい思想が盛んに伝えられました。福沢諭吉は，『学問のすゝめ』を著して，国民が自立して学問にはげむことの意義を説きました。また，中江兆民は，ヨーロッパの民主主義思想を紹介しました。このような新しい思想や，西洋風の生活様式が取り入れられていく風潮を，文明開化といいます。

15　政府は，1872年，暦を欧米と同じ太陽暦に変えました。東京の銀座には，レンガ造りの洋風建築を建てさせ，ガス灯を立てました。

　やがて，地方都市にも，洋風建築の学校や役所などが広がり，洋風料理の店もできます。しかし，農村では，農作業に関係の深いそれまでの暦が引き続き使われるなど，生活の変化はすぐには現れませんでした。

⑥シカゴで撮った記念写真／右から2人目が津田梅子。〈津田塾大学津田梅子資料室蔵〉

─ 6歳の女子留学生 ─

　政府は，知識や技術を取り入れるため，留学生を欧米諸国に送った。女性の教養を高めることも必要だと考え，1871年，6歳の津田梅子をふくむ少女5人を，10年間の予定でアメリカに留学させた。梅子は，アメリカ人家庭から小学校・女学校に通い，文学・科学や音楽・スポーツなどを学んだ。夏休みには，ナイアガラの滝など各地を旅行した。

　梅子は，女子の学校をつくる夢をいだいて，1882年に帰国した。このころ，日本の女性は10代のうちに，家が決めた相手と結婚することが多かった。梅子は，このような生き方に疑問をもち，再びアメリカの大学に留学した。帰国後の1900年，男性と同等なレベルの教育をめざして，女子英学塾（津田塾大学）を開校し，多くの教師を養成した。

① 官営富岡製糸場／政府が建てた模範工場。1872年に操業を始めた。〈岡谷蚕糸博物館蔵〉

（4）工女は兵士に勝る ― 殖産興業と地租改正 ―

「工女は兵士に勝る」とはどういうことか。政府の新しい政策はどのようなものだったのか。

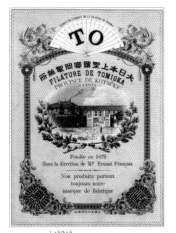

② 生糸の商標〈国立印刷局お札と切手の博物館蔵〉

③ 最初の切符（1872年）／実物大。
〈（復刻版）鉄道博物館蔵〉

フォーカス

■ 富岡製糸場から村の工場へ

1873年，長野県の松代から16人の女性が富岡製糸場（群馬県）に入りました。その一人，15歳の横田英は，全国各地から集められた工女たちとともに，製糸業の新しい技術を学び始めます。

最初の仕事は繭の仕分けでした。おしゃべりをすると，しかられました。フランスから輸入した金属製の機械は，蒸気機関の動力で動きました。フランス人の技師の指導を受け，繭を釜で煮て，引き出した生糸をより合わせて，枠に巻き取る技術を身につけました。

翌年，英は退所するときに，工場長から「繰婦は兵隊に勝る（糸をとる工女の役割は兵隊よりも大きい）」と励まされました。英は故郷の村に建てられた製糸場で，多くの工女に技術を伝えました。

次々に建てられた各地方の工場では，木製の機械を使い水車の動力を利用しました。1870年代，生糸は全輸出高の4割を占めました。

■ のびる鉄道と電信

1872年，新橋（東京都）と横浜（神奈川県）間に鉄道が完成し，汽車は約28kmの道のりを53分で走りました。汽車やレールはイギリスからの輸入品で，イギリス人技師が運転しました。

その後，神戸・大阪・京都間にも鉄道が敷かれ，各地へ延びていきました。1875年には，長崎から札幌まで全国を縦断する電信線が完成しました。

④竹槍をもって押しかける農民〈『伊勢暴動泥絵』松阪市教育委員会蔵〉

凡例
- ▲ 地租改正反対一揆
- ■ 徴兵反対一揆
- ○ その他の新政反対一揆
- × おもな士族の反乱

萩の乱1876年
佐賀の乱1874年
秋月の乱1876年
西南戦争1877年

0　400km

⑤士族の反乱と農民一揆（1868～1877年）
〈青木虹二による〉

1877年の西南戦争では，政府は兵士や物資を鉄道で輸送し，電信で情報を伝えました。

また，政府は，郵便，通貨，銀行の制度も整備しました。

■ 富国強兵の財源

　政府は，欧米の知識や技術を取り入れ，近代産業を育成する，殖産興業の政策をすすめました。製糸や紡績の工場のほか，軍服や武器をつくる官営工場もつくり，軍備を増強し，富国強兵をめざしました。

　政府は，1873年から地租改正を行いました。田畑・山林などの土地を測量し，所有者を確認して，地券を発行しました。土地の値段（地価）を定め，税の額（地租）を算出して，現金で納めさせました。

　地租が国の税収の約85％を占め，政府は毎年決まった額の税金を集め，予算を立てることができるようになりました。農民は，収穫した米を売って税を納めることになりました。地租を払えない農民は借金に苦しみ，田畑を売って手放し，小作農になる人や出稼ぎに出る人が増えました。一方，土地を買い集めて，大地主になる人もいました。

実物大（直径3.86cm）

⑥1円銀貨／最初は外国との貿易に使われたが，のちに国内でも使われた。
〈日本銀行貨幣博物館蔵〉

国への税金 22%	地主の取り分 36%	小作農の取り分 42%

0　　20　　40　　60　　80　　100%

⑦地主・小作農の取り分と地租の負担（1881～1889年）／小作農は，地租改正とかかわりなく，米などの現物で，地主に小作料を払った。〈『日本経済史』による〉

― 竹槍で突き出す ―

　1876年12月，三重県の中部で，地租の取り方に不満を持った農民たちが集まり，税の引き下げを求める嘆願書を，県の役人に差し出した。騒ぎは広がり，北部の村の農民たちも加わって，地租関係の書類を焼きすてようとした。「御一新後につくられたものは残らず打ちこわせ」と竹槍をふるい，役場・刑務所・郵便局・学校などを破壊した。愛知県・岐阜県にも広がり，30万人以上が参加する大一揆になった。

　政府は，警察や軍隊を出動させておさえ，5万人以上を処罰した。地租は，はじめ地価の3％だったが，茨城県や三重県で大一揆がおきたため，2.5％に引き下げられた。新聞は，「竹槍でちょいと突き出す二分五厘」と書いた。

⑧地券／所有者が変わったときは裏面に記入した。〈国文学研究資料館蔵〉

① 演説会（1888年 東京）

② 自由民権運動の活動家の懇親会（1881年 高知）〈『懇親会席上演説絵馬』仁井田神社蔵〉

（5）昔一揆、いま演説会 —自由民権運動—

人びとは政府の専制政治を攻撃した。ただ政府を攻撃するだけだったのだろうか。

③ 石阪昌孝（1841〜1907）
〈町田市立自由民権資料館蔵〉

④ 演説する岸田俊子（1863〜1901）／
大阪・岡山など西日本の各地で演説し、男女同権論を主張した。

フォーカス 🔍

■ 演説会が開かれた

1880年12月，府中町（東京都府中市）の称名寺で，演説会が開かれました。近くの町や村から300人あまりの聴衆が集まり，庭に立って聞く人もいました。

そのあとの懇親会には，演説家として知られていた新聞記者・肥塚龍が，東京から招かれました。肥塚は，国会を開き，国会が軍隊をコントロールすべきだという意見を発表していました。演説会を計画したのは，野津田村（東京都町田市）の石阪昌孝など，村の有力者（豪農）たちでした。 [5]

演説会は，全国各地で開かれていました。演説会では，政府の専制政治を激しく攻撃し，国会の開設を求めました。これに対して政府は，集会条例を定め，人びとをあおり立てて政治を乱すものだと判断すると，警察官は演説の中止や演説会の解散を命じました。 [10]

■ 自由民権運動が農民にも広がる

1873年，板垣退助らが政府から退くと，薩摩（鹿児島県）や長州（山口県）出身の少数の高官が強い権力をもち，政治をすすめました。

これに対して，板垣は，1874年，同志たちと民選議院設立建白書を政府に提出しました。これは国会の開設を求めるものでしたが，政府は受け入れませんでした。このあと，板垣は故郷の高知に帰り，立志社を創立して言論による運動を始めました。士族を中心とした，このような動 [15]

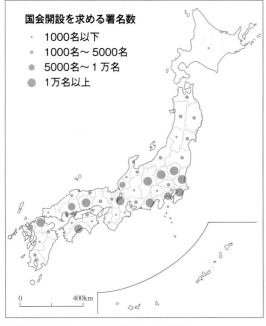

⑤国会開設を求める署名（1874～1881年）

民権数え歌

一ツトセー　人の上には人ぞなき
　　　　　　権利にかわりがないからは　コノ人じゃもの

二ツトセー　二ツとない我が命
　　　　　　すてても自由のためならば　コノいとやせぬ

三ツトセー　民権自由の世の中に
　　　　　　まだ目のさめない人がある　コノあわれさよ

四ツトセー　世の開けゆくそのはやさ
　　　　　　親が子どもに教えられ　コノかなしさよ

五ツトセー　五つにわかれし五大洲
　　　　　　中にも亜細亜は半開化　コノかなしさよ

六ツトセー　昔おもえば亜米利加の
　　　　　　独立なしたるむしろ旗　コノいさましさ

歌は20番まである。高知県出身の植木枝盛が,1878年につくった。

きを,「東京横浜毎日新聞」「高知新聞」「長崎新聞」など,各地の新聞が盛んに取り上げました。

　各地の豪農たちも,新聞の熱心な読者となっていました。このような人びとは,生糸などの売買を通じて地域とつながりをもち,さまざまな結社をつくっていました。とくに,地租軽減は農民の切実な要求で,養蚕が盛んな地域では,生糸の自由な輸出も大きな課題でした。

　こうして,国会開設や憲法制定,地租軽減,条約の改正,地方自治などを求める運動が,農民などに広がりました（自由民権運動）。

■国会開設の署名運動

　1878年,高知県の楠瀬喜多は「戸主として税金を納めているのに,女だからといって,地元の議会議員の選挙権がないのはおかしい」と,県や政府に抗議しました。

　また,国会開設を求める署名が全国で集められ,1880年,各地の運動がひとつになって国会期成同盟がつくられました。この年の末までに,署名は30万を超えました。

　一方,石阪たち地方の有力者は県会議員となり,県会などでも国会開設を願い出る要請書の署名活動を行いました。

結社

　政治・学習・産業・衛生・武芸などさまざまな目的で,結社がつくられた。
　結社の多くが自由民権運動にかかわり,国会開設の署名活動などを積極的にすすめた。

女性の選挙権

　高知県の一部では,1880年,町村議会の女性の選挙権が認められた。
　しかし,これは1884年の法改正によって廃止された。さらに,1890年には,女性の政治集会への参加,結社への加入が禁止された。

― 士族の反乱と西南戦争 ―

■ 戊辰戦争で新政府軍に加わった士族たちのなかには,廃刀令や俸禄の廃止などに,強い不満をもつ人もたくさんいた。佐賀県の江藤新平など,政府を追われた有力者を中心に,各地で士族の反乱が起こった。

■ 1877年,西郷隆盛を指導者とする鹿児島県での反乱は,士族の反乱として,最大のものとなった。4万人以上が参加し,半年にわたって南九州で戦った。政府は,徴兵令で集められ,西洋式の訓練を受けた農民中心の軍隊によって,この反乱をおさえた（西南戦争）。その後,武力による士族の反政府行動はなくなった。

⑥横浜港から九州へ向かう政府軍の兵士
〈『ビゴーが見た日本人』〉

② 深沢家土蔵の調査
（1968年）〈個人蔵〉

① 山に囲まれた深沢家土蔵（東京都）

（6）民衆がつくった憲法 — 五日市憲法 —

五日市の人びとはどのようにして憲法案をつくったか。自由民権運動はどう変わっていくか。

③ 五日市と東京・横浜

④ 千葉卓三郎（1852～1883）
〈『五日市憲法草案と深沢家文書』〉

⑤ 深沢権八（1861～1890）の手帳に書かれた討論の議題〈あきる野市教育委員会提供〉

■ 土蔵から見つかった憲法案

「日本国民ハ各自ノ権利自由ヲ達ス可シ，他ヨリ妨害ス可ラズ。且国法之ヲ保護ス可シ」。1968年，五日市（東京都）にある深沢家の土蔵から，この条文をふくむ204カ条の憲法案が発見されました。

これは千葉卓三郎たちが起草した憲法案（五日市憲法）で，議会や地方自治について，国民の権利を重んじる条文が盛り込まれていました。

1880年に開かれた第2回国会期成同盟大会では，全国各地の政治結社に，次の大会までに憲法案をつくって持ちよろうとよびかけました。五日市憲法は，これにこたえてつくられたものです。

■ 学芸講談会での議論

五日市は，林業や養蚕が盛んな町で，東京や横浜とのつながりもありました。千葉は，仙台藩（宮城県）の士族の生まれで，儒学やキリスト教の教えを学び，1880年に五日市に来て，小学校の教師になりました。

このころ，五日市では，周辺の町や村の有力者たちが集まって，学芸講談会という結社をつくっていました。ここでは，東京や横浜から新聞記者などを招いて講演会を開き，さまざまな議題で討論会を行いました。死刑の是非や女性天皇の可否なども議題になりました。このような議論を重ねて，五日市憲法は生まれました。

深沢権八は，千葉などとともに学芸講談会の有力なメンバーでした。深沢家では，東京で出版された書物を買い集め，会のメンバーは，いつ

でも，その本を読むことができました。そのなかには，フランス革命に影響をあたえたルソーの翻訳書や，多くの法律書もふくまれていました。

■自由党の結成と民権運動の変化

　1881年，政府が，北海道の官営工場・鉱山などを，薩摩（鹿児島県）出身の大商人たちに安く売ることを決めると，国民の批判が高まりました。そこで政府は，天皇の名で1890年に国会を開設することを約束し，天皇が国会のあり方を定めるとしました。さらに，国民が憲法について論議することを禁止したため，多くの憲法案は検討されずに終わりました。

　こうしたなかで，最初の政党・自由党が，板垣退助を党首として結成され，主権在民や普通選挙を要求しました。深沢権八をはじめ学芸講談会のメンバーも，自由党に入党します。

　これに対して，政府は集会条例などで取り締まりを強めました。運動の担い手であった県会議員が，他県の議員と手紙で連絡をとって集会を開くことも，禁じられました。

　福島県では，県令（県知事）が農民を動員し，費用を負担させて道路工事を強行しました。農民と自由党員はこれに激しく抵抗し，多くの逮捕者が出ました。

　さらに，その後の政府の経済政策で，繭などの価格が暴落し，破産して土地を失う農家がたくさん出ました。1884年，激しくなった運動をおさえきれず，自由党は解散しました。

⑥ 新聞取り締まりの風刺画／
右に座っている人たちは，「郵便報知新聞」
「朝野新聞」「毎日新聞」などの新聞記者。

〈『続ビゴー日本素描集』〉

― 秩父事件 ―

　1884年，養蚕が盛んだった秩父（埼玉県）では，繭の価格の暴落で苦しむ農民と自由党員が，困民党をつくり，借金のすえ置きや減税などを求め，武装して行動を起こした。

　困民党は，自由党への入党も考えた田代栄助を代表とし，自由と自治を実現しようと立ち上がった。高利貸しや警察署・裁判所などを襲撃した。郡役所に本部を置いて，周辺の地域でも蜂起するようよびかけた。政府は警察と軍隊を送ってこれをおさえ，田代など8人を処刑した。

（7）天皇主権の憲法 ― 立憲国家の成立 ―

式典に参列した人びとは憲法の内容を知っていたのか。どんな人が国会議員に選ばれたのか。

■ だれも知らない

「天皇さまが，絹布の法被をくださるそうだ」といううわさが流れ，憲法発布をひかえて，東京ではお祭りさわぎです。「いたるところ，奉祝門，照明，行列の計画。だが，こっけいなことに，だれも憲法の内容をご存じないのだ」。ドイツ人の医師ベルツは，日記にこう書き記しました。

1889（明治22）年2月11日，皇居の新宮殿で式典が始まりました。明治天皇は，伊藤博文が用意した大日本帝国憲法を受け取り，それを内閣総理大臣の黒田清隆に授けました。式は10分間で終了しました。

■ ドイツ帝国をモデルに

1881年，政府は，国会開設を約束すると，政府の手で憲法を制定することを決め，国家の組織づくりをすすめました。伊藤博文は，ドイツ帝国に行き，君主権の強い憲法を学んで帰り，憲法案をつくりました。

また，政府は，多額の株式と広大な山林原野を，天皇家の財産に組み入れました。府県・市町村などの地方の制度を整え，知事や市長などは，政府が任命するしくみにしました。1885年には内閣制度をつくり，伊藤が初代の内閣総理大臣となりました。自由民権運動の活動家570人以上を東京から追放したまま，憲法を発布しました。

大日本帝国憲法

第1条　大日本帝国ハ万世一系ノ天皇之ヲ統治ス

第3条　天皇ハ神聖ニシテ侵スヘカラス

第4条　天皇ハ国ノ元首ニシテ統治権ヲ総攬シ此ノ憲法ノ条規ニ依リ之ヲ行フ

第11条　天皇ハ陸海軍ヲ統帥ス

第13条　天皇ハ戦ヲ宣シ和ヲ講シ及諸般ノ条約ヲ締結ス

第29条　日本臣民ハ法律ノ範囲内ニ於テ言論著作印行集会及結社ノ自由ヲ有ス

第64条　国家ノ歳出歳入ハ毎年予算ヲ以テ帝国議会ノ協賛ヲ経ヘシ

（一部）

②衆議院議員選挙のようす〈『ビゴーが見た日本人』〉

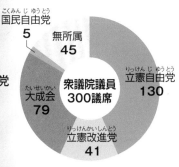

③第1回選挙による衆議院の議席数／議員に選ばれたのは大きな財産をもった地主や事業家が多かった。

大日本帝国憲法は，天皇が主権をもつと定めています。天皇は神聖とされ，統治権と軍を指揮・統率する権限をもちました。国民は「臣民」とよばれ，納税や兵役，教育が義務とされ，法律の範囲内で権利があたえられました。

■帝国議会が開かれる

帝国議会は，皇族・華族などで構成される貴族院と，国民の選挙で議員が選ばれる衆議院との二院制でした。議会は，政府が提出する予算案や法律案を審議するなどの権限をもちました。こうして，東アジア初の立憲国家が生まれ，国民は政治参加への道を切りひらきました。

1890年，初めての衆議院議員選挙が行われました。有権者は，直接国税15円以上を納める25歳以上の男性に限られ，総人口の約1％でした。植木枝盛や中江兆民らが当選し，自由民権派の流れをくむ政党が過半数の議席を占めました。多数の衆議院議員は，地租の軽減を主張し，軍事費を増やす政府の予算案に反対しました。政府は，一部の議員に金をわたして買収しました。兆民は怒って議員を辞職してしまいました。

女性には選挙権が認められませんでした。また，政治集会への参加や政治結社への加入も法律で禁止されました。第1回の帝国議会で，植木枝盛たちは女性の権利を認めるようにと，この法律の改正を主張しました。衆議院では，女性の政治集会への参加などを認める議員が多数でした。しかし，「女性の本分は家庭にある」という考え方は根強く，女性の政治活動を禁じた法律は改正されませんでした。

④「御真影」／画家が明治天皇を描いた絵を写真に撮ったもの。

⑤学校の儀式（東京・湯島小学校講堂）

― 教育勅語と「御真影」―

　子どもたちが，講堂に整列して「君が代」を斉唱する。校長は礼服に白手袋で，桐の箱から巻き物を取り出す。子どもたちは深々とおじぎをし，そのまま頭をたれている。校長が厳かな口調で，読み始める。「朕惟フニ我カ皇祖皇宗國ヲ肇ムルコト宏遠ニ…」。正面には，天皇と皇后の「御真影」が掲げられている。「爾臣民父母ニ孝ニ兄弟ニ友ニ…一旦緩急アレハ義勇公ニ奉シ以テ天壌無窮ノ皇運ヲ扶翼スヘシ」。最後に，「御名御璽」と読み終えると，子どもたちはほっとして，鼻をすすりながら頭を上げる。

　1890年，政府は，明治天皇の名で教育勅語を出し，全国の学校で，こうした儀式を行わせた。内村鑑三は，深くおじぎをしなかったと非難され，教師をやめさせられた。1896年，三陸海岸を襲った大津波で，2万人以上が死亡した。岩手県の小学校教師・栃内泰吉は，天皇の写真を運び出すために学校にかけつけ，大波にさらわれて死亡した。火事や災害に備えて，学校では教師が宿直するようになった。

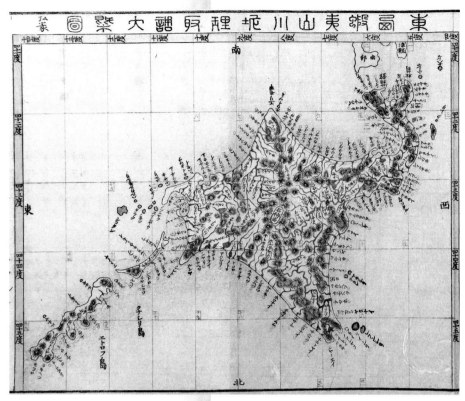

① 松浦武四郎がつくった蝦夷地の地図
（1860年）／北海道の市町村名の約8割
がアイヌ語に由来している。札幌は「サッ・
ポロ」（乾いた・大きい）という語。
〈『東西蝦夷山川地理取調図首』松浦武四郎記念館蔵〉

② 東京で学ぶアイヌの女性たち（1872年）
〈北海道大学附属図書館蔵〉

（8）北・南を組み込み、国境を引く ―領土画定と外交―

蝦夷地や琉球が日本に組み込まれていく。清や朝鮮とはどのような外交を始めたか。

屯田兵
　政府は職を失った士族などを，北海道の開拓と防備にあたる屯田兵として移住させた。のちには平民からも屯田兵を募集した。

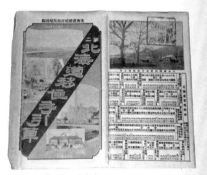

③ 北海道移住手引草（1901年）／北海道庁が大量に発行した案内。北海道の概況，土地取得の手続き，移住にあたっての注意事項，地図などを掲載した。

アイヌの文化
　1997年，「北海道旧土人保護法」は廃止され，アイヌの人びとの民族としての誇りが尊重される社会の実現を目的とするアイヌ文化振興法が成立した。

フォーカス🔍

■ 東京に出て日本語を学んだアイヌの人たち

　1872年，琴似（札幌市）出身のマタイチ（日本名・琴似又一郎）たち35人のアイヌ（9人は女性）が，東京に向かいました。新しくつくられた「北海道土人教育所」に入所するためでした。

　ここでは，「アイヌはおろかであるが，性格は善良である。国王はいない」などと日本語で書かれた教科書を，くりかえし暗唱しました。そろばんなども習いました。このほかに，西洋式の農具の使い方を学んだり，牛の乳しぼりを実習したりしました。

　しかし，学生たちは，なれない生活で病気になって次々に帰郷してしまいました。教育所は，3年ほどで閉校となりました。

■ 北で―― 蝦夷地が日本に組み込まれる

　明治維新まで，現在の北海道は蝦夷地とよばれていました。ここに住んでいたのは，人口数万人といわれるアイヌの人びとです。新政府は，1869年，蝦夷地を北海道とあらため，開拓使という役所を置きました。政府が屯田兵などにより移民を奨励したので，多くの人びとが本州から渡ってきて，開拓をすすめました。他方で，アイヌの儀式や風習などを禁じ，日本風の生活に変えようとしました。アイヌの人びとは，サケやシカなどを伝統的な方法で捕ることを禁止されました。

　北海道のさらに北では，ロシアとの国境がはっきりせず，樺太（サハリン）は日本とロシアの雑居地域とされていました。そこで日ロ両国は

④首里城の正面に立つ日本軍（1879年）〈那覇市歴史博物館提供〉

1875年，樺太千島交換条約を結んで，千島列島は日本領，樺太はロシア領と決めました。日本政府は，樺太のアイヌは日本人だとして，北海道に移住させました。

5 その後，政府は開拓使を北海道庁とあらため，1899年には，「北海道旧土人保護法」を定めました。農業をしたいと希望するアイヌには，1万5000坪（約5ヘクタール）の土地をあたえ，農具や種を貸し出しました。しかし，農業に適した土地は分配されず，多くは開墾できないまま，没収されました。

■ 南で──沖縄県が設置される

10 江戸時代まで，現在の沖縄県には琉球王国がありました。琉球王国は，薩摩藩に服属しながら，一方で中国に朝貢していました。これに対し新政府は，1872年，琉球王国を琉球藩にあらためると言いわたし，日本に組み込もうとしました。1875年には，清への朝貢をやめて，元号の明治を使い，さらに，日本軍を受け入れることを命じました。琉球側はこれに抵抗しましたが，1879年，政府は警察官・兵隊と役人を派遣して，15 沖縄県を設置し，琉球王国は滅びました。

■ 清・朝鮮との外交がはじまる

江戸時代，日本と清とは，長崎で交易していましたが，正式の外交はありませんでした。両国は，1871年，日清修好条規を結び，平等な外交関係を取り決めました。

20 一方，江戸幕府は，対馬藩をとおして朝鮮と交流していました。新政府は国交の開始を求めましたが，朝鮮は日本側のやり方を不満として交渉に応じませんでした。

1875年，日本の軍艦が，許可を得ずに漢江付近を測量して砲撃を受けたことを口実に，朝鮮の江華島砲台を攻撃しました。翌年，日本は朝25 鮮に圧力を加えて，日朝修好条規を結びました。この条約は，朝鮮は独立国だとして清と朝鮮の関係を否定し，日本の領事裁判権を認めるものでした。

⑤日本の領土画定と外交

台湾出兵
琉球の漂流民が台湾の住民に殺された事件を口実に，1874年，日本は台湾に出兵し，琉球が日本領であることを清に示した。

⑥清に亡命した琉球の人びと／
独自の文化をもつ琉球王国の存続を主張した人もいた。清も，琉球を日本の沖縄県とすることを認めなかった。〈那覇市歴史博物館提供〉

⑦江華島付近の砲台を攻撃する日本軍

日朝修好条規以後の日朝関係
日朝修好条規を結んだのち，日本は朝鮮に，釜山ほか2港の開港，日本人の往来と通商の自由を認めさせた。さらに，朝鮮国内で日本の貨幣を流通させること，日本の商品には関税をかけないことなども受け入れさせた。

対話・討論にチャレンジ
『学問のすゝめ』をどう読むか

① 『学問のすゝめ』を読み，要約する

　「天は人の上に人を造らず……」という書きだしは，有名です。みなさんも聞いたことがあるかもしれません。福沢諭吉は，生まれつきの身分や家柄によって，人間の価値も職業も決まってしまう，江戸時代のあり方を厳しく批判しました。

　『学問のすゝめ』は，明治維新後の1872年から各編の出版が始まり，1880年に全17編が一冊の本にまとめられました。この本は，人びとに大きな関心をもって受けとめられました。それは，日本の人口が約3000万人であった当時，300万部以上が売れた大ベストセラーであったことからもわかります。

　実は，この「天は人の上に人を造らず，人の下に人を造らず」の続きも興味深い内容です。次の現代語訳をじっくりと読んでみましょう。

福沢諭吉〈国立国会図書館蔵〉

福沢諭吉『学問のすゝめ』　現代語訳

　天は人の上に人をつくらず，人の下に人をつくらないといわれる。（中略）しかし，今，広くこの人間の世を見わたしてみると，賢い人もあれば，愚かな人もある。貧しい人もいて，豊かな人もいる。社会的地位の高い人もいれば，低い人もいる。そのありさまは，雲と泥のような大きな違いがあるように見えるが，それはなぜだろうか。その原因はまったく明らかである。（中略）

　賢人と愚人の差は，学んだか学ばなかったかで，できるものなのだ。また，世の中には，難しい仕事も，簡単な仕事もある。その難しい仕事をする人を身分が高い人と名づけ，簡単な仕事をする人を身分が低い人という。

　およそ，精神労働や管理職は難しくて，手足を使う肉体労働は簡単だ。だから，学者・医者・政府の役人・大きな商売をする企業人・たくさんの人を使う大地主などは，身分が高くて貴い人というべきだ。（中略）

　人は生まれながらにして貴賤貧富の差はない。ただ努力して学問をつんで，物事をよく知る人は貴人となり金持ちになる。無学なものは，貧乏人となり，下人になるのだ。

『学問のすゝめ』1871年初版本〈玉川大学教育博物館蔵〉

② 感じたこと，思ったことをことばにして，対話・討論する

　次に，一人ひとりが，この文章をどう読みとったのか，福沢の主張に賛成か，反対か，意見交流・討論をしてみましょう。

(1) 自分の意見をノートに書いてみましょう。最初から「賛成」「反対」という立場が決まらなくてもかまいません。討論には，主張と根拠（理由）を示すことが大切ですが，「もやもや」した思いをことばにすることも大事な作業です。まず，自分の考えをことばにしてみましょう。

(2) それを，二人組のペア，グループ・班，クラスなどに対して話してみましょう。このとき，相手の意見をよく聞くこ

とが大切です。相手の意見がよくわからないときは、「それってこういうこと?」「こういう理解でいいのかな?」などと、たずねあいをするのもいいでしょう。相手の言っていることをていねいに受けとめ、尊重することが大切です。

(3) 自分の意見と他の人の意見とのやり取りのなかで、自分の考えが固まったり、深まったりすることがあります。反対に、最初の自分の意見が変わったり、ゆらいだりすることがあります。どちらの経験も、自分ひとりでは出会えない大切な「学び」です。ところで、福沢は「人はみな平等である」と主張しているのでしょうか、それとも「不平等や格差が存在するには、それなりの理由がある」ということを主張しているのでしょうか。議論の焦点の一つはここにあります。

③ あるクラスの議論から

福沢の主張は、本当にそのとおりだと思う。学ぶことは努力することと同じだ。がんばった人には、それなりの地位と責任がついてくる。やらない人と努力した人が、同じというのは、なっとくがいかない。

（蓮さん）

学ぶことって、お金持ちや有力者になるためにすることなの? それでは、学ぶことが新たな差別を生むことになる。肉体労働は卑しいなんて言ってほしくない。大事な仕事じゃないの。

（さくらさん）

努力をして勉強ができる人はお金持ちになり、偉くて人間的にも上の人だという決めつけはおかしい。家が貧しかったり、いろいろな事情があって、同じスタートラインに立てない人も大勢いる。それをダメだと決めつけないでほしい。

（颯太さん）

福沢は、生まれたときは、みな平等だと言っている。それは身分と関係ない。その後、学び、努力することが大事だと言っていると思う。

（陽菜さん）

④ 問いを深めていくということ、問いを学ぶということ

さて、対話・討論にチャレンジしてみて、どうだったでしょうか。意見の交換や、異なる考えと出会うことのおもしろさを味わえたでしょうか。「いろいろな考えを聞いて、かえって混乱してしまった」「一体何が正しいのかわからなくなってしまった」という人もいるかもしれません。これらのプロセスがまさに「学び」そのものです。討論は相手を打ち負かすこと、相手に勝つことが目的ではありません。自分や他の人の考えが深まっていくことが重要なのです。

「学ぶ」ということは「答え」を丸暗記することではありません。深く、ゆたかに考えることなのです。討論や話し合いでさらに「問い」が深まったならば、それをいろいろな手段で、解き明かしていくことも大切です。その一つとして、福沢の主張と、現実の歴史のながれとを照らし合わせるとどうなるのかを見ていくことも必要です。

これからも「問い」を学んでいきましょう。「問いを学ぶ」、それを「学問」というのですから。

① 年表のAからJにあてはまることばを，語群から選びノートに書きましょう。

1869	蝦夷地を（　A　）と改める
1871	廃藩置県を行う
	（　B　）が出発する
1872	学制を定める
	（　C　）が操業を始める
1873	徴兵令，地租改正条例を出す
1874	板垣退助が（　D　）を設立する
1875	ロシアと（　E　）を結ぶ
1876	朝鮮と（　F　）を結ぶ
1877	西郷隆盛らが（　G　）を起こす
1879	琉球を（　H　）とする
1880	（　I　）が結成され国会開設の運動が広がる
1889	（　J　）を発布する
1890	第1回帝国議会を開く

語群　日朝修好条規　岩倉使節団　立志社　樺太千島交換条約
日清戦争　西南戦争　北海道　沖縄県　大日本帝国憲法
富岡製糸場　国会期成同盟

② 下線のできごとが起こった場所を，地図の（　　　）にA，C，D，G，Hの記号で入れましょう。

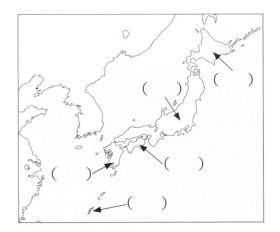

第4部　近代（6章・7章）　学習のまとめ

① 岩倉使節団について，学習をふりかえり，考えを深めましょう。
(1) 使節団はどのような国や地域を訪れましたか。
(2) 何を見て，どんなことを感じて帰ったのでしょうか。
(3) 使節団に参加した人たちは，その後，どんなことをしたでしょうか。

大久保利通　伊藤博文　中江兆民　津田梅子

(4) 使節団の人たちについて，印象に残ったことをグループやクラスで発表しましょう。

② 表を見て考えましょう。グループやクラスで発表しましょう。

1873年・神奈川県の小学校の就学生徒（学校に通っている生徒）数

	学齢人口	就学生徒数	教員数
男	3万6140人	1万7921人	519人
女	3万2857人	9345人	7人
計	6万8997人	2万7266人	526人

〈『鎌倉教育史』より〉

(1) 表を見て，気がついたことを出しあいましょう。
(2) 学校に通わない生徒がいるのは，どのような理由からだったと思いますか。
(3) 学校に通う生徒を増やすために，あなたなら，どんな対策を考えますか。
(4) あなたが住んでいる地域の，1870年代の小学校のようすを調べてみましょう。地域の図書館などで，調べることができます。

3 時代の変化について考え，発表しましょう。

⑴ 下の表の①〜④のできごとについて，政治や社会がどのように変わったか，考えてみましょう。

⑵ 表の⑤には，第4部から，時代を変えたと思うできごとを，自分で選び，書きましょう。

⑶ グループやクラスで発表しましょう。

〈4人グループでの発表の例〉

　グループで①〜④を順に発表します。発表を聞いて，自分では気がつかなかった考えがあったらメモします。

　⑤は全員が発表します。みんなの発表を聞き終わったら，感想をノートに書きましょう。

	できごと	どんなできごとですか	政治や社会がどのように変わっていくか，どんな影響をおよぼしていくか。
結衣さんが記入した例	産業革命が起こる	18世紀イギリスで綿織物を安く大量に生産する機械が次々と発明された。蒸気機関も発明された。工場では子どもが働いた。	イギリスは「世界の工場」とよばれるようになる。資本主義のしくみができた。労働者は厳しい労働だったので1日10時間の労働になるよう運動した。イギリスはインドに綿製品を売りつけた。
①	廃藩置県を行う		
②	地租改正を行う		
③	自由民権運動が盛んになる		
④	大日本帝国憲法を発布する		
⑤			

4 第4部・近代はどのような特色をもった時代だったでしょうか。前の時代と比べながら，自分の考えを書きましょう。

第8章 帝国主義の時代

変わる世界の女性たち

(!) 第8章の扉ページでは,世界大戦のなかで変わった女性たちの姿に光をあてました。

アメリカ合衆国の女性たち

アメリカでは, 第一次世界大戦を通じて経済が発展し, 家電製品が普及し始めました。女性の社会進出がすすみ, さまざまな職業につくようになり, 参政権を得て, 政治にも参加するようになりました。

▲参政権を求めた女性たち

▲19世紀末～20世紀初めのドレス ©ポーラ文化研究所

フランスの女性たち

ココ＝シャネルは, 女性の身体をしめつけていたコルセットを使わずに, 伸縮性のあるジャージ生地のドレスをつくりました。また, 黒一色のドレスを発表し, 黒は喪服の色というイメージを変えました。

メキシコ

アメリカ合衆国

カナダ（英連邦自治領）

パナマ

イギリス

フランス

アルゼンチン

ブラジル

フランス領西アフリ

ベルギー領コン

大西洋

南アフリカ連邦

▲布で顔と体をおおう女性

▲大統領の娘たち（1930年代）

トルコの女性たち

第一次世界大戦後, トルコでは革命が起こって, 共和国が誕生しました。初代大統領は西欧化政策をすすめ, ムスリム（イスラム教徒）の女性が着るヒジャブ（顔や体をおおう布）は好ましくないとしました。

紀元前1000年

紀元前500年

紀元

500年

1000年

1500年

2000年

兵士だけでなく国民全体が，長期の戦争を戦いました。戦争をへて平和への願いが高まり，女性の声や民族運動も高まっていきました。しかし，世界大戦はくりかえされ，多くの破壊と死がもたらされました。困難な時代に生きた人びとの声や体験から学びましょう。戦争は人類に何をもたらしたでしょうか。話し合い，考えを深めていきましょう。

日本の女性たち

1920年代になると，都市では洋服姿の女性が見られるようになりました。医師・電話交換手・デパート店員・バス乗務員など，さまざまな分野で活躍し，職業婦人とよばれました。

太平洋

南洋諸島（日本領）

朝鮮（日本の植民地）

オーストラリア（英連邦自治領）

中華民国

ソビエト連邦

ドイツ

フランス領インドシナ

タイ

アフガニスタン

オランダ領東インド

トルコ

イギリス領インド

インド洋

エチオピア

〈竹久夢二美術館蔵〉

▲中華民国の女子中学生（1910年代）

▲清（中国）の女性（1860年代）

中華民国の女性たち

辛亥革命ののち，民主的な考え方が広まるにつれて，女性の姿にも変化が見られるようになりました。纏足の風習が少なくなる一方，動きやすい服装や西洋の服装を楽しむ女性が増えました。

1 朝鮮の王宮に入る日本軍〈『朝鮮京城大鳥公使大院君ヲ護衛ス』野田市立興風図書館蔵〉

（1）日本と清が、朝鮮で ―日清戦争―

日本軍はどこで，どんな相手と戦ったのか。欧米とはどのような外交をしたのか。

■ 朝鮮王宮を占領して、清との開戦へ

　1894年7月23日の夜明け前，日本軍は，朝鮮王宮の門を破壊して突入し，占領しました。ここで国王らを監禁した日本軍は，清に従ってきた朝鮮政府を倒し，日本の言うことをきく政府をつくりました。この新しい政府は，すぐに，清と縁を切ると宣言し，朝鮮にいた清の軍隊を追い払ってほしいと日本軍に頼みました。

　当時，朝鮮には日清両国の軍隊が出兵していました。朝鮮南部で起こった農民蜂起をおさえるため，朝鮮政府が清に出兵を求め，以前から清との戦争を準備していた日本も，朝鮮に出兵したからです。

　王宮占領の2日後，日本海軍は牙山に到着した清の軍艦を攻撃して，清との戦争を始めました。その後，日本陸軍は北上して，平壌で清軍を破り，国境の鴨緑江を渡って清に侵入しました。さらに日本は軍を進め，旅順と遼東半島一帯を占領し，清の首都北京にせまる勢いをみせました。

■ 日本軍と戦った朝鮮の農民たち

　朝鮮で農民蜂起の中心となったのは，東学の指導者全琫準を中心とする民衆です。東学は，「人すなわち天」として人間の平等を説く宗教で，1860年代半ばから各地に広まりました。この年，1万人を超える東学農民軍が，朝鮮政府に土地制度の改革などを求めて立ち上がったのです。

　清と日本が出兵したとき，農民軍は政府と和解し，参加した人びとはいっ

朝鮮をめぐる日本と清
　日朝修好条規を結んだ日本は，有利な条件を生かして朝鮮に勢力をのばそうとし，清との対立を深めていた。

2 捕らえられた全琫準（左から3人目）／漢城に送られて処刑されたが，のちの人びとにもしたわれたという。

東学農民軍の行動のきまり
（1）人を殺すな、物をこわすな
（2）忠孝をつくし、世を救え
（3）日本を追い出せ
（4）今の政権を滅ぼせ

③戦争後の旅順を報じた新聞／日本軍は，旅順を占領し，多くの清軍の捕虜や市民を虐殺した。〈「時事新報」1894年12月6日〉

④日清戦争の戦場

たん故郷にもどりました。しかし，日清戦争が本格化すると，戦争をすすめる日本軍に対して，農民軍は人びとに，馬を出したり，荷物運びに出たりして日本軍に協力をしないようによびかけ，日本軍を追い出すために各地で戦いました。日本軍が農民軍を徹底的に弾圧する方針をとったため，農民軍には多くの死傷者が出ました。

■ 条約改正の実現と日清戦争

幕末に欧米諸国と結んだ条約が，日本に不利な不平等条約だったため，政府は1876年以来，改正交渉をずっと続けてきましたが，うまくいきませんでした。しかし，1894年7月，ロシアの東アジア進出に対抗しようとするイギリスが，ようやく改正に同意しました。

日本政府は，イギリスの好意を得て，清との開戦に踏み切りました。外務大臣陸奥宗光は，領事裁判権の撤廃を内容とする日英通商航海条約に続いて，アメリカ・ロシアなどとも同様の条約を結びました。

■ 下関条約と台湾の征服

清は日本との戦争に敗れ，1895年4月，両国は，下関条約を結びました。清も朝鮮の独立を認め，また，遼東半島と台湾・澎湖諸島を日本領とし，2億両（約3.1億円）の賠償金を，日本に支払うことを認めました。しかし，ロシア・ドイツ・フランスの3国が，遼東半島を清に返すよう日本に求めたため，日本はこれを受け入れざるを得ませんでした。

一方，日本にゆずりわたされることになった台湾の人びとは，日本の支配に反対する行動に立ち上がりました。1895年5月，台湾民主国を樹立し，「日本は横暴で，わが台湾をのみ込もうとしている。わが同胞は日本に屈服せず，戦って死を選ぶことを誓う」と述べて，独立を宣言しました。元号や国旗も定めました。しかし，日本は7万6000人の軍隊を送り込んで台湾を制圧しました。台湾の人びとは，半年にわたって各地で戦い，その後も，日本の植民地支配に対する抵抗を続けました。

	日清戦争	台湾での戦闘
戦闘死	736人	396人
負傷死	228人	57人
病死	1658人	1万236人
変死	25人	152人
合計	2647人	1万841人

⑤1894～1895年の日本軍の死者／死者の90％近くが病死である。〈藤村道生による〉

⑥台湾民主国の国旗〈国立台湾博物館蔵〉

尖閣諸島の領有

日本政府は，1895年1月，尖閣諸島を日本の領土（沖縄県）として編入することを，閣議で決定した。

185

① ニジェール川をさかのぼるイギリスの蒸気船（1876年）

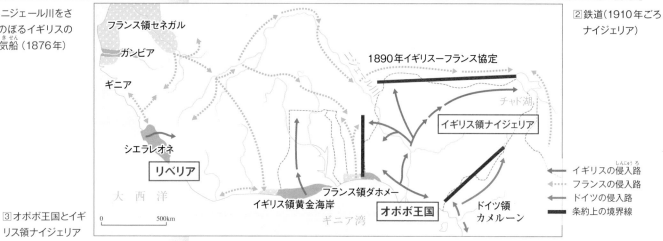

② 鉄道（1910年ごろ ナイジェリア）

フランス領セネガル
ガンビア
ギニア
シエラレオネ
リベリア
大西洋
イギリス領黄金海岸
フランス領ダホメー
オポボ王国
1890年イギリス－フランス協定
チャド湖
イギリス領ナイジェリア
ドイツ領カメルーン
ギニア湾

イギリスの侵入路
フランスの侵入路
ドイツの侵入路
条約上の境界線

0　　　500km

③ オポボ王国とイギリス領ナイジェリア

（2）分割される大陸 ―帝国主義―

ヨーロッパの国々はアフリカでどんなことを始めたか。中国ではどうしたか。日本はどうするか。

④ オポボ王国のジャジャ王（1821～1891）／イギリス人が直接パーム油を買い付けることを禁じていた。

⑤ アブラヤシ／果実からパーム油がえられる。

■ ニジェール川でパーム油を争う

1880年ごろ，ニジェール川河口にあったオポボ王国は，パーム油をイギリスの貿易会社に売って，大きな利益を上げていました。パーム油は，石けんやマーガリンの原料として，ヨーロッパで大量に使われていました。しかし，イギリスの貿易会社が蒸気船で川をさかのぼり，王国の商人と競争するようになりました。イギリスは，自由な貿易をさまたげたという理由で，オポボ国王を逮捕し，国外に追放してしまいます。

1890年，イギリスとフランスは，この地域の植民地協定を結びます。両国が引いた境界線によって，村や畑が二つに分けられ，親族や村びとがへだてられてしまうこともありました。1898年，イギリスは，この植民地の境界をすべて確定し，ナイジェリアと名づけました。言語も，宗教や生活習慣も違う人びとが，1000万人以上住んでいました。

■ アフリカ大陸を分割する帝国主義

資本主義が急速に発展した欧米諸国は，19世紀後半以降，軍事力や経済力によって，植民地や勢力範囲を広げようと，アフリカ大陸に侵入しました。イギリス・ドイツ・フランスなど14カ国は，1884年から翌年にかけ，ベルリンで会議を開いて，アフリカの勢力範囲を分ける協定を結びました。これに対し，アフリカの人びとは，各地で激しく抵抗しました。

イギリスは，ナイル川上流のスーダンにも侵入しました。ここでは，アラブ人と黒人が宗教の違いを越えてまとまり，交易で得た利益で軍備を整え

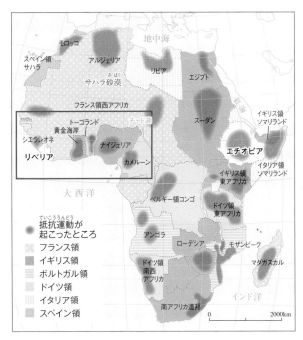

⑥アフリカ分割と抵抗が行われた地域

⑦義和団戦争と中国の分割

⑧義和団をおさえた連合軍の兵士

て抵抗しました。しかし，1898年，小型軍艦や大砲・機関銃を備えたイギリス軍の攻撃を受けて滅ぼされました。同じころ，エチオピアは，イタリア軍を破って独立を守りました。

■ 義和団戦争と8カ国連合軍

　帝国主義の動きは，アジアにもおよびました。日清戦争に敗れて力を弱めた中国がねらわれました。清は，日本への賠償金を払うため，欧米諸国に多額の借金をしました。欧米側はこれを利用して中国で勢力を拡大しようとします。1898年には，ドイツ・ロシア・イギリス・フランスが，あい次いで中国の重要地域を清から借り受け，これを足場として勢力範囲を広げていきました。

　1899年，中国の山東半島で，外国の侵略に抵抗する運動が起こり，華北一帯に広がりました。義和団とよばれる農民の集団は，「扶清滅洋」（清をたすけて外国を滅ぼす）をスローガンとし，翌年，北京を占領し，外国の公使館を包囲しました。

　これに対し，8カ国の連合軍が出動して義和団の運動を制圧しました。日本は最も多い約2万2000人を派遣し，ロシアとともに連合軍の主力となりました。中国（清）政府は，国家予算の8倍にあたる4億5000万両の賠償金と，北京周辺への外国軍隊の駐留を認めさせられました。

■ ロシアと日英同盟

　日清戦争後，朝鮮では清にかわってロシアの影響力が大きくなり，日本との対立を深めました。ロシアは義和団戦争後も満州（中国東北部）から引きあげず，朝鮮への支配力を強めようとしました。一方，イギリスは，ロシアに対抗する同盟国を求めていたため，1902年，日英同盟が結ばれることとなりました。これによって日本とロシアの対立は，いっそう深まりました。

帝国主義国の植民地分割（1914年）

イギリス	3350万km² (44.7%)
ロシア	1740万km² (23.2%)
フランス	1060万km² (14.2%)
ドイツ	290万km² (3.9%)
アメリカ合衆国	30万km²
日本	30万km²
ベルギー・オランダほか	990万km²
植民地計	7490万km² (100%)

（これは世界全体の55.9%を占める）

〈『帝国主義論』による〉

朝鮮王妃殺害事件

　1895年，日本公使らは，ロシア寄りの政策をすすめる朝鮮王妃を殺害した。日本に対する非難と反発は強く，日本の影響力は弱まった。

大韓帝国

　1897年，朝鮮は国のよび方を「大韓帝国」に改めた。

① 戦火で焼け出された人びと（中国東北部）

（3）戦場は中国だった —日露戦争—

日本とロシアはどこで戦ったか。両国では民衆の暮らしはどうなるか。戦争を続けられるのか。

日露戦争の開戦

1904年2月8日，日本の海軍が，旅順港内のロシア艦隊を奇襲攻撃した。同じ日，陸軍は，朝鮮の仁川を占領した。これによって日露戦争が始まった。

明治天皇の開戦の勅語

朕はここにロシアに対して宣戦布告する。…ロシアが満州（中国東北部）を領有すれば、韓国の安全と極東の平和は保てない。ロシアは軍備を増強し、このままでは韓国の安全は危うくなり、帝国の利益は侵される。ここにいたり軍事力で守るしかなくなった。

（1904年2月10日，一部要約）

ロシア皇帝ニコライ2世の開戦の勅語

朕は極東の平和を保つために日本政府と話し合ってきた。日本は、これを打ち切り、わが艦隊を奇襲攻撃してきた。これに対し、軍事力で応じるように命じた。祖国を守るために戦うわが軍に、神の加護を。

（1904年2月9日，一部要約）

■ 戦火に追われる人びと

フォーカス🔍

1904年の秋，満州（中国東北部）の奉天（現在の瀋陽）に，日露両軍に村を追われた人びとが，次々に逃げ込んできました。人びとは，寺院や人家の軒下などで，寒さにふるえていました。奉天に逃れてきた避難民は9万人にのぼったと，医療活動にあたったイギリスの宣教師は記しています。

1905年2月からは，奉天の近くで，日本軍とロシア軍，合わせて56万人が戦い，日露戦争最大の激戦となりました。多くの住民は家を破壊され，生活の場を失いました。畑のトウモロコシなどは，軍馬のえさにされ，牛や食料も奪われました。また，現地の中国人は，陣地や砲台をつくる土木作業にかり出されました。

■ 日露の開戦

ロシアは，シベリア鉄道を完成させ，義和団戦争のあとも，中国東北部に軍隊を増強していました。フランスと同盟を結び，資金を得ていました。このフランスは，植民地や勢力範囲をめぐって，世界各地でイギリスと対立していました。

一方，日本は，日清戦争の賠償金の大部分を使って軍備を拡大し，朝鮮半島を支配しようとしていました。日英同盟を結んだことから，日本とロシアの対立は一気に深まりました。日本は，それまでの6隻の戦艦

5

10

15

③東京での祝勝会（1905年）／木製の凱旋門（がいせんもん）がつくられた。〈図書刊行会提供〉

君死にたまふことなかれ
——旅順口（りょじゅんこう）包囲軍の中に在（あ）る弟を嘆（なげ）きて
与謝野晶子（よさのあきこ）

あ、をとうとよ　君を泣く
君死にたまふことなかれ
末に生まれし君なれば
親のなさけはまさりしも
親は刃（やいば）をにぎらせて
人を殺（お）せとをしへしや
人を殺して死ねよとて
二十四までをそだてしや

（略）

君死にたまふことなかれ
すめらみことは戦（いくさ）ひに
おほみづからは出でまさね
かたみに人の血を流し
獣（けもの）の道に死ねよとは
死ぬるを人のほまれとは
大みこころの深ければ
もとよりいかで思（おぼ）されむ

（略）

④与謝野晶子（1878～1942）
〈国立国会図書館蔵〉

に加え，建造中の軍艦（ぐんかん）2隻をイギリスの仲介（ちゅうかい）で買い入れ，イギリスはロシアに対抗（たいこう）する日本の海軍力に期待しました。1904年2月，こうしたなかで，日本はロシアに宣戦布告（せんせんふこく）して，日露戦争を始めました。

■ 日本とロシアの民衆

　ある農民出身の兵士は，結婚（けっこん）したばかりの妻に，「おまえがてがみをよ
5　こしてくれると，おまえにあったようなきがする」と，満州の戦場から，手紙を書いています。弾丸（だんがん）が自分の軍帽（ぐんぼう）をつらぬいたこと，そして「かみほとけをたのんでくれよ」「どうかいえのことをたのむ」と，切々（せつせつ）と書（か）き連ねています。このように，全国の村や町から，多数の兵士が戦場に送り出されました。その数は，100万人を超（こ）え，戦死者・戦病死者は
10　8万4000人にのぼりました。
　政府は，戦費（せんぴ）を集めるため，日本酒や砂糖（さとう）などにも税金をかけました。しかし，1905年には，兵士の動員も戦費も，限界に達しました。
　ロシアでも，1905年1月，首都ペテルブルグの宮殿前（きゅうでんまえ）に，生活の苦しみを皇帝（こうてい）に訴えようと多くの人びとが集まりました。これに向かって軍
15　隊が発砲（はっぽう）したことから，3000人以上の死傷者（ししょうしゃ）を出す事件となりました。

■ 戦争の終結

　1905年9月，アメリカ大統領の仲立ちで，日本とロシアはポーツマス条約（じょうやく）を結び，戦争が終わりました。日本は，この条約で，朝鮮半島での優越権（ゆうえつけん）を，ロシアに認めさせました。またロシアは，遼東半島（りょうとうはんとう）の旅順（リュイシュン）・大連（ターリエン）を中国から租借（そしゃく）する権利と，長春（チャンチュン）から南の鉄道（みなみまんしゅうてつどう）（のちの南満州鉄道），
20　南樺太（みなみからふと）などを，日本にゆずりました。
　つづいて日本は，韓国の外交権（がいこうけん）を奪って，保護国としました。アジアでは，日本の勝利によって民族独立運動が盛（さか）んになりましたが，日本は，植民地や勢力範囲を，欧米諸国（おうべいしょこく）との間で認め合っていました。
　他方，日本は，1911年，小村寿太郎外相（こむらじゅたろうがいしょう）のもとで，欧米諸国に対する
25　関税自主権（かんぜいじしゅけん）を回復し，長年の課題だった条約改正（じょうやくかいせい）は達成されました。

主戦論と非戦論
《大学七博士の意見書》
「ロシアが満州に足場をつくれば，朝鮮をねらう。次にどこをねらうかはあきらかだ。…開戦の機会を逃せば，日本の存立（そんりつ）が危うくなる」
（「東京朝日新聞」1903年6月24日）
《内村鑑三（うちむらかんぞう）の非戦論》
「私は日露戦争だけではなく，すべての戦争に絶対反対である。戦争とは人を殺すことであり，大罪悪（だいざいあく）である。…日清戦争で朝鮮の独立は守れず，日本は堕落（だらく）した。戦争に反対しないのは，野蛮国（やばんこく）である」
（「万朝報（よろずちょうほう）」1903年6月30日）

租借
　他国の領土の，ある地域を借りて，一定の期間，統治すること。

竹島（たけしま）の領有
　日本政府は，1905年1月，竹島を日本の領土（島根県）として編入することを，閣議（かくぎ）で決定した。

189

大和田建樹先生作歌
大坂三木佐助発行
唱歌
口調

きてき
いっせい
しんばしを
はやわが
きーしゅは
はなれたり
あたごのやーまふ
ひりのころつーきを
たびどーのともと

きー
てき
のつせい
しんばしを
はやわが
きーしゅは
はなれたり
あさごのやーまふ
ひりのころつーきを
たびどーのともと

品　房　上　泉　高　愛　新
川　州　総　岳　輪　宕　橋
　　　　寺

1 「鉄道唱歌」の1番・新橋〈『地理教育鉄道唱歌』〉

（4）国語をつくる
―明治の教育と文化―

学校で唱歌や軍歌を教えるようになった。
このころ，どのような文化が生みだされたのか。

フォーカス

■ 歌を通して教える

「汽笛一声　新橋を」で始まる「鉄道唱歌」は，374
番まであります。東海道線から山陽鉄道（山陽線）へ，
さらに全国の鉄道に沿って歌詞がつくられていきまし
た。この歌は，子どもたちの地理の学習用につくられま
した。西洋音階の「ド・レ・ミ・ソ・ラ」しか使われて
いなかったので，当時の人びとにも親しみやすく，大人
の間にも広まりました。 5

日清戦争のころから，学校で軍歌が教えられるように
なりました。モンゴル襲来を題材にした「元寇」は，「な
んぞ怖れん，われに鎌倉男子あり。正義武断の名，一 10
喝して世に示す」と，勇ましい武士の姿をたたえています。また，「婦
人従軍歌」は，戦地で働く看護婦を歌っています。

■ 国語が誕生する

2 樋口一葉（1872～1896）／
『たけくらべ』『十三夜』などの作品がある。
〈国立国会図書館蔵〉

樋口一葉が，思春期にさしかかった美登利を主人公とする『たけくら
べ』を雑誌に書き始めたのは，1895年のことでした。この小説をはじめ，
話し言葉と書き言葉を一致させる努力が続けられていました。 15

それまでは，話し言葉と書き言葉が違い，さらに話し言葉も，地域や
身分・職業によって違っていました。これを，全国どこでも，国民だれ
にでも通じる言葉につくりなおして，国語が生まれました。

国語が生まれると，それぞれの地域で使われていた言葉は，方言とよ
ばれるようになりました。そして，学校や軍隊では，方言ではなく，国 20
語を話し，書くように教育しました。同じ言葉を使う国民としての一体
感をもたせるようにするねらいがありました。

■ 学校に通う子どもたち

1900年，小学校の授業料が無料になり，多くの子どもたちが学校に
行くようになりました。東京の田無尋常小学校には300人以上の児童
が通い，1学級の児童数は80人ほどでした。 25

このときに，読書・作文・習字を一つにまとめて，「国語」という新
しい教科がつくられました。国語の教科書には，地理・歴史や理科，社

地域の言葉の豊かな表現
九州地方では，「来よる」と「来ちょる」
を使い分けている。「来よる」は来る途
中という意味で，「来ちょる」はすでに
到着していることを意味する。
国語では，このような場合，「来てい
る」としか表せず，違いを表現できない。

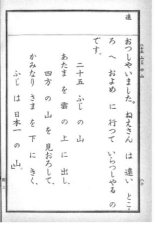

③国定教科書（1918年）・小学校国語（2学年）

④田無尋常小学校5年生（1911年）〈西東京市中央図書館蔵〉

会生活のきまりが盛り込まれました。コウモリの話や，子どもがタバコを吸ってはならないとの規則もありました。最終学年の4年生では，地球儀で世界地理を学びました。また，日清戦争に勝利した日本の国を，小国であっても誇りに思うようにと教えました。

5 　歴史の教科書は，天照大神の神話から始まり，その子孫の神武天皇が初代の天皇となったと強調されました。修身では教育勅語に従って行動するように教えました。

■ 近代文化が花開く

　明治になって，人びとが欧米の文化に接するようになると，伝統的な文化の上に新しい文化が生まれました。

10 　外山亀太郎は，メンデルの遺伝の法則がカイコにも当てはまることを，世界で初めて実証しました。これによって，すぐれたカイコの品種がつくられ，養蚕の技術が飛躍的に向上しました。

　また，戊辰戦争の前年に生まれた夏目漱石は，正義感の強い青年を主人公に，わかりやすい文体で書いた『坊っちゃん』をはじめ，多くの作

15 品を残しました。個人の生き方を深く見つめる小説を発表し，日本や世界の先行きを心配していました。また，ヨーロッパ留学からもどった森鷗外も，近代に生きる個人の姿や感情を作品に描いていきました。

　旧薩摩藩士を父にもつ黒田清輝は，十代のころ西南戦争の影響を受け，法律を学ぼうとパリに留学しました。ところが，留学中に美術

20 に転向し，帰国後は，興味をもった人物や風景を，光や空気の移り変わりに注目しながら描きだす作風を確立していきました。その後，美術教育や美術団体をつくるために活動しました。

　一方，1870年代に刊行された新聞は，その後，競って豊富な情報を紙面に掲載するようになりました。幸徳秋水は，『万朝

25 報』で，政府がすすめる近代化政策を痛烈に批判しました。日露戦争後には，いくつもの新聞が10万部を超えて発行されるようになりました。

⑤黒田清輝『舞妓』〈東京国立博物館蔵〉

⑥外山亀太郎（1867～1918）

⑦夏目漱石（1867～1916）／『吾輩は猫である』『こころ』などの作品がある。〈国立国会図書館蔵〉

⑧森鷗外（1862～1922）／『舞姫』『高瀬舟』などの作品がある。〈国立国会図書館蔵〉

1 朝鮮総督府庁舎の建設工事
（京城〈ソウル〉）／
1926年10月1日に，落成式が行わ
れた。建設には，10年間，670万円
の費用がかかった。〈『日韓併合』彩流社〉

2 完成した朝鮮総督府庁舎と景福宮（1935年）

（5）土地を奪われた朝鮮の農民 ─韓国併合─

朝鮮の村に東洋拓殖会社の社員が入ってきた。朝鮮総督府による支配はどんなものだったか。

■ 土地を買い占める東洋拓殖会社

東洋拓殖会社
1908年，日本の植民地政策を実行する目的でつくられた会社。土地買収と日本人の移民事業に力を入れた。
第一次世界大戦後には，金融機関として，中国や東南アジアへも進出した。

憲兵
軍のなかの警察をいう。植民地であった朝鮮では，一般の警察の役割も果たした。

1912年の春，朝鮮南部の村に，東洋拓殖会社（東拓）の社員が，日本軍の憲兵を連れてやってきました。社員たちが水田の境界に，次々に杭を打ち込んでいくと，農民たちは激しく抗議しました。東拓は，農民が土地の所有権をめぐって，地主と争っていたことに目をつけ，時価200万円もする土地を，わずか8万円で買い取りました。

農民たちは，東拓には小作料を払わず，土地を返せと裁判を起こしました。憲兵700人が出動して，農民130人以上を投獄しました。さらに，小作料支払いを拒否する農民たちは，木刀でなぐるなどの暴力をふるわれ，死者が出るほどでした。裁判所は，農民たちの主張をしりぞけ，東拓の土地所有権を認めました。

朝鮮総督府は，土地の所有権をはっきりさせ地租を決めるためとして，1910年から，朝鮮全土で土地調査事業をすすめました。そのなかで，東拓は，1914年までに，7万ヘクタール以上の土地を手に入れました。

■ 朝鮮総督府による支配

土地調査事業と朝鮮人
土地調査事業では，本人の申告によって土地の所有者を決めた。新しく税金をかけられることを恐れて手続きしなかった人，複雑な書類を出せなかった農民も多かった。日本の事業への反発もあった。
また，これを利用して，土地を買い集めた朝鮮人地主もいた。

1910年8月，日本は韓国を併合して韓国を朝鮮と改めて植民地とし，朝鮮総督府という役所を置きました。朝鮮総督には，日本の陸海軍の大将を任命しました。天皇が直接任命する朝鮮総督は，軍事権だけでなく，朝鮮の統治権をすべてにぎりました。

③朝鮮の学校の二人の教師（1929年）／黒板には，「天皇陛下ニハ赤坂離宮ニ特設農田ヲ設定ナサレ…」と書かれている。

④朝鮮の普通学校で使われた教科書「普通学校国語読本」（1923年）

日本軍の憲兵は，朝鮮人の日常生活にまで干渉しました。人びとは「憲兵によって犯罪は減ったけれど，村にやってくると，やたらと暴力をふるう」と，批判しました。道路の改修で便利になることを歓迎した人もいましたが，そのために働かされ，道路が通る土地や家屋が没収されたこともあって，不満が高まりました。

■ 学校がつくられる

1911年，朝鮮総督府は，朝鮮での教育の目的を定めました。日本国内と同じように，教育勅語にもとづき，子どもたちを「天皇の臣民」とすることでした。全土に四年制の普通学校がつくられました。男子の就学率は，1910年代の5％前後から，1920年代後半には25％を超えました。女子は3年でも卒業できるとされましたが，就学率は，1920年代後半に5％ほどでした。

学校では，修身と国語（日本語）が中心で，朝鮮語および漢文・算術・理科・唱歌・体操・図画・裁縫などの教科も教えました。子どもたちは，一部の教材をのぞいて，日本語で書かれた教科書で学びました。

一方，書堂とよばれる，漢文やハングルを教える村の学校に通う子どもたちもいました。

朝鮮をめぐる動き

年	できごと
1894年	日清戦争が始まる
1895年	朝鮮の王妃が日本兵などに殺される
1896年	朝鮮国王・高宗が，日本のおどしを避けてロシア公使館に移る
1897年	独立協会が，朝鮮の自主独立を守ることを決議する
〃	国号を大韓帝国とする
1904年	日露戦争が始まる
1905年	日本の保護国とされる
〃	義兵運動が激しくなる
1910年	日本が韓国を併合する

― 増える日本人 ―

1905年，日本は韓国の外交権を奪って保護国とし，支配を強めた。こうしたなかで，役人・軍人・警察官・教師や商工業者などの多くの日本人が，朝鮮に移り住むようになった。日本人は京城（ソウル）や釜山・仁川などの都市の居留地にかたまって暮らし，朝鮮人とはあまり交流しなかった。日本人の子どもが通う小学校も，1905年の18校から1910年末には128校に増えた。

韓国併合のあと，それまでの居留地制度を廃止し，日本人と朝鮮人に，同じ法律を適用することになった。当時，朝鮮にいた日本人の多くは，自分たちは朝鮮人とは違うという考えから，この政策に強く反対した。朝鮮人を一段低く見て，人力車の料金を朝鮮人の車夫に投げつけ，「足りない」と言われると，「朝鮮人のくせに」と暴力をふるう日本人もいた。

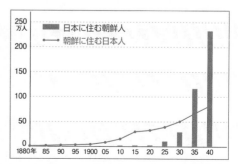

⑤朝鮮人と日本人の人口移動

(10) Present day methods of reeling sllk from cocoons

①製糸工場／1918年以前に発行された絵はがき。

②『あゝ野麦峠』の表紙／工女の経験者から取材をしたルポルタージュ。〈KADOKAWA〉

（6）生糸と鉄 ──日本の産業革命──

冬の野麦峠を少女たちが越えていく。生糸の輸出が増え，日本の産業や社会はどう変化したか。

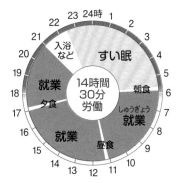

③ある製糸工女の一日
（1901年調査）〈『職工事情』による〉

	4月1日	4月2日	4月3日
朝	香物	香物	香物
弁当	ズイキ	メザシ	水菜茎
夕	ネギ揚豆腐	千切 そら豆	おしずし
病室	ネギ揚豆腐	玉子 千切	高野豆腐 玉子

＊主食は米と麦を混ぜて炊いた麦飯

④紡績工場の寄宿舎の献立（1901年調査）
〈『職工事情』による〉

育ちにくかった子ども

・出産数　　　　　　　938人
・死産数　　　　　　　110人
・4歳までに
　死亡した子の数　　　278人
　（茨城県弓馬田村1905〜1909年）

■ 吹雪の峠を越えて

日清戦争のころから，年の暮れになると，長野県と岐阜県の境の野麦峠には，少女たちの列が続きました。製糸業が盛んな，長野県岡谷などの工場で働く工女たちです。正月休みを過ごすため，危険な雪山を7〜8日かけて歩き，ふるさとの飛驒（岐阜県）に帰るのです。12歳未満の子もいました。「給料をわたすときの，親の喜ぶ顔を思いえがいて歩いた」と，のちに工女の経験者は語っています。

工場にもどると，少女たちに求められたのは，決められた細さの光沢のある生糸を，多く生産することでした。毎日，成績が発表されました。生糸の質が悪く，生産量の平均を下回った工女の賃金は減らされ，成績の良かった工女の賃金に上乗せされました。工場では，体罰も行われました。狭い宿舎の部屋では，結核が伝染しました。

■ 村の風景

製糸工場で働いた少女たちの多くは，小作農の娘でした。飛驒の小作農は，収穫の約6割を地主に納めていました。工女たちの賃金は，苦しい家計を助け，借金を返すのに使われました。

1902年，日本の農家の約28％が小作農で，自作地をもつ家をふくめて，農家の3分の2は地主から土地を借りていました。

農村で生産する米や繭は，価格の変動をうけやすく，不景気になると収入が減るため，土地を手放す人が増えました。一方，地主のなかには，富をたくわえ，工場経営や投資をする人もでてきました。

⑤農作業を終えて，多摩川の渡し船を待つ家族〈和田英作『渡頭の夕暮』（1897年）東京藝術大学蔵〉

　鉄道の発達で，都市との行き来が盛んになると，農村の生活も変化します。ふだんでも足袋をはき，正月や婚礼に絹の晴れ着を着る人が増えました。瓦ぶきの屋根が増え，畳や石油のランプが普及しました。

■ 漁村にできた製鉄所

　日本では1880年代後半から，工業の生産が急速にのび，社会が変化する産業革命が進行しました。まず，紡績・製糸などの軽工業の生産が増え，生糸の輸出などが大きくのびました。しかし，兵器・鉄道・機械などの素材となる鉄鋼の大部分は，欧米諸国から輸入していました。

　そこで，政府は，軍備を拡張するためにも，鉄鋼を国内で生産したいと考え，1897年，九州の八幡村（福岡県北九州市）という漁村に，大規模な官営八幡製鉄所の建設を始めました。建設費には，日清戦争で得た賠償金の一部を当てました。原料の鉄鉱石は，中国や朝鮮の鉄山から安く買い入れ，石炭は筑豊炭田（福岡県）のものを使いました。

　産業革命がすすむなか，三菱，三井，住友など，財閥とよばれる一部の資本家が，大きな力をもつようになっていきました。

　三菱は，1874年の台湾出兵のとき，兵士と食料を輸送したことをきっかけに海運業を発展させました。また，各地に鉱山をもち，石炭や金・銀・銅などを輸出しました。このような財閥は，銀行・商社・鉱山などを中心に多くの会社を経営し，日本の経済を支配するようになります。

社会主義運動と大逆事件

　労働者が増えると，労働条件の改善を求める労働運動が活発になった。1901年には，日本で最初の社会主義政党・社会民主党が結成されたが，政府によって解散させられた。

　1910年，明治天皇の暗殺を計画したとして，幸徳秋水をはじめ，多くの社会主義者たちが逮捕され，12人が処刑された（大逆事件）。現在では，秋水ら多くの人が無実だったことがわかり，名誉の回復がはかられている。

	氏 名		所 得
1	岩崎久弥	三菱財閥	121.4
2	三井八郎右衛門	三井財閥	65.7
3	前田利嗣	元大名家	26.6
4	住友吉左衛門	住友財閥	22.1
5	島津忠重	元大名家	21.8
6	安田善次郎	安田財閥	18.6
7	毛利元昭	元大名家	18.5
8	大倉喜八郎	大倉財閥	14.3

単位：万円

⑥1898年の高額所得者／100円あれば家が建つといわれていた。

― 足尾銅山の鉱毒被害と田中正造 ―

　1877年，古河市兵衛は，足尾銅山（栃木県）の経営をはじめた。近代的な設備を整えて生産をのばし，国内銅生産の4分の1を占めるようになった。銅は，電線や砲弾の製造に盛んに使われた。

　しかし，銅山から出る排水に，有毒な銅の化合物が含まれていたため，渡良瀬川の魚が大量に死んだ。銅山から出る亜硫酸ガスは，山林を枯らした。さらに，銅山の施設や燃料にする木材をえるため，樹木を大量に伐採したので，山は雨水を食い止める力を失った。1890年，渡良瀬川で大洪水がおこり，農作物は鉱毒水につかって大被害を受けた。

　栃木県の衆議院議員・田中正造は，鉱毒被害について，帝国議会で政府の責任を追及した。銅山の操業停止や損害賠償を求める運動は大きくなり，1900年，東京に陳情に向かう住民と警察官が衝突する事件が起きた。翌年，正造は議員を辞職して，天皇に直接訴える行動を起こした。その後も正造は，生涯をかけて足尾鉱毒問題に取りくんだ。

⑦田中正造（1841〜1913）〈佐野市郷土博物館蔵〉

① フランス軍のざん壕（1917年）

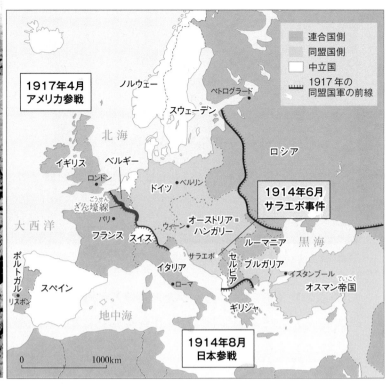

② 第一次世界大戦のヨーロッパの戦場

地図内の表記：

連合国側
同盟国側
中立国
1917年の同盟国軍の前線

1917年4月 アメリカ参戦

1914年6月 サラエボ事件

1914年8月 日本参戦

ノルウェー　スウェーデン　ペトログラード　北海　ロシア　イギリス　ベルギー　ロンドン　ドイツ　ベルリン　ごうせん ざん壕線　パリ　フランス　スイス　ウィーン　オーストリア＝ハンガリー　ルーマニア　黒海　大西洋　サラエボ　セルビア　ブルガリア　イタリア　ローマ　イズンブール　オスマン帝国 ていこく　ポルトガル　リスボン　スペイン　地中海　ギリシャ

0　1000km

（7）すべての力を戦争へ ―第一次世界大戦―

新兵器が使われ，兵士の戦い方はどう変わるのか。戦争を続ける国の国民の暮らしはどうなるか。

③ イギリス軍の戦車（1918年）

■ ざん壕と鉄条網と機関銃と

1914年，ヨーロッパで第一次世界大戦が始まりました。この戦争で死亡したドイツの学生兵士が，戦場のようすを手紙にのこしています。

「これ以上狂暴な戦いはありません。ここ，西部戦線のペルト付近では，何日もの間，1平方メートルの土地を激しく奪い合うのです。文字通り，血と屍にうめつくされます。3日間にドイツ軍は909名の損害を受け，敵軍は数千名の損害を出しました。青いフランスの軍服が，灰色のドイツ服と混じり合って死者が積み重なっています」

ドイツ軍・フランス軍は，スイス国境から北海までの約800kmにわたって，ざん壕を掘りました。何重ものざん壕と鉄条網・機関銃で，敵軍の突撃を防ごうとしました。ぼう大な武器・弾薬が投入され，多くの死傷者を出しました。

この戦争では，戦車・飛行機・潜水艦・毒ガスなどの新兵器が使われました。

■ ヨーロッパ列強の対立と衝突

19世紀末から，ドイツは急速に工業化をすすめ，市場と植民地を広げようとしました。ドイツは，すでに広い植民地をもっていたイギリスと，各地でぶつかりました。また，フランスとは，領土や鉄の資源をめぐって対立しました。

バルカン半島では，オスマン帝国（トルコ）の支配がおとろえ，民族

三国同盟
ドイツ・オーストリア・イタリア（同盟国）（イタリアは，領土拡大のため連合国側で参戦）

三国協商
イギリス・フランス・ロシア（連合国）

＊自国の側に参加させるためや，戦後の領土分配のために，秘密の外交が盛んに行われた。

④第一次世界大戦中につくられたポスター／左から，イギリス・フランス・アメリカ・イギリス領インド。〈東京大学大学院情報学環蔵〉

自立の動きが強まっていました。ここに，オーストリアとロシアが勢力をのばそうとして，対立を深めていました。

　1914年6月，バルカン半島のサラエボで，セルビア人青年が，オーストリアの皇太子夫妻を暗殺しました。これをきっかけに，オーストリアがセルビアに宣戦布告すると，両国と軍事同盟を結んでいた国が，次々に参戦し，連合国側と同盟国側に分かれて戦いました。1917年にはアメリカと中国も連合国側に加わり，第一次世界大戦は，かつてない規模の戦争になりました。

■ 国民も動員された

　1916年の冬になると，戦争に加わったヨーロッパの国々では，武器・食料・労働力の不足が目立ってきました。どちらの側でも，パン・ジャガイモや砂糖の配給を待つ長い行列ができました。

　男性が戦場に行ったため，女性が食料生産の中心になりました。武器や弾丸をつくる工場でも，多くの女性や少年が働きました。科学者・技術者も，新兵器の開発のために動員されました。

　第一次世界大戦は，すべての国民を動員する総力戦となりました。どの国でも，戦意を高めるための宣伝や教育が強められ，新聞・ポスター・映画が盛んに利用されました。

　それでも，戦争が長引き，多くの犠牲者を出したため，兵士の間にも，国民の間でも，戦争の終結を望む声が強まっていきました。

⑤戦死者の墓地（フランス）／ベルダンでは，10カ月間の戦闘によって，ドイツ軍・フランス軍合わせて70万人が死傷した。

第一次世界大戦のおもな国の戦死者

イギリス	90万8000人
フランス	136万3000人
ロシア	170万0000人
イタリア	65万0000人
アメリカ	12万6000人
ドイツ	177万4000人
オーストリア	120万0000人
（日　本	300人）
総戦死者数	850万人
総負傷者数	2100万人
総動員数	6500万人
※市民の死者数	1000万人

〈アメリカ陸軍省などによる〉

― アジア・アフリカと第一次世界大戦 ―

　イギリスの植民地だった東アフリカでは，「われわれの仲間を，白人同士の戦争に，兵士として送らないように要求する。白人の農場主・貿易商・宣教師・イギリスからの入植者を徴兵するべきだ」という声があがった。イギリスは，戦争に勝ったら自治をあたえると約束して，インドから120万人の兵士をヨーロッパに送り込んだ。

　フランスも，アフリカの植民地から，80万人の兵士をヨーロッパに送った。また，ベトナムから，兵士6万人と労働者18万人を送った。戦争のために米を取り上げ，税金を重くしたので，ベトナムでは反乱が起こった。

① 清華大学運動場（北京）に集まった学生たち（1919年5月9日）

（8）21カ条は認めない —日本の参戦と中国—

北京で学生たちは何を訴えたのか。このころ中国は，どんな内外の課題に直面していたのか。

② 山東半島と遼東半島（1914年）／
山東半島は，日清戦争のあと，ドイツが清から租借して，軍港をつくった。

③ 日本留学時代の魯迅（1881～1936）
（1909年　東京）／
魯迅は，日本に留学して医学の道をめざしたが，民衆の目覚めが大事だと考え，『阿Q正伝』『故郷』などの小説を書いた。

■ 声を上げる学生たち

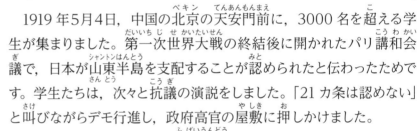

1919年5月4日，中国の北京の天安門前に，3000名を超える学生が集まりました。第一次世界大戦の終結後に開かれたパリ講和会議で，日本が山東半島を支配することが認められたと伝わったためです。学生たちは，次々と抗議の演説をしました。「21カ条は認めない」と叫びながらデモ行進し，政府高官の屋敷に押しかけました。

中国各地で，日本製品の不買運動が広がり，日本製品を集めて燃やしました。高価な日本製の自転車を，泣きながら火に投げ込む男子中学生もいました。学生や労働者の，抗議のストライキも行われました。

中国は，戦争で勝利した連合国側の一員でしたが，パリ講和会議で，中国の主張が無視されたことに，人びとの不満がいっそう高まっていました。

■ 民族独立、国民主権、生活の向上を

日清戦争のあと，中国では日本にならって近代化をすすめようという動きが広がり，多くの中国人が日本を訪れました。孫文も，その一人でした。孫文は，アジアの連帯をめざす日本人たちの支援を受けて，1905年に東京で，中国同盟会を結成しました。清を倒して，近代国家をつくり，民族独立をめざす人たちの力を集めるためでした。

1911年，長江中流域にある武漢で，軍隊が反乱を起こすと，革命のうごきは各地に広がり，清からの独立を宣言しました（辛亥革命）。翌年，孫文を臨時大総統とする中華民国を建国し，清は滅びました。

孫文は，政治の安定のために，清の有力な政治家・軍人であった

④ 孫文（1866〜1925）（中央の洋服姿　1913年）／辛亥革命を支援した日本人の家族とともに撮影。〈荒尾市宮崎兄弟資料館蔵〉

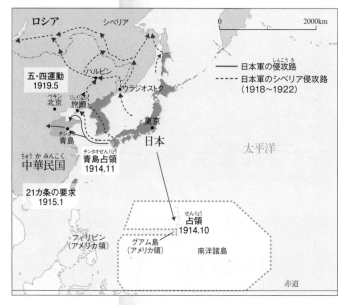

⑤第一次世界大戦と日本

袁世凱に，政権をゆずりました。中国で初めての国会選挙が行われ，民主的な政治によって，経済的な不平等をなくすことがめざされました。選挙の結果，袁世凱に反対する議員が多数となりましたが，袁世凱はそれを無視して，独裁的な政治を行うようになりました。

■ 山東半島を取りもどす

5　第一次世界大戦が始まると，日本は，日英同盟を理由に，ドイツに宣戦布告をしました。そして，ドイツの拠点であった山東半島の青島を占領しました。さらに1915年，日本は，21カ条の要求を中国政府に提出しました。これは，山東半島のドイツ利権を日本にゆずりわたすことや，満州などの新たな利権を求めるものでした。日本が，要求を認めなければ軍事行動に出るとせまったため，中国政府は，日本人顧問などの採用を内容と10　する第五号をのぞいて，要求を受け入れました。

中国の人びとの間に，21カ条の要求を認めた袁世凱を，強く批判する声が上がりました。同時に，日本への失望や不満が広がりました。日本にいた中国の留学生たちは，抗議のために，集団で帰国しました。

15　1919年，領土の返還を求める声はさらに強まり，中華民国で最初の大規模な民族運動となりました（五・四運動）。山東半島だけでなく，日本が日露戦争以後に租借していた，遼東半島の旅順や大連を，取りもどそうという声も高まりました。こうした民族の独立を求める動きのなかで，ワシントン会議ののちに，山東半島は中国に返還されました。

21カ条の要求

第一号　山東半島のドイツ利権を，日本に譲りわたす。

第二号　日本が旅順・大連（遼東半島）を租借する期間を99カ年延長し，南満州などの利権を認める。

第四号　中国の港湾・島を日本以外の国へ割譲・租借することを禁止する。

第五号　日本人の政治・財政・軍事顧問と日本人警察官を採用する。

（一部要約）

ワシントン会議

1921〜1922年，日本・アメリカ・イギリス・フランス・イタリア・中国など9カ国が参加し，ワシントンで開催された会議。参加国の軍備縮小や，中国の主権尊重などが確認された。

― 辛亥革命後の変化 ―

1912年，清にかわって中華民国が成立すると，人びとの生活も変化していった。清の支配の象徴であった弁髪を，多くの人たちが切り落とした。服装も，中山服や，丈の短い上着とスカートなどに変わっていった。

1914年，第一次世界大戦が始まって欧米諸国の経済支配が弱まると，中国人の経営する工場や商店も発展していった。

⑥弁髪を切り落とす中国人

① ロシアの首都ペトログラード（サンクトペテルブルグ）でのデモ行進（1917年3月8日）／横断幕には「子どもを養え／家族を守れ」（左）「兵士の家族に, 食料の配給を増やせ／自由を守れ／人民に平和を」（右）と書かれている。

（9）パンを、平和を、土地を ─ロシア革命と平和─

ロシアの女性たちは何を訴えたか。ロシアはどうなるか。戦後人びとはどんなことを願ったか。

パン	16倍
ジャガイモ	20倍
砂糖	27倍

② 戦争前と1917年10月の物価の比較

③ レーニン（1870〜1924）／1922年, ソビエト社会主義共和国連邦（ソ連）が建国されたとき, 初代の首相となった。

ソビエト

1905年に, 皇帝の政治に反対する運動が起こったあと, 労働者・農民・兵士の代表が話し合う会議がつくられた。「ソビエト」は, ロシア語で「会議」を意味する。

■ パンを求めて

フォーカス

1917年3月, ロシアの首都ペトログラードで, 女性たちが先頭に立った大規模なデモが行われました。戦争に行った兵士の帰還と, パンを要求する横断幕を掲げて行進しました。デモや労働者のストライキは数日間続き, 参加者は日に日に増えていきました。

長引く第一次世界大戦は, 国民の生活を圧迫していました。女性たちは, 厳しい寒さのなか, パンを買うために長い時間, 行列しなければなりませんでした。一人で買える量が決まっていたため, 子どもたちもいっしょに並びましたが, 手に入らない日もありました。首都でも, 小麦粉のたくわえはわずかとなり, 燃料も赤ん坊のミルクも十分にいきわたらなくなりました。

■ 戦争からの脱出

兵士たちは, デモの鎮圧の命令には従わず, 武器庫・駅・役所, さらには宮殿を占拠しました。こうした兵士の反乱や労働者のストライキによって, 皇帝は退位に追い込まれました。代わって, 議会制度の確立をめざす臨時政府がつくられましたが, 人びとの願いに反して, 戦争を続けました。

社会主義をめざすレーニンたちは, すぐに戦争をやめようと訴えました。1917年11月, 武器をとって臨時政府を倒すと, 権力をにぎってソビエト政府をつくりました（ロシア革命）。レーニンは「平和に関する布告」を発表し, ただちに戦争をやめることをよびかけました。1918年3月,

5

10

15

④第一次世界大戦後のヨーロッパと西アジア・北アフリカ

ソビエト政府はドイツと講和条約を結び、戦争から脱け出しました。

イギリス・フランス・アメリカなどは、1918年、軍隊を送ってソビエト政府を倒そうとしました。日本も、シベリアに約7万の軍隊を送りました（シベリア出兵）。

ロシア革命は、世界で初めての社会主義革命でした。ソビエト政府は、地主の土地を農民にあたえ、工場や銀行を国有にすることを宣言しました。この革命の影響もあって、世界各地で、植民地の独立を求める運動や、労働者の権利を求める運動が強まりました。

■ 大戦が終わったのちに

1918年、ドイツでは革命が起こって皇帝が退位し、連合国に降伏しました。これにより、第一次世界大戦は終わりました。

翌年に、パリ講和会議が開かれ、ベルサイユ条約が結ばれました。この結果、ドイツは植民地を失い、戦勝国に巨額の賠償金を支払うことになりました。また、民族自決を唱えていた、アメリカ大統領ウィルソンの提案にもとづき、東ヨーロッパの国々の独立が認められました。しかし、アジア・アフリカの植民地の独立は認められず、日本の21カ条の要求を取り消すことを求めた、中国の訴えも退けられました。

1920年、国際平和と国際協調のために、国際連盟が設立され、日本をふくめて42カ国が参加しました。しかし、アメリカは国内の反対で参加せず、ソ連やドイツは後になって加盟が認められました。

■ 軍縮と平和への努力

大戦後も、軍事費の増大は、各国にとって大きな負担でした。日本でも、国家予算に占める軍事費の割合は50％ほどになっていました。そこで、1921年から、アメリカのよびかけで、ワシントン会議が開かれ、各国は海軍力を縮小する条約に調印しました。また、中国の主権を尊重することを決め、日本は中国に山東半島の利権を返しました。

その後も、軍備縮小と平和への努力は続けられます。1928年、パリ不戦条約では、戦争を放棄し、紛争を平和的手段で解決することを決めました。1930年には、ロンドンで、海軍軍縮条約が結ばれました。

⑤スターリン（1878～1953）／レーニンのあと指導者となったスターリンは、1928年、5カ年計画を実施した。重工業を中心とした工業化と、農業を集団農場で行う政策を強行した。政策に反対した人たちや、スターリンを批判したとみなされた多数の人たちが、収容所に送られたり処刑されたりした。

軍備縮小と平和への動き	
1920年	国際連盟の設立
1922年	ワシントン海軍軍縮条約
	九カ国条約（中国の主権尊重）
1928年	パリ不戦条約（戦争の放棄）
1930年	ロンドン海軍軍縮条約

①タプコル公園（ソウル）のレリーフ／
柳寛順を描いている。

②逮捕された柳寛順
（1902・1904〜1920）出生年
は二つの説がある。
〈韓国国史編纂委員会蔵〉

（10）独立マンセー ―民族運動の高まり―

朝鮮で独立マンセーの声はなぜ上がったのか。他民族に支配された地域でどんな動きがあったか。

■ 独立マンセー（万歳）の叫び

　1919年4月，京城（ソウル）から約100km離れた並川という町の市場に，およそ3000人の人びとが集まっていました。「3月1日に，京城で独立が宣言された。私たちも独立万歳を叫ぼう」という演説があり，太極旗がふられました。人びとは，いっせいに，「独立マンセー（万歳）」と叫びました。このなかに，女子学生柳寛順も加わっていました。

　柳寛順は，京城で，友だちと3月1日のデモに行こうとしましたが，学校が禁止したため，参加できませんでした。ふるさとの町で，両親といっしょに集会に参加しました。日本の憲兵隊が，集まった人びとに向かって発砲し，両親は殺されました。柳寛順も逮捕されて，裁判にかけられ，翌年10月，刑務所に入れられたまま死亡しました。最後まで，朝鮮独立の意志をすてなかったといわれます。

■ 広がる三・一独立運動

　朝鮮全土の，都市でも村でも，盛んに集会が開かれ，独立を宣言する運動が行われました。この運動には約110万人が参加し，4月末までに1200回以上のデモが行われました（三・一独立運動）。

　朝鮮総督府は，この運動を武力で弾圧しました。そのため，運動は激しくなり，逮捕されたデモの指導者を取り返そうと，憲兵駐在所を襲ったり，役所や警察署を襲撃したりしました。

　また，運動のなかで多くの人が，酒税・煙草税などの新しい税の廃止を訴えました。外国種の綿花や日本の桑の栽培を強制された農民や，漁

三・一独立宣言

われらはここに，わが朝鮮国が独立国であること，朝鮮人が自由の民であることを宣言する。これを世界万国に告げて，人類平等の大義を明らかにし，子孫に告げて民族自存の正当な権利を永久に享有させようと思う。

……こんにちわれわれが朝鮮独立をはかるのは，朝鮮人に対しては民族の正当なる繁栄を獲得させるものであり，日本に対しては邪悪なる路より出でて，東洋の支持者としての重責を果たさせるものであり，中国に対しては不安や恐怖から脱出させようとするものである。

（一部要約）

③ 映画『アリラン』の1シーン／1926年10月1日，落成式が行われていた朝鮮総督府庁舎の近くにあった映画館では，映画『アリラン』が封切られた。大勢の人びとが押しよせ，最後に弁士が朝鮮民謡の「アリラン」を歌うと，みんながいっしょに歌ったという。

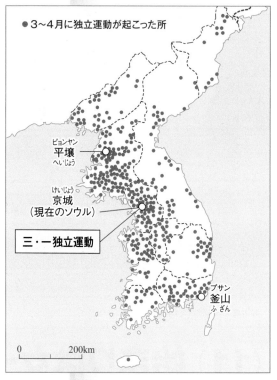

④ 三・一独立運動（1919年）

業権を奪われた人たちも，抗議の声を上げました。

日本政府は，陸軍部隊を増やして，運動をおさえようとしました。しかし，独立を求める人たちが集まって，中国の上海で大韓民国臨時政府をつくるなど，各地で独立運動が続きました。

■ 民族自決を求める世界の動き

エジプトでは，1919年3月，イギリスによる植民地支配を終わらせようと，大規模なストライキが始まりました。学生・商人・農民・労働者など，女性をふくむ，あらゆる階層の人びとが参加しました。指導者が一時逮捕されましたが，独立運動は続き，1922年，イギリスはエジプトの独立を認めました。

ポーランド人のマリー＝キュリーは，フランスで放射線を研究していましたが，1898年に発見した新しい元素を，ポロニウムと名づけました。ロシアに支配されていた祖国ポーランドの存在を，世界に知らせるためでした。ポーランドは，1918年，独立を回復しました。

スルタンガリエフは，ロシアに支配されていた草原の町・ウファ（現在のロシア・バシコルトスタン共和国の首都）で生まれました。ロシア革命に参加し，ソビエト連邦が成立すると，テュルク系の諸民族が統一して自治政府をつくることを主張し，ムスリム（イスラム教徒）の団結をよびかけましたが，ソビエト政府によって処刑されました。

⑤ エジプトの独立運動（1919年）

― ガンジーの非暴力主義 ―

インドでは，第一次世界大戦のとき，イギリスの求めに応じて，多数の兵士や労働者がヨーロッパに渡り，戦場で戦った。大戦後，イギリスからの独立を求める運動が広まった。その中心となったガンジーは，イギリスの植民地支配を支える塩の専売制度に反対し，380kmにおよぶ「塩の行進」を実施した。

ガンジーは，「暴力はけだもののやり方であり，非暴力は人間のやり方である。インドは強いからこそ，非暴力を実行するべきだ」と説いて，非暴力・不服従による独立運動をすすめた。

⑥ 「塩の行進」（1930年4月）／行進後，泥まじりの塩のかたまりをつかむガンジー。

① 名古屋の米騒動〈徳川美術館蔵〉

（11）始まりは女一揆 ──米騒動と民衆運動──

富山の女性たちが米屋に押しかけた。何を求めたのか。なぜ騒動は全国に広がったのか。

■ 米俵のゆくえ

1918年7月，富山県東水橋町（富山市）の港で，荷を運ぶ仕事をする女性たちが，山と積まれた米俵を前に，考え込んでいました。米はたくさんあるのに，なぜ米の値段が上がり続け，こんなに生活が苦しいのか。女性たちは，米が他の地域に運び出されるために，米価が上がるのだと考えました。

そこで，米商人に，「米をよそ（他県など）へやらんといてくれ」と要求しましたが，聞き入れられません。そのため，数百人の女性たちが，実力で米の船積みを中止させ，安売りを求めて米屋に押しかけました。

■ 米屋に向かう民衆──米騒動

第一次世界大戦中，日本経済は飛躍的に発展しました。アメリカへの生糸の輸出や，ヨーロッパから輸入がとだえたアジアへの，綿織物などの輸出が増え，造船・鉄鋼・化学肥料など重化学工業も発展しました。この好景気で，物価は大きく上昇しましたが，賃金はそれに見合うほど上がりませんでした。政府がシベリア出兵を発表すると，米が買い占められ，米価はさらに高くなりました。

8月，富山県の女性たちの行動が新聞で報道されると，米の安売りを求める運動が広がります。たとえば名古屋では，鶴舞公園に，だれかがよびかけたわけでもないのに，たくさんの人が集まり，多い日は5万人にもなりました。その多くは労働者や職人でした。集まった人びとは，安売りを求めて米屋に向かい，警官隊と激しく衝突しました。軍隊も出動し，多数の負傷者や逮捕者が出ました。

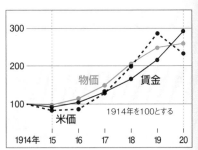

② 米価・物価・賃金の変化

収入	36円
支出	44.2円

支出のうちわけ	金額（円）
家賃（6畳と3畳）	7.5
米（1升で40銭）	14.0
薪・炭	2.6
みそ・しょうゆ	1.9
副食	7.0
衣服・はき物	4.0
銭湯（5日に1回）理髪	1.3
子どもの小づかい	1.8
新聞	0.5
その他	3.6

③ ある工場労働者の1カ月の家計／家族は妻と6歳と4歳の子ども。午前6時から12時間の労働。〈「東京日日新聞」1918年〉

⑤木崎村農民組合の小学校建設／小作争議のなか，農民たちが学校をつくり運営した。
〈木崎村小作争議記念碑保存会蔵・新潟市北区郷土博物館提供〉

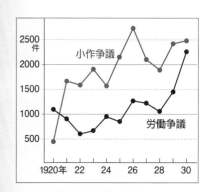

④川崎・三菱造船所の労働争議（1921年神戸）／デモ行進の列は8kmにおよんだ。
〈毎日新聞社提供〉

　このような民衆の動きは，名古屋だけでなく，大阪・神戸・京都・東京・横浜など全国に広がりました（米騒動）。政府は，新聞社に米騒動の記事を書くことを禁止し，のべ10万人の軍隊を，各地に出動させました。植民地だった朝鮮でも，米騒動が起こっています。

5　9月，米騒動の責任を問われ，寺内正毅内閣は退陣しました。

■ 働く人びとの声が高まる

　第一次世界大戦後は，ヨーロッパの経済が復興して，日本の輸出が減少し，日本は不景気になりました。こうしたなかで，労働者の働く条件の改善を求める労働運動が盛んになります。労働組合の数が急増し，賃金の引き上げや労働時間の短縮などを求める，労働争議が起こりました。

10　1920年には，第1回メーデーが開かれ，翌年，労働運動の指導や支援を行う，日本労働総同盟が結成されました。

　農村では，収穫の半分以上を地主に納めていた農民たちが，小作組合をつくり，団結して小作料の減免などを求めるようになります。1922年，新潟県木崎村では，組合が小作料を2割引き下げることを要求しました。

15　これに応じないで，裁判所に訴える地主もいました。各地の小作組合を指導していた日本農民組合がこの小作争議を応援し，争議は8年も続きました。

⑥労働争議と小作争議の件数
〈『完結昭和国勢総覧』による〉

メーデー
　1886年5月1日，アメリカ合衆国で，労働組合が8時間労働を要求して統一ストライキを行ったことから，労働者が団結を示す行事として，世界に広まった。

― 少女たちの労働争議 ―

　1927年，岡谷（長野県）の製糸工場で，労働争議が起こった。労働者たちは，会社に次のような要求を出した。

　「労働組合に入る自由を認め，組合に入ったことで差別や解雇をしないでほしい」「賃金を上げてほしい」「食事や衛生を改善してほしい」

　会社が要求を認めなかったため，平均17歳の工女たち1213人は，いっせいに労働をやめるストライキに入った。12歳の少女もこれに参加した。会社は，親に連絡して娘を引き取らせ，外に出ていた工女を寄宿舎からしめ出した。多くの工女が解雇されて争議は終わったが，そののち，ほかの工場では食事が改善され，賃金が引き上げられるようになった。

① 少女運だめし双六／
ふりだしは「学校時代」。将来なりたい職業を,それぞれ上りに選んで遊ぶ。
〈『少女世界』付録　1927年　築地双六館蔵〉

② 新案少女双六の上り／
「生け花」「読書」「琴」「掃除」「裁縫」などをへて,「子どもに囲まれた母」が上りとなる。
〈『少女画報』付録　1916年　築地双六館蔵〉

（12）女性は太陽だった ―社会運動の広まり―

平塚らいてうは，元始，女性は太陽だったと宣言した。権利を求める運動はどう広がっていくか。

教育の制度

1907年に，小学校6年間を義務教育とした。小学校卒業後の進学先には，高等小学校2年，中学校（男子）5年，女学校4～5年などがあった。女学校への進学率は，1920年に9％，1925年には15％近くになった。

■ 月のように生きたくはない

平塚らいてうは女学校を卒業後，設立されたばかりの日本女子大学校に入学し，哲学や文学の本に読みふけりました。1911年，25歳のとき，女性の作家や詩人の作品を掲載する文芸雑誌『青鞜』を創刊します。雑誌の編集や販売の仕事なども，女性たちが行いました。創刊号で，平塚らいてうは「元始，女性は実に太陽であった」と宣言します。

当時，女性には選挙権も財産権もなく，自分の意思で結婚する自由もありませんでした。太陽である男性に従い，月のように生きることが，女性のあり方だとされていたのです。『青鞜』は，このような考えや制度を打ち破り，女性の人間としての可能性を開かせようと，よびかけました。

新聞や雑誌は『青鞜』を激しく非難しましたが，女性たちからは共感の手紙が多く寄せられました。

■ 女性たちが団結すべきときがきた

このころ，多くの女性が社会で働いていました。1920年の第1回国勢調査では，男性の就業者1699万人に対し，女性就業者は1027万人でした。女性では，農業や紡績・製糸工場で働く人が多数を占め，タイピストや電話交換手など，新しい職業につく人も大勢いました。

こうしたなか，1919年，平塚らいてうと市川房枝は，女性の社会的地位を向上させるために，女性の団結を訴え，新婦人協会をつくりました。

③ 平塚らいてう（右）と市川房枝（左端）／新婦人協会の活動に協力する男性も多く，集まった署名の4割以上が男性のものだった。

④演説する山田孝野次郎（1924年　大阪）
〈朝日新聞社提供〉

当時，女性は政治集会を主催することも，参加することも法律で禁止されていました。そこで，新婦人協会は，この法律の改正を求めて署名を集め，ねばり強く請願を続けました。その結果，1922年に法律が改正されて，女性も政治集会を主催し，参加できるようになりました。以後，女性の選挙権を求める運動がすすみました。

■ 嘆きのもとを打ち破る

被差別部落の人びとに対する差別は続いていました。被差別部落の古くからの産業であった皮革業などは，大きな資金をもつ人たちが進出してきたためにおとろえ，生活は厳しくなっていました。

1922年，奈良県の青年たちは，全国の被差別部落に団結をよびかけ，全国水平社の設立大会を開きます。大会では，部落差別の廃止と人間の尊厳の回復をうたう「水平社宣言」が読み上げられました。

一方，社会主義運動は，政府に厳しく取り締まられていました。しかし，第一次世界大戦後，社会主義者の活動は，ロシア革命の影響や，労働運動の高まりのなかで活発になりました。1922年には，日本共産党が，政府の弾圧をさけるため，秘密のうちに結成されました。

⑤全国水平社大会への参加をよびかけるポスター〈法政大学大原社会問題研究所蔵〉

── 関東大震災 ── いわれなく殺された人びと ──

1923年9月1日，マグニチュード7.9の大地震が関東地方を襲った。建物がくずれ，強風を巻き起こす火災が発生して，死者・行方不明者は10万5000人にのぼった。東京市や横浜市では，多数の家屋が被災し，多くの避難民が出た。

地震後，「朝鮮人が攻めてくる」などの流言が広められ，軍隊・警察や，住民がつくった自警団によっておびただしい数の朝鮮人が虐殺された。数多くの中国人や，日本人の社会主義者も殺害された。

植民地だった朝鮮から働きにきていた曺仁承（当時21歳）は，避難した（旧）四ツ木橋（東京都）の近くで，消防組員につかまった。警察署に連れていかれる途中の橋の上には，多くの死体があった。警察署で彼は，逃げようとした朝鮮人8人が切り殺されるのを見た。60年後，曺仁承は橋があった場所を訪れて語っている。

「ここで，朝鮮人が3人たたき殺されたんだ。それを見たら，ほんとうに空が真っ黄色でね。息がとまってね。どうすることもできなかった。…人間が人間を殺すのは，よっぽどのことじゃないとできないよね。何もしないのに，働いて食うのに精一杯の朝鮮人にそんなことして，いくさでもないのに」

虐殺された朝鮮人の人数

約230人（当時の政府調査）や，約2610人（吉野作造調査），約6650人（日本にいた朝鮮人たちによる調査）などがある。虐殺された人数はさだまっていない。

⑥関東大震災〈『朝鮮人虐殺の図』国立歴史民俗博物館蔵〉

① 普通選挙権を求める集会とデモ行進（1923年　東京・芝公園）／2万人が参加した。

（13）デモクラシーの波 ―政党内閣と普通選挙法―

普通選挙を求める声が高まる。どんな人びとが求めたのか。普通選挙は実現したのか。

■ 普選だ！普選だ！

フォーカス

　1920（大正9）年，東京の国技館で，普通選挙権を求める集会が開かれ，労働者や学生3万人が集まりました。集会後のデモ行進は5万人にふくれあがります。人びとは「奴隷から人間へ」「われらに選挙権をあたえよ」と，叫びながら行進しました。

　大阪で開かれた集会では，労働組合が中心になり，「人格をもち，生産者である労働者は，選挙権をもつべきである」と宣言します。このような集会やデモ行進は，全国の各地で盛んに行われました。

■ 民主主義の高まり

　1912年末，議会とは関係なく，長州（山口県）出身の桂太郎の内閣が成立すると，政治家や新聞記者たちが，憲法にもとづく政治を守る運動を起こしました（護憲運動）。民衆が国会議事堂をとりまいて抗議するなか，桂内閣は50日あまりで総辞職に追い込まれました。
　政党の力は強まっていきました。1918年，衆議院で多数を占める立憲政友会の総裁・原敬が内閣総理大臣となり，本格的な政党内閣が成立しました。吉野作造は，「政治は民衆の幸福を目的とするべきで，どんな国家でも，民衆の参政権は当然の権利である」と主張しました。民主主義の動きが高まったこの時代の風潮を，大正デモクラシーとよんでいます。

■ 1250万票のゆくえ

　こうしたなかで普通選挙を求める運動が高まり，ついに1925年，普

② 吉野作造（1878～1933）／政治学者。雑誌や講演会を通して主張を広め，普通選挙運動に大きな影響をあたえた。
〈国立国会図書館蔵〉

政党政治
　原敬は，陸軍大臣・海軍大臣・外務大臣以外の大臣を立憲政友会から出し，本格的な政党政治が始まった。

立憲民政党（大阪3区）16211票当選　　立憲政友会（大阪2区）6349票次点　　労働農民党（香川2区）8946票次点　　日本労農党（兵庫1区）7823票当選

通選挙法が制定されました。納税額による選挙権の制限が取り払われ，25歳以上の男性は，衆議院議員選挙や地方選挙に参加するようになりました。ただし，同じ年に，天皇制を否定する考えや，社会主義を取り締まる治安維持法も制定されました。

5　有権者は330万人から，1250万人になりました。新しく有権者となった人たちは，おもに労働者や農民でした。労働者や農民の立場に立って，生活の向上をめざす政党が次々に結成されました（無産政党）。

1928年に実施された衆議院議員選挙の結果，無産政党は約50万票を獲得し，8人が当選しました。これに危機感をもった政府は，労働者や10　農民の運動への取り締まりを強めました。

■ 一票を手にできなかった人たち

市川房枝は，女性参政権を実現する運動を広げました。演説会を開き，署名を集めて議会に請願しました。運動は高まり，1931年に衆議院で，条件つきで女性の地方参政権を認める法案が可決されました。しかし，貴族院では反対論が根強く，女性参政権は実現しませんでした。

15　植民地であった台湾や朝鮮では，議会の選挙は行われませんでした。台湾の人びとは，台湾に議会を設置することを，日本の帝国議会に請願しましたが，この運動は，台湾総督府によって弾圧されました。

④女性参政権を求める5万枚の請願書
（1927年　東京・衆議院）

条件つき女性参政権法案
　市町村の選挙に限り，女性参政権を認めた。議員に当選した女性は，夫の同意を必要とするものだった。

**ハンセン病の元患者に対する
その後の施策**
　1953年に改訂された「らい予防法」も，1996年に廃止された。その後，国は元患者に謝罪し，2001年には，名誉の回復と補償を行う法律を制定した。

⑤ハンセン病患者収容施設の授業風景
（東京・全生園）〈国立ハンセン病資料館蔵〉

── 家族や社会から引き離されたハンセン病患者 ──

1931年，「癩予防法」が制定された。ハンセン病患者を残らず探し出して，強制的に施設に収容する政策がすすめられ，患者は自由を奪われた。施設では，大変な労働をさせられ，かえって病気がひどくなることも多かった。病気がなおった人も，再発の恐れがあるとして，施設から出さない方針がとられた。

この政策は，世界の流れと異なるものだった。「国際らい会議」は，ハンセン病の感染力は弱いことを確認し，「患者をできるかぎり，家族の近くにおいて治療する」「可能なかぎり，病院に通って治療する」と決議していた。

保健所や軍・警察によって，ハンセン病患者が拘束され，家が白くなるまで消毒するようすは，ハンセン病についての誤った理解を社会に植えつけ，患者と家族に対する差別を強めた。

[1] 年表の A から F にあてはまることばを，語群から選びノートに書きましょう。

1894 日清戦争が始まる	
1904 （ A ）が始まる	
1910 日本が韓国を併合する	
1914 第一次世界大戦が始まる	
1917 （ B ）が起こる	
1918 富山県から（ C ）が広がる	
1919 朝鮮で（ D ）が起こる	
中国で（ E ）が起こる	
1920 国際連盟が設立される	
1925 普通選挙法が制定される	
1928 パリで（ F ）が結ばれる	

語群
辛亥革命　不戦条約　ロシア革命　日露戦争　米騒動
三・一独立運動　五・四運動　ベルサイユ条約

[2] 下線のできごとが起こった場所を，地図の（　　　　）にB，D，E，Fの記号で入れましょう。

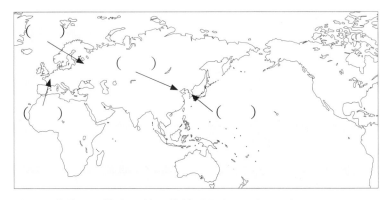

[3] 次の戦争の，①始まった年　②原因　③主な戦場　④戦死・戦病死数　⑤結果をまとめましょう。

日清戦争　　　日露戦争　　　第一次世界大戦

[4] 第一次世界大戦後に，世界では，日本では，人びとのどのような声が高まったでしょうか。ノートに書きだして，印象に残ることについて感想を書きましょう。

歴史を体験する　山本宣治の人物調べ

---

[1] 調べる人物を決める

　授業のとき，「なぜ戦争に反対できなかったのか」と疑問をもちました。

　先生は，「国民が自由に意見を言えなかったことも，理由の一つだ。治安維持法という法律で，取り締まったんだ」と答えてくれました。

　図書館で調べると，治安維持法に反対した国会議員がいたことがわかりました。その議員は，山本宣治という人でした。

[2] インターネットや本から調べる

　治安維持法とは，どんな法律だったのか，インターネットで調べると，くわしく書いてありました。図書館に，治安維持法について書かれた歴史の本があったので，借りてきました。

　小説家の小林多喜二が，警察署で拷問されて死亡したのも，治安維持法が原因だということもわかってきました。

　山本宣治について書かれた本を読むと，宣治は治安維持法に反対したために，命を失ったことがわかりました。

　出身地である京都府宇治市の市役所に問い合わせてみると，実家が，現在も，宇治で「花やしき」という旅館を営業しており，その近くに墓があることを教えてくれました。そして，宣治について研究している団体を紹介してくれました。

山本宣治(1889～1929)／
京都府宇治市出身の生物学者。「山宣」とよば
れ，親しまれた。

宣治と娘たち／2008年に，「花やしき」で発見された写真。

京都府宇治市にある宣治の墓と裏面の碑文

---

③ 新聞などの資料を集める

宣治が活動していたころの新聞を読むと，当時のようす
が伝わってきます。当時の雑誌やポスターなども良い資料
です。博物館や資料館で見ることもできます。

国立国会図書館のホームページでは，新聞のデータ検
索ができます。地域の図書館にも，新聞の縮刷版や古
い新聞のデータがあります。

こうして，たくさんの資料が集まりました。山本宣治
や，そのころの政治や社会のようすが，少し具体的に
つかめました。

④ 年表やポスターにまとめる

まず，その人物と政治や社会の動きについて年表を
つくってみました。写真，イラストなどを入れて，見や
すくカラフルなポスターにまとめました。

⑤ 発表する

調べた人物について，グループやクラスで，わかりやす
く発表しましょう。他の人の発表を聞いて，わかったこと
をメモしましょう。もっと知りたいことを，発表者に聞い
てみましょう。

第9章 第二次世界大戦の時代

大戦の終わりを迎えた世界

ⓘ 第9章の扉ページでは, 大戦の終わりを迎えた民衆の姿を写し撮りました。

日常生活がもどってきた
戦争が終わって, 戦場から恋人や家族のもとに帰ることのできた人たちは, 再び新しい人生をスタートさせました。

アメリカ合衆国

ポーランド

大西洋　フランス

1945年5月16日 パリ
1945年5月8日, ドイツが降伏してヨーロッパでの戦争は終わりました。一時ドイツに占領されたパリでは, 市民が広場や道路を埋めつくし, 戦争終結を祝いました。

1945年1月
アウシュビッツ強制収容所
ドイツは, ユダヤ人などを, 各地につくった強制収容所に入れて, 働かせたり, 殺害したりしました。ポーランドのアウシュビッツ強制収容所は, 1945年1月に連合国軍によって解放されました。

1945年8月16日 ソウル
日本がポツダム宣言の受け入れを発表した翌日，独立運動の指導者・呂運亨（ヨウニョン）は，ソウルの中学校で，集まった人びとの歓迎（かんげい）を受けました。日本の敗戦は，植民地支配からの解放を意味しました。

〈ヨウニョン先生記念会提供〉

太平洋

ちょうせん
朝鮮(日本領)

ちゅう か みんこく
中華民国

インド洋

1945年10月 横浜
集団疎開（しゅうだんそかい）していた子どもたちは，敗戦後，自分たちの住んでいた町にもどってきました。空襲（くうしゅう）によって，家族や家を失った子どももたくさんいました。

〈毎日新聞社提供〉

1945年8月 重慶（チョンチン）
重慶（チョンチン）は，国民政府の首都となったため，何度も日本軍の爆撃（ばくげき）を受けました。日本の降伏（こうふく）によって，満州事変（まんしゅうじへんいらい）以来15年におよぶ戦争が終わりました。大規模な戦勝パレードが行われました。

①ニューヨークの超高層ビル群／
奥は，当時世界一高いエンパイア・ステート・ビル。

②移民労働者／
エンパイア・ステート・ビルの建設現場。

③タイムズ・スクエアの自動車／
1920年代のニューヨークの人口は約
700万人。

（1）チャップリンが来た ―第一次世界大戦後の文化―

アメリカは自動車時代となった。チャップリンも来日。そのころ日本では何が人気だったか。

■ 馬車から自動車へ

1928年，ミッキーマウスが誕生し，ディズニー映画の人気者になりました。映画のなかで，ミッキーはミニーをダンスにさそおうと馬車で迎えにいきます。しかし，ミニーは山猫ピートの自動車の魅力にひかれて，こちらに乗ってしまいます。自動車時代の始まりです。

アメリカは，第一次世界大戦で戦場とならなかったため，戦後，最大 ⁵の経済大国になりました。ベルト・コンベアーの流れ作業で生産された自動車を，ローンで買い，家族でドライブを楽しむ人も増えました。大都市の豊かな家庭では，電気冷蔵庫やオーブンなども普及して，電化生活が広がり，大量生産・大量消費の時代が幕を開けました。

豊かで便利なアメリカ的生活様式は，映画などを通じてアメリカの農 ¹⁰村へ，さらに海外へと伝えられ，人びとのあこがれの的となります。しかし，実際に豊かな生活ができたのは，アメリカでも，まだほんの一部の人でした。

自動車生産台数 (1929年)	
アメリカ	459万0000台
フランス	21万0000台
イギリス	18万0000台
日 本	437台

④ ミッキーマウスの作者・ウォルト＝ディズニーと妻リリアン＝ディズニー（1935年）

■ 映画と流行歌

日本では，1920年代に大都市への人口集中がすすみ，東京市や大阪市の人口は200万人を超えました。郊外に住宅地が広がり，市内へ電 ¹⁵車で通勤する会社員（サラリーマン）が増えました。女性が，バスの車掌や電話交換手など新しい職業に進出し，職業婦人とよばれました。

⑤銀座資生堂の
宣伝うちわ（1932年）
〈資生堂企業資料館蔵〉

⑥浅草の映画街（1927年）／
右の建物（電気館）は、日本初の常設映画館。
〈台東区立下町風俗資料館蔵〉

　新聞は、戦争や災害などの報道によって発行部数をのばしました。また、大衆雑誌『キング』は100万部も売れ、これに連載された小説「東京行進曲」が、1929年に映画化されました。映画は、大衆に最も人気のある娯楽でした。映画と歌が結びついて、流行歌がつくられ始めます。映画『東京行進曲』の主題歌はレコードになり、25万枚を売り上げる大ヒットとなりました。

　1925年には、ラジオ放送が始まり、国内や世界のニュースを、すばやく全国へ伝えました。野球・相撲などのスポーツが中継放送され、音楽・落語などの娯楽番組が、人気を集めました。東京の都市生活を支える電気は、福島県の水力発電所などから送られていました。

■喜劇王チャップリン

　イギリスの貧民街で育ったチャップリンは、アメリカに渡って、俳優として成功し、ハリウッドで喜劇王とよばれるようになります。チャップリンが監督・主演する映画は、ヨーロッパや日本でも人気を集めました。

　チャップリンが演じる主人公チャーリーは、ホームレスです。貧しい人びとを励まし、金持ちや権力者を茶化して笑いとばします。

　1932年、そのチャップリンが初めて来日しました。5月14日、到着するチャップリンを一目見ようと、大勢の人が東京駅につめかけました。その翌日、チャップリンが会う予定だった犬養毅首相は、軍人たちに暗殺されてしまいます。チャップリンの名前も、暗殺リストに載っていたといわれます。

東京行進曲
西条八十作詞　中山晋平作曲

3. 広い東京　恋ゆえ狭い
　　粋な浅草　しのび逢い
　　あなた地下鉄
　　わたしはバスよ
　　恋のストップ　ままならぬ

4. シネマ見ましょか
　　お茶のみましょか
　　いっそ小田急で
　　逃げましょか
　　変る新宿　あの武蔵野の
　　月もデパートの屋根に出る

⑦チャップリン（『キッド』1921年）

―『モダン・タイムス』と『独裁者』―

　映画は無声のサイレントから、音声の出るトーキーへと変わっていった。しかし、チャップリンは、「言葉には国境があるが、声を出さないパントマイムには国境がない」として、サイレントにこだわった。『モダン・タイムス』（1936年作品）では、人間が時間にしばられ、ベルト・コンベアーや機械に振り回される姿を描き、産業社会の問題を鋭く風刺した。

　1940年には、初めてのトーキー『独裁者』をつくった。チャップリンは、独裁者ヒンケルとユダヤ人の床屋の二役を演じ、自由と民主主義の大切さを訴えた。この作品は、日本では当時は輸入が禁止され、1960年になって、初めて公開された。

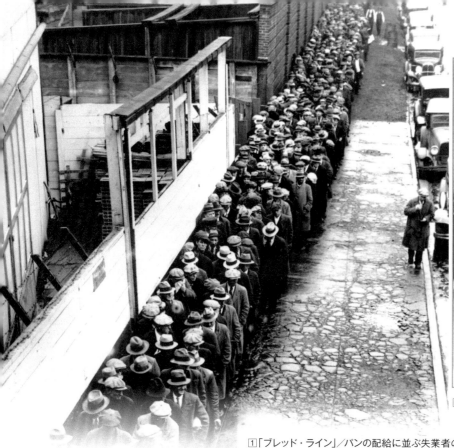

②ゼッケンをつけて歩く失業者（1935年　ロンドン）

①「ブレッド・ライン」／パンの配給に並ぶ失業者の列（1932年　ニューヨーク）

（2）世界中が不景気だ ──世界恐慌と経済政策──

キングコングが超高層ビルで吠えた。そのころ，アメリカ，イギリス，日本で何が起きていたか。

■ キングコングの怒り

　1929年になると，アメリカはそれまでの好景気から一転して，不景気のどん底におちいりました。

　映画では，『キングコング』が大ヒットしました。コングは巨大なゴリラですが，見世物にされて怒ります。そして，アメリカの繁栄を表すものとしてそびえ立つ，エンパイア・ステート・ビル（102階380m）によじ登り，頂上から牙をむきます。

■ 失業者1300万人

　不景気のきっかけは，1929年10月に起こった，株価の大暴落でした。大量に生産した製品が売れなくなり，多くの会社がリストラをすすめました。フォード自動車の労働者は，12万8000人から3万7000人に激減しました。多数の会社が倒産して失業者が街にあふれ，1933年には，およそ1300万人になりました（労働者総数は約5000万人）。

　また，銀行の破産があい次ぎ，多くの銀行がシャッターを下ろしました。このため，人びとは大切にしていた預金を失いました。

　一方，農産物の価格も下落しました。小麦は刈り取られずに畑に残されたままで，綿花も畑で大量にくさりました。この不景気は，ヨーロッパや日本，各国の植民地など世界中に広がりました（世界恐慌）。

　これに対してアメリカでは，ルーズベルト大統領のもとで，1933年か

③『キングコング』
（映画ポスター　1933年）

株価の暴落
1929年9月1日　896億6828万ドル
1932年7月1日　156億3348万ドル
（ニューヨーク証券市場の株価総額）

④徒歩で郷里へ帰る人びと
〈「東京朝日新聞」1930年9月3日〉

⑤東洋モスリン工場のストライキ（1930年東京）／食堂での集会につめかけた女子労働者。〈法政大学大原社会問題研究所蔵〉

ら公共事業をすすめて，失業者を救済するなどのニューディール政策をすすめました。またイギリスなどは，関係の深い国や地域との貿易拡大をはかり，それ以外の国との貿易を制限しようとする政策をとりました（ブロック経済）。

■ 徒歩で郷里へ帰る

5 　日本では，1930年ごろから，失業者たちが，東京などから徒歩で地方へ向かいました。鉄道の切符が買えず，子どもを連れて街道を歩いて郷里へ帰りました。世界恐慌は日本にもおよんできて，工場の倒産などで250万人が職を失いました。労働者はリストラや賃金引き下げに反対し，紡績工場などでは，女子労働者が団結して，労働争議を続けました。

10 　そのころの農家の多くは，蚕を育てて繭を売り，現金収入を得ていました。ところが，生糸の最大の輸出相手国アメリカへの売り上げが，大幅に減りました。繭の値段は半値以下となり，農家は大打撃を受けました。小作農は地主による土地取り上げに反対して，各地で小作争議を起こしました。

15 　また，1931年は冷害による凶作となり，とくに東北地方の農家は，毎日の食べ物にも困るほどでした。このため，欠食児童とよばれる，学校に弁当を持ってこられない子どもが増え，全国で20万人にもなることがわかりました。栄養失調や目の病気にかかる子どもも増えました。

1930年	46.4
1931年	42.1
1932年	45.3
1933年	76.4
1934年	31.1

⑥繭の価格
（1929年を100とする指数）
〈中村政則『昭和恐慌』による〉

⑦給食のおにぎりを食べる子どもたち
〈山下文男『昭和東北大凶作』〉

― 欠食児童と学校給食 ―

　文部省は，1932年9月から，予算を組んで臨時の学校給食を始めた。学校には給食設備はなかったので，教師がおにぎりなどをつくった。多くの子どもたちは，幼い弟や妹にも食べさせたいと，半分残して家に持ち帰った。この給食は欠食児童のためのもので，昼休みの教室は，弁当を持ってくる子どもと，給食を食べる子どもに分かれた。岩手県では，約16万人の児童のうち，1万2000人が給食を受けた（1935年）。
　帝国議会では議員が，軍事費を減らして東北の農村にまわすべきだと主張し，政府は農村対策の予算を組んだ。しかし，1935年には，軍事費は年間予算の47％を占めた。

②ヒトラー・ユーゲント集会の少年たち

①機関銃の実弾射撃訓練を見学するヒトラー・ユーゲントの少年

（3）ヒトラーの独裁が始まる —ナチ党のドイツ—

ヒトラー・ユーゲントへの加入を義務にしたのはなぜか。ドイツではどんなことが行われていたか。

③アドルフ＝ヒトラー（1889～1945）／
下の文字は、「一つの民族、一つの帝国、一人の総統！」と書かれている。

	1928年	1933年
ナチ党	12	288
社会民主党	153	126
共産党	54	81
国家人民党	73	52
中央党	62	74
その他	138	32
計	492	653

④主な政党の国会議席数

■ ヒトラー・ユーゲント

1930年代になると、ドイツでは多くの少年たちがヒトラー・ユーゲント（青少年団）に参加しました。ここでは、槍投げや水泳・ボクシング・ヨット・騎馬戦など多様なスポーツで体を鍛え、実弾射撃などの軍事訓練も行いました。少女たちはドイツ少女団に参加しました。

また、合宿・キャンプもよく行われ、そこでは「あまったれには独立　5
心を養い、弱虫はたくましくなる」といわれました。ヒトラーも「自由な、すばらしい猛獣の眼光が、まず青年の目にきらめかなくてはならない」と述べました。1936年には、10歳から18歳までの少年少女は、全員が義務として、ヒトラー・ユーゲントなどに加入しました。

■ ベルサイユ条約破棄・軍備増強

ヒトラーは、1933年1月に、首相（のちには総統）の地位につきま　10
した。前年の選挙で、ヒトラーが率いるナチ党（国民社会主義ドイツ労働者党）が、国会で第1党となったのです。

1920年代、ナチ党は国会では10議席ほどの小勢力でした。ヒトラーは、そのころから、ベルサイユ条約を破棄せよと強く主張しました。ドイツは、ベルサイユ条約によって、巨額の賠償金の支払いや軍備の制　15
限を求められました。さらに、世界恐慌の影響で、ドイツの失業者は1932年には600万人にのぼっていました。このような状況で、国民は

⑤首相に就任した日，窓に姿を見せたヒトラーに歓声を上げる民衆（1933年　ベルリン）

⑥ナチ党の選挙ポスター／「われわれの最後の希望は，ヒトラー」と書かれている。

ヒトラーの主張に希望をたくして，ナチ党を支持するようになりました。

　ヒトラーは，首相の座につくとすぐに，ナチ党以外のすべての政党を解散させました。そして，国会の議決なしに法律を制定できる権限を得て，ヒトラーの独裁が確立されました。

5　さらに，軍備の増強にのりだし，1933年からの5年間で，陸軍予算を12倍に増加させ，強力なドイツ軍をつくりあげました。民主主義や個人の人権を否定し，軍事力によって他国に侵略を行う独裁体制は，ファシズムとよばれました。

■ 水晶の夜——ユダヤ人迫害

　1938年11月の夜，ドイツ全土でユダヤ人商店のショーウィンドウや
10　窓ガラスが，次々と打ちこわされ，ユダヤ人への略奪・暴行が広がりました。ユダヤ教の礼拝堂も放火され，破壊されつくしました。町中に飛び散ったガラスが光るようすから，水晶の夜といわれています。

　ナチ党は，「優秀なドイツ民族を妨害しているユダヤ人を排除せよ」と主張し，ユダヤ人への迫害を強めていました。水晶の夜も，ナチ党員によっ
15　て仕組まれた暴動でした。

⑦ベニート＝ムッソリーニ（1883〜1945）／1922年，イタリアでファシスト党の独裁体制をかためた。1940年に日独伊三国同盟を結び，のち第二次世界大戦に参戦した。右はヒトラー。

― ピカソが描いたゲルニカ爆撃 ―

　1937年，ドイツの空軍は，スペインの小さな町ゲルニカに，3時間以上にわたる猛烈な爆撃を加えた。町には軍隊や軍事施設はなく，町そのもの，そこに住む人びとへの無差別爆撃だった。

　スペインでは，1936年に，ファシズムに反対する政府が成立した。フランコ将軍がこの政府を打倒しようと反乱を起こし，内戦となった。ファシズム体制をとったイタリアとドイツは，フランコ将軍を支援して軍隊を派遣した。

⑧ピカソ『ゲルニカ』〈ソフィア王妃芸術センター展示〉

　画家のピカソは，このゲルニカの人びとの苦しみ，悲しみを，横7.5m，縦3.5mにおよぶ大作に仕上げた。この作品は，1937年のパリ万国博覧会で，スペイン館の壁画として展示され，大きな反響をよんだ。

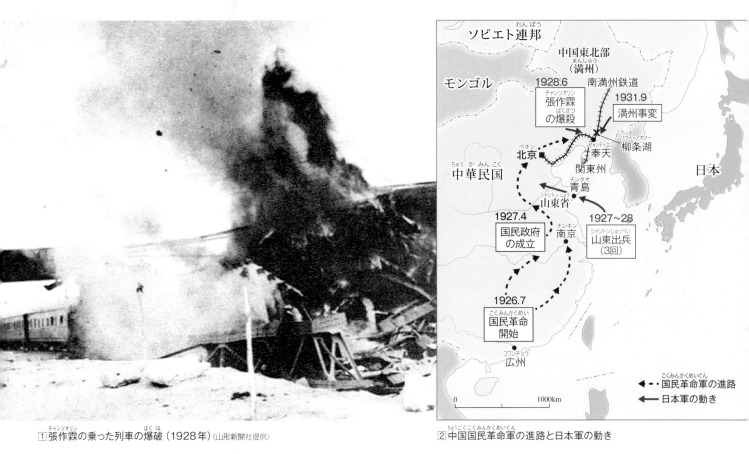

1 張作霖の乗った列車の爆破（1928年）〈山形新聞社提供〉

2 中国国民革命軍の進路と日本軍の動き

地図内の表記：
ソビエト連邦
中国東北部（満州）
モンゴル
1928.6 張作霖の爆殺
南満州鉄道
1931.9 満州事変
柳条湖
北京
中華民国
奉天
関東州
青島
山東省
1927.4 国民政府の成立
南京
1927～28 山東出兵（3回）
1926.7 国民革命開始
広州
日本

0　1000km
国民革命軍の進路
日本軍の動き

（4）鉄道爆破から始まった ―日本の中国侵略―

日本軍は中国で二度，鉄道を爆破した。何をねらったのか。その後日本は，どんな行動に出るのか。

3 蒋介石（1887～1975）／
中国国民政府主席。

蒋介石の言葉（1931年）

「国民政府は、国際連盟の公理による解決を待つ。文明によって野蛮に対抗し、理にかなった態度で、無理暴行を暴露するのだ」

軍閥
　中国の各地方を，軍事力で支配している指導者とその集団。

日本の主な利権
・関東州（遼東半島）の行政権
・南満州鉄道（満鉄）の経営権とその付属地の行政権
・以上を守備する軍隊（関東軍）を駐留させる権利

■中国革命をくいとめる

　中国では，孫文の後継者・蒋介石を司令官とする中国国民革命軍が，各地の軍閥を打倒して，中国統一をめざす革命をすすめていました。1927年には，国民政府の成立を宣言し，南京を首都としました。

　この年から，日本は山東省に軍隊を送り，翌年5月，中国側と激しい戦闘を行いました。中国統一の革命が，山東省や中国東北部（満州）に 5
およぶのを止めようとするものでした。革命がすすめば，日本が満州などにもつ利権が危うくなるとみていたのです。

　1928年6月，満州の奉天（現在の瀋陽）付近で，20両編成の列車が，突然，大爆発を起こして破壊されました。この列車に乗っていた中国の実力者・張作霖は，死亡しました。張作霖は，満州最大の軍閥の将軍で， 10
軍事力でこの地域を支配していました。この鉄道爆破事件は，満州にいた日本の関東軍が計画・実行したものでした。

■満鉄の線路を爆破

　1931（昭和6）年9月18日の夜，南満州鉄道（満鉄）とその周辺を守備する関東軍は，柳条湖付近で，満鉄の線路を自ら爆破しました。関東軍は，すぐにこれを中国軍の犯行であるとして，奉天にいた中国軍を 15
攻撃し，次々と戦闘を広げていきました（満州事変）。

　国民政府は，軍事力でこれに立ち向かわずに，国際連盟に訴えて，日

東京朝日新聞 （土曜日） 市内版 昭和八年二月二十五日 G（二）

聯盟 よ！ さ ら ば ！ 遂 に

總會、勸告書を採擇し
我が代表堂々退場す
四十二對一票、棄權一

④国際連盟総会からの退場を報じる新聞／
写真は上から，日本代表松岡洋右・中国代表・
総会議長。〈「東京朝日新聞」1933年2月25日〉

⑤昭和天皇に報告したあと，ハンカチで目が
しらをおさえる松岡洋右（1933年4月）

本の侵略に対抗することを決めました。連盟は，戦争やその脅威がある
ときは，経済制裁などの手段をとることを規約で定めていました。

■ 国際連盟からの脱退

　日本軍は，この間に満州全域を占領し，1932年に満州国を建国させま
した。清の最後の皇帝だった溥儀を，満州国の元首としましたが，実権
は関東軍がにぎりました。

　国際連盟は，満州に派遣した調査団の報告を，総会で議論しました。
日本軍は占領地から満鉄線周辺まで撤退すべきとの勧告案が出され，
1933年，この勧告案は賛成42反対1（日本）で可決されました。日本
は国際連盟から脱退して，この勧告には従わず，国際社会で孤立する道
を歩み始めました。

　しかし，日本の新聞は，国際連盟や中国の態度を非難する記事を載せ
て，満州は日本のものだとする世論を広げました。このころから，多く
の人たちが満州へ渡るようになりました。1936年には，政府は20年間
で500万人の移民を送る方針を定め，満州への移民事業をすすめました。

── 日本の満州開拓と中国人農民 ──

　1932年に，開拓のために満州に渡ったある移民は，「関東軍のほうで，もうすでに農地
も住宅も全部買い上げてあって，そのまま入植できるというのでびっくりした」と語ってい
る。

　荒れ野を開拓した人もいたが，多くはこのように現地農民の土地を買収したり，土地か
ら追い出したりして，日本人を入植させるものだった。買収といっても，現地で取り引きさ
れている価格の10分の1程度で買いたたくもので，中国人農民は財産を失うことになった。
このため，日本人の土地の小作人になる人も多かった。

日本の国際連盟脱退通告

　国際連盟は、日本軍の行動を自衛
権の発動と認めず、中国側の責任を見
過ごしている。満州国を承認しないの
は、東洋安定の基礎をこわすものだ。
もはや連盟と協力する余地はない。

（一部要約）

満州に関する市民の声

　「今まで培ってきた満州のことで
す。捨ててたまりますか。私はこれで
も日露戦争に出たんですから」

　「満州全体、いや中国全体占領し
たらええ。日本も金持ちになって俺ら
も助かる」

（「神戸新聞」1931年9月20日）

⑥1936年ごろの開拓団募集のポスター
〈個人蔵・満蒙開拓平和記念館提供〉

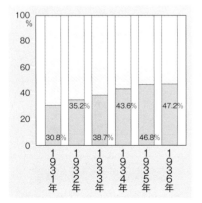

首相官邸、警視廳、内府邸等を
壯漢隊伍を組み襲撃
ピストル手りう彈を以て
陸海軍制服の軍人等

犬養首相狙撃され
頭部に命中し重態

官邸日本間に侵入
我勝ちに首相へ發砲
二彈命中、すこぶる重態

□1 五・一五事件を報じる新聞の号外〈「東京朝日新聞」1932年5月15日〉

東京朝日新聞　號　外

昭和七年四月十五日

【本紙不再録】

東京朝日新聞社

（5）問答無用、撃て ― 軍部の台頭 ―

問答無用とは，将校たちのどんな考えなのか。その後日本で，どんなことが起きたか。

■「話せばわかる」

1932年5月15日の夕方，海軍将校が率いる軍人たちが首相官邸に乱入しました。犬養毅首相は，「話せばわかる」と座敷に招き入れましたが，将校の一人が「問答無用，撃て」と叫んで，ピストルで首相を射殺しました（五・一五事件）。

将校たちは，裁判で禁固15年などの刑に処せられました。しかし，衆議院の第1党から首相を出す政党内閣は，犬養内閣が最後になりました。次の内閣は，満州事変をさらに拡大し，国際連盟脱退へと向かいました。

□2 犬養毅（1855〜1932）／
五・一五事件当時は76歳だった。
〈国立国会図書館蔵〉

□3 国家予算に占める軍事費の割合
〈『日本帝国統計年鑑』による〉

（グラフ）
1931年 30.8%
1932年 35.2%
1933年 38.7%
1934年 43.6%
1935年 46.8%
1936年 47.2%

■ 雪の日の反乱部隊

1936年2月26日の早朝，雪の中を約1500人の陸軍部隊が，反乱を起こしました。若い陸軍将校が率いる部隊は，首相官邸を襲撃し，岡田啓介首相とまちがえて別人を射殺し，そのほか大蔵大臣・高橋是清など，政府の中心人物を殺害しました（二・二六事件）。

将校たちは，政治家・財閥・軍人たちが，天皇のまわりで政治をゆがめているので，排除せよと唱えました。陸軍は，これをおさえようと2万4000人の大部隊を東京に集め，反乱は4日目にしずめられました。

この事件のあと，軍部は発言力を強め，政治への影響力を強めていきました。軍事費が増やされ，国家予算の半分を占めるまでになりました。日本はドイツと結びつきを強め（日独防共協定），ソ連との対立も表面化

④二・二六事件の反乱軍の兵士たち

⑤二・二六事件の反乱軍に対するアドバルーン／
「勅命下る　軍旗に手向ふな」

しました。また，中国現地にいた日本軍が，満州から華北（中国北部）へ進出したため，それに反対するイギリス・アメリカと協調していくことは，ますます難しくなりました。

■ 戦争への道を歩む

　1929年には，文学では，小林多喜二が小説『蟹工船』を発表し，オホーツク海の船上で働く人たちの，きびしい労働の姿を描きました。また，軍国主義の動きに対して，それに抵抗する言論も起こりました。

　しかし，本や雑誌などの出版物は，政府によって検閲が行われ，削除された箇所は××（伏字）であらわされました。治安維持法で取り締まられて裁判にかけられた人は，1933年には1200人を超えました。

　政府は1938年になると，国家総動員法を成立させて，多くの物資や人員を，戦争のために優先して使えるようにしました。政党はこの動きに抵抗できず，1940年にはすべて解散し，戦争に協力するための大政翼賛会がつくられました。

それでさ、駆逐艦が蟹工船の警備に出動すると云ったところで、どうして／く、そればかりの目的でなくて、この邊の海、北樺太、千島の附近まで詳細に測量したり氣候を調べたりするのが、かへって大目的で、萬一のアレに手ぬかりなくする譯だな。これア秘密だらうと思ふんだが、千島の一番端の島に、コッソリ××を運んだり、××を運んだりしてゐるさうだ。

⑥××（伏字）がある本
〈小林多喜二『蟹工船』1929年〉

⑦東京大会ポスター（公募作品）／
武人はにわがデザインされている。
〈一橋大学附属図書館提供〉

― 消えた東京オリンピック ―

　第12回夏季オリンピック（1940年）は，東京（冬季は札幌）で開催されることが，1936年の国際オリンピック委員会で決定された。しかし，1937年に日中戦争が激しくなると，政府は鉄などの重要物資の使用をおさえ，戦争遂行に直接必要でない建築工事の中止を求め，鉄や皮革などの使用を制限した。このため，オリンピックスタジアムの建設は困難となった。陸上競技のスパイク・砲丸・ハンマー・槍・円盤・ハードルなども準備できなくなった。

　一方，スイスのオリンピック委員会は，「日本が中国に対する軍事行動をやめなければ，東京大会への参加を取りやめるよう各国によびかける」と決議した。実際に，アメリカなどの不参加が予想された。このようななかで，日本政府は，1938年，東京大会と冬季の札幌大会の開催を返上することを決めた。

①上海を爆撃する日本軍機

②上海市街地を突撃する日本軍

③戦火から逃れる上海市民

（6）戦火は上海、南京、重慶へ ―日中戦争―

日本軍は上海，南京，重慶でどんなことをしたか。それに対して中国の人びとはどうしたか。

■ 日本の侵略・中国の抵抗

日本は満州国をつくったあとも，華北（中国北部）へも侵入しようとしたため，中国では抗日運動が盛んになりました。1937年7月，北京郊外の盧溝橋で，日中両軍が衝突しました。これをきっかけに，宣戦布告をしないまま，中国と全面的な戦争を始めました（日中戦争）。

8月には，戦闘は上海におよび，日本軍と中国軍の間で，激しい戦いが始まりました。戦火から逃れようとする多数の市民が，上海の市街地にあふれました。人びとは難民となり，空き地や商店の軒先などに身をよせました。

中国ではそれまで，蔣介石が率いる国民党と，毛沢東が率いる共産党が激しく対立し，内戦を続けていましたが，日本の侵略に一致して抵抗するため，内戦をやめて，抗日民族統一戦線を結成しました。

■ 戦火は上海から南京へ

日本軍は，多数の死傷者を出しながら上海を占領し，さらに国民政府

中国国民政府蔣介石談話

われわれの態度は応戦するのみ。こちらから戦いを求めるものではない。抗戦は最後の瀬戸際に対処するやり方である。

（1937年7月17日）

日本政府声明

国民政府は反日侮日を強め帝国に敵対している。中国軍の暴虐をこらしめ、反省を迫るため、やむを得ず断固たる措置をとる。

（1937年8月15日）

④地下道戦を描いた中国の版画

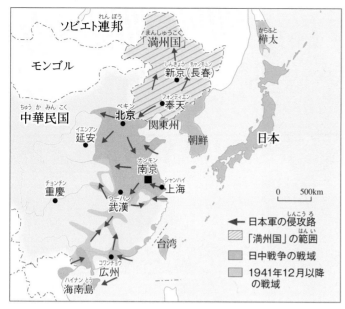

⑤日中戦争の戦場

の首都・南京へ向かって進撃しました。日本軍は、食料などの物資を十分には補給されず、現地で調達せよと命令されていました。そのため、日本軍が通過する地域の住民は食料を要求され、略奪・殺傷などの被害を受けました。

5 日本軍は12月、南京を占領しました。このとき、国際法に反して大量の捕虜を殺害し、老人・女性・子どもをふくむ多数の市民を暴行・殺害しました(南京事件)。日本では、南京占領を祝う行事が盛大に行われました。

捕虜についての国際法
ハーグ陸戦条約では、捕虜は「人道をもって取り扱うべし」とされ、「兵器を捨て、または自衛の手段が尽き、投降を欲する敵を殺傷すること」を禁じていた。日本はこの条約を1911年に批准した。

■ 重慶への大爆撃

国民政府は、さらに内陸にある重慶へ首都を移しました。山々に囲まれ、陸上からの攻撃が困難なこの都市を拠点として、長期
10 戦にもち込もうとの考えでした。これに対して日本軍は、1938年から、重慶の市街地などを無差別爆撃しました。空襲で住民に恐怖をあたえ、日本軍への抵抗をやめさせることがねらいでした。

1940年になると、空襲は112日間連続で行われ、市民の死傷
15 者は9000人を超えました。中国側は、市民も作業に参加し、1865本の防空トンネルをつくって、避難しました。重慶市民の抗日の気持ちは、空襲によって、むしろ高まっていきました。

⑥爆撃で破壊された市街地を見守る重慶の市民(1939年)〈毎日新聞社提供〉

― 地下道を掘って戦う ―

華北を占領した日本軍は、八路軍(中国共産党軍)によって鉄道や道路を破壊されて輸送を絶たれ、夜間には部隊が襲撃された。村の住民が八路軍に参加したり、支援したりしているのを見て、日本軍はそのような村を、徹底的に破壊する戦法をとった。中国側は、これを「焼きつくす・奪いつくす・殺しつくす」作戦(三光作戦)とよんだ。これに対して八路軍と住民は、村ごとに地下道を掘りすすめ、日本軍が村に侵入してくるとここに隠れ、別の出口から日本軍の背後に回って攻撃した。地下道は村と村をつないでおり、多くの村が連絡をとり合って日本軍と戦った。

① 防空壕を掘るポーランド市民／壕は20kmにおよんだ。

② ポーランドを爆撃するドイツ空軍

（7）戦火に追われる人びと ―第二次世界大戦開戦―

ドイツ軍はまずどこへ侵攻したか。どこへ広げたか。ロンドンなど都市では何が起きていたか。

■ 赤十字の病院も爆撃

　1939年9月1日，ドイツが150万の大軍で，ポーランドに侵攻しました。首都ワルシャワは，連日のようにドイツ空軍の爆撃を受けました。
　負傷した市民が，次々と病院に運ばれてくるのに，戦火のなかで包帯がなくなって，シーツを集めて代わりに使いました。病院は赤十字の旗を掲げていましたが，ドイツ軍はこれを無視して攻撃しました。そのため，病室を地下につくって治療を続けました。ドイツ軍占領下では，多くの人びとが強制労働にかり出され，学校は廃止されました。
　9月3日には，イギリス・フランスがドイツに宣戦し，第二次世界大戦は，人びとに耐え難い苦しみを強いながら広がっていきました。

■ ドイツ軍、ソ連を攻撃

　1941年6月，ドイツ軍はソ連との相互不可侵条約を一方的に破って，300万の兵力でソ連に侵攻しました。不意をつかれたソ連軍は後退を続け，ドイツ軍は首都モスクワに迫っていきました。
　この危機に対して，ソ連政府は，全国によびかけて市民を大動員し，戦車攻撃を防ぐ壕，ドイツ軍攻撃のための陣地などをつくる工事をすすめました。こうしてソ連軍は体勢を立て直し，ドイツ軍は徐々に後退しました。

③ 防空壕の子どもたち（1940年　ロンドン）

④ソ連の農家を攻撃するドイツ軍

（Map labels）
0　1000km
フィンランド
スウェーデン
エストニア　ソビエト連邦
ラトビア
リトアニア
イギリス
エール
デンマーク　1940年4月　1941年6月
ロンドン空襲　1940年4月
1940年9月　オランダ　1939年9月
ベルギー　1940年5月　ポーランド
フランス　1940年6月　ドイツ　ハンガリー
スイス　1941年4月　ルーマニア
ユーゴスラビア
ポルトガル　イタリア　ブルガリア
スペイン　アルバニア　1943年3月
トルコ
ギリシャ
1942年11月
◀ ドイツ・イタリアの侵攻路
□ ドイツ・イタリア側の枢軸国
□ ドイツ・イタリアの占領地域
□ 枢軸国側
□ 連合国側
1942年1月

⑤第二次世界大戦・ヨーロッパの戦場

しかし，ドイツ軍に占領された地域では，農民は収穫をすべて奪われました。また，占領地から強制連行されて，ドイツ本国の軍需工場などで働かされた人びとは，780万人にのぼりました。

■ 人びとのうえにふりかかる戦火

ドイツ軍は1940年9月から，イギリスの首都ロンドンなどへ爆弾と焼夷弾による空襲をくり返しました。11月まで連日57日間，工場や軍事施設よりも，市街地や労働者の住む地区を攻撃しました。街は炎上して，イギリス全体で5万人近くの市民が死亡しました。

他方，イギリス空軍は1943年7月，9日間連続でドイツのハンブルクを爆撃しました。爆撃は火災の熱風を巻き起こし，防空壕にいた人びとを窒息させました。また，戦争末期の1945年2月，避難民でごったがえすドレスデンに対して，夜間に773機のイギリス軍機が，翌日の昼間に331機のアメリカ軍機が爆撃しました。このため，ドレスデン市街は1週間燃え続けました。

1939年のヨーロッパ

8月23日　独ソ不可侵条約が成立する
＊秘密協定によって，独ソ両国がポーランドを分割することなどを決めた。
9月1日　ドイツがポーランドに侵攻する
9月3日　イギリス・フランスがドイツに宣戦布告する
9月17日　ソ連がポーランドに侵攻する
11月30日　ソ連がフィンランドに侵攻する

― ヒトラーに抵抗した若者たち ―

1942年6月，ドイツでは「白バラ」と名のる学生たちが，ヒトラーの独裁を倒して，この戦争をやめさせようと抵抗運動を起こした。ソ連攻撃の激戦地に兵士として動員されて，帰国したばかりのメンバーもいた。このグループは，ビラを作成して，学生や市民に次のようなことをよびかけた。

● ポーランドでは，占領以来，30万人のユダヤ人が残忍なやり方で殺害された。これは人類史上，例を見ない犯罪だ。
● こういう政府を成立させたことに，ドイツ人は責任がある。これらの野獣どもを全滅させることこそ，ドイツ人がなすべき最高の義務である。
● ヒトラーの国家に対し，個人の自由という最も貴重な財産を返せと要求する。ヒトラー・ユーゲントは，人生で最も実りの多い学業の時期に，われわれを画一化し，扇動し，麻酔をかけた。

このような訴えを，さらに広げようとした1943年2月，抵抗の中心となっていたショル兄妹が逮捕されて，反逆罪を言いわたされ，その日のうちに処刑された。

⑥ゾフィー＝ショル（21歳）とハンス＝ショル（24歳）〈旧ドイツ民主共和国の切手〉

日本ゴ ヲ ベンキャウ スル

ブンクヮ コウヤウ

アメリカ ヤ イギリス ヤ
オランダ ハ、私タチ ガ ドン＝
ナ ニ ベンキャウ シテ モ、

ハタライテ モ、シアハセ ニ
シテ クレマセン デシタ。シカ
シ、コレカラ ハ ハタラケバ
ハタラク ホド、ベンキャウ
スレバ スル ホド、シアハセ
ニ ナリマス。
ヨク ベンキャウ シマセウ。
ヨク ハタラキマセウ。
ソシテ、ダイトウア ノ ブン＝
クヮ ヲ イヨイヨ サカン ニ
シマセウ。マタ ダイトウア ノ
人人ガ タガヒ ニ ハナシ
アフ コト ノ デキル ヤウ
ニ、日本ゴ ヲ マナビマセウ。

① シンガポールで子ども向けに出版された絵本

（8）東南アジアの日本軍 ―アジア太平洋戦争―

マレー半島，ハワイ攻撃の後，日本軍は東南アジアでどんなことをしたか。現地の人びとはどうしたか。

戦争の名称

当時の日本政府は，この戦争を，中国との戦争をふくめて，大東亜戦争と命名した。

第二次世界大戦後は，太平洋戦争ともよばれてきたが，戦いは広くアジアや太平洋地域に広げられたため，アジア太平洋戦争ともよばれるようになった。

② 日本軍が発行した10ドル紙幣／戦後は紙くず同然になってしまった。

シンガポールで処刑を目撃した人の話

大勢の男たちがトラックに乗せられ、海岸で銃殺された。日本人将校は、お前たちも蔣介石の抗日を助けたので、その運命は彼らと同じだと言った。私たちは泣きわめきながら助けを求めた。

（一部要約）〈『大戦と南僑』より〉

フォーカス

■ 昭南島と改名されたシンガポール

1942年2月15日，日本軍はイギリス領シンガポールを占領し，2日後には昭南島と改名しました。日本の占領下で，人びとの生活は大きく変わりました。小学校では，毎朝「ヒノマル」をあげ，日本に向かって敬礼し，「キミガヨ」を歌ってから，授業が始まりました。日本語による教育がおこなわれるようになりました。天長節（日本の天皇誕生日）には，おとなも子どもも日の丸を掲げて，お祝いのパレードに参加させられました。

■ 戦場は、東南アジアや太平洋に拡大

中国民衆の抵抗によって，日中戦争は長引いていました。日本は，石油や鉄鉱石などの獲得のため，東南アジアへの進出をめざしました。1940年には，フランス領インドシナ（ベトナム）の北部に軍隊を送り，一方でドイツ・イタリアと軍事同盟を結びました（日独伊三国同盟）。

日本の進出は，アメリカ（米），イギリス（英）やオランダなどとの対立を深めました。これらの国は東南アジアに植民地をもち，米・英は中国へ援助物資を送っていたからです。1941年，日本は日ソ中立条約を結び，北方の安全をはかり，インドシナ南部に進駐しました。

アメリカは日本への石油輸出を禁止し，「日本軍は，中国とインドシナから撤退すべき」と要求しました。日本は要求を拒否し，1941年12月8日，陸軍はイギリス領マラヤのコタバルに上陸しました。海軍はハワイ真珠湾のアメリカ海軍基地を奇襲攻撃し，米・英とも戦争を始

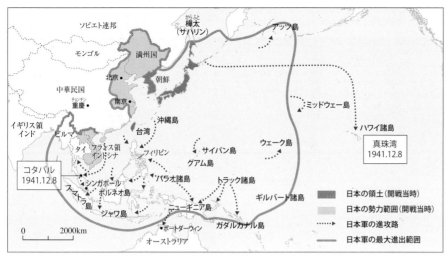

③アジア太平洋戦争の戦場

④ビルマの油田を攻撃する日本軍

めました。この戦争をアジア太平洋戦争（太平洋戦争）とよびます。

　中国は米・英との結びつきを強め，ドイツ・イタリアはアメリカに宣戦しました。こうして第二次世界大戦は，ドイツ・イタリア・日本（枢軸国）と米・英・中国・ソ連など連合国との戦いとなり，全世界に広がりました。

■ 石油も、鉄も、人間も

　1942年には，日本軍は，マレー半島，フィリピン，インドネシア，ビルマ（ミャンマー）など東南アジア全域と南太平洋の島々を占領しました。日本は，この戦争の目的を，東南アジアの国々を欧米の植民地から解放して「大東亜共栄圏」をつくるためと宣言していました。

　長い間，植民地支配に苦しんでいた人びとのなかには，独立への期待も生まれました。しかし，日本軍は，日本語学習やおじぎなどの生活習慣を強制しました。シンガポールやマラヤ（マレーシア）では，中国系住民を「日本軍の敵対者」とみなして，多くの人びとを虐殺しました。また，占領地で，食料を取り立て，石油や鉄鉱石などの資源を奪い，現地の人びとを労務者として重労働にかりたてました。このようななかで，人びとは抗日運動や独立運動を起こしていきました。

　1942年，タイからビルマへの鉄道建設のため，各地から20数万人を熱帯のジャングル地帯に送り込みました。イギリス軍などの捕虜6万人も働かされました。1年あまりの工事では，炎天下の長時間重労働やマラリアのため，病人が続出し，おびただしい死者が出ました。

⑤鉄道工事で働かされる労務者
〈毎日新聞社提供〉

大東亜共栄圏
　欧米勢力をアジアから排除して，日本が中心となって，アジア全体を栄えさせるようにと説く標語。

⑥筑豊の炭鉱に送り込まれた朝鮮人労働者

― 朝鮮・台湾の人びとと日本の戦争 ―

　戦争が長期化すると，日本政府は，敗戦までに約70万人の朝鮮人を国内の炭鉱などに送り込んだ。長時間の重労働で，食事も不十分だったため，病気になったり，逃亡したりする人も多かった。

　さらに，志願や徴兵で，多数の人びとが日本軍に動員された。また，軍属として，日本の占領地にある捕虜収容所の監視人や土木作業などを命じられた。朝鮮からは軍人20万人以上，軍属約15万人，台湾からは軍人約8万人，軍属約12万人にのぼった。

　一方，朝鮮・台湾の若い女性のなかには，戦地に送られた人たちがいた。この女性たちは，日本軍とともに移動させられ，自分の意思で行動することはできなかった。

1 アンネ＝フランク（1929〜1945）〈©ANNE FRANK HOUSE〉

2 アンネが残した日記〈©ANNE FRANK FONDS〉

3 オードリー＝ヘプバーン
（1929〜1993）

（9）戦争と二人の少女 ―ヨーロッパの戦争―

オランダにいた少女たち。オードリーはどんなことをしたか。アンネはどこへ連れていかれたか。

4 隠れ家（オランダ・アムステルダム）／
本棚の裏が、隠れ家の入り口になっていた。
隠れ家での生活は、およそ2年続いた。通報
されて、一家は捕らえられ、強制収容所に送
られた。1945年3月、アンネは病気のため、
16歳で死亡した。同年5月、ドイツは降伏
した。〈©ANNE FRANK HOUSE〉

5 ドイツ軍に対するフランス・パリ市民のレ
ジスタンス（1944年8月）

■ 隠れ家で日記を書く

　「1942年9月28日：ぜったいに外に出られないってこと、これがど
れだけ息苦しいものか、とても言葉には表せません。でも、反面、見つかっ
て銃殺されるというのも、やはり恐ろしい」。この日記を書いた少女はア
ンネ＝フランク、オランダに住んでいたユダヤ人です。

　ドイツではヒトラーの政権の下で、ユダヤ人への迫害と差別が強めら
れました。自由に移動すること、学ぶこと、仕事することをはじめ、人
間として生きる権利を根こそぎ奪われました。そのため、アンネは家族
とともに生まれ故郷のドイツを追われ、オランダに移住しました。

　しかし、ここもドイツ軍に占領され、ユダヤ人は、黄色いダビデの星
のマークをつけることを強制されます。父親のオットーは、事務所に出
られなくなり、アンネは学校に通えなくなりました。1942年7月、アン
ネの一家は、ほかのユダヤ人とともに、隠れ家で息をひそめて生活をす
るようになりました。

■ ドイツに抵抗する連絡係

　このころ同じオランダに、母親を助けて、ドイツ占領軍に対する抵抗
運動（レジスタンス）に加わった少女がいました。この少女の名前は、
オードリー＝ヘプバーンです。オードリーの兄たち二人は、ドイツへの
協力を拒んだために、収容所に入れられていました。叔父たちは捕まって、

⑥貨車からおりた人びと（アウシュビッツ強制収容所）

目の前で銃殺されました。

　オードリーは，靴の中にメモをしのばせ，レジスタンスの連絡係をつとめました。また，バレエの公演で，資金を集めました。飢えと逮捕の恐怖に向き合い，戦争の終結をひたすら願って生きました。

　アンネとオードリーは，ともに1929年生まれです。戦争・占領という状況のなかで，少女時代を過ごしました。しかし，そんななかでも二人の少女は，社会に目を閉ざすことはありませんでした。のちに映画俳優となったオードリーが，『アンネの日記』を読んだとき，「アンネは私自身でもあった」と語りました。

■ 強制収容所での子どもたち

　アウシュビッツ強制収容所（ポーランド）には，ユダヤ人などが，ヨーロッパ各地から貨物列車で運ばれました。終着駅でおりた人びとは二つの列に分けられました。働けそうな人は右の列に，「価値なし」と判断された老人・障がい者・「子ども」は，左の列に並ばされました。ここでは，身長120cm以下の人が「子ども」とされました。左の列の人はシャワー室に連れていかれ，猛毒の青酸ガスを浴びせられ，十数分で絶命しました。

　生き残った子どもたちは，わずかな食事で，1日10時間以上も働かされました。ある15歳の少年は，死体処理の仕事をさせられました。毎日，ガス室から出された山のような死体の口をこじあけて，金歯を抜き取り，焼却場に運びました。

　アウシュビッツでの犠牲者は，約110万人といわれます。

⑧アウシュビッツ強制収容所の入り口／「働けば自由になる」と書かれている。

⑨連合国軍によって解放された，強制収容所の少年たち（1945年4月）

― いったいどうして人間は（『アンネの日記』1944年5月3日）―

　「そもそも，なぜ人間は，一方で，ますます大きな飛行機，ますます大型の爆弾をつくりながら，一方では復興のためのプレハブ住宅をつくったりするのでしょう。いったいどうして，毎日何百万という戦費をついやしながら，医療施設とか，芸術家とか，貧しい人たちのために使うお金が，ぜんぜんないなどということが起こるのでしょう。世界のどこかでは，食べ物がありあまって，腐らせているというのに，どうして一方には，飢え死にしなくちゃならない人たちがいるのでしょう。いったいどうして人間は，こんなにも愚かなのでしょう」

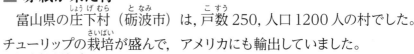

五三歩九ノ號一第編臨特

縣名徴集年 富山縣 昭九年		召集部隊 東部第五十二部隊	
氏名 氏名		到着地 石川縣金澤市	
區乗車間 自 驛 至 驛	等	到着日時 昭和十六年七月十八日 八時三十分	
急行料金賃	圓	富山聯隊區司令部	
乗車（船）月日 昭和 年 月 日		區乗車間 自 出町 驛 至 會澤 驛	三 等
運賃支拂部隊 東部第五十二部隊		急行料金賃	圓
發行官廳 富山聯隊區司令部			

◎注意 裏面記載事項ニツキ熟讀スベシ

臨時 召集令状
充員 召集令状

兵種部官等級 豫備役山砲兵上等兵
東砺波郡庄下村
氏名 根尾 忠

右臨時召集ヲ令セラル依テ左記召集日時ニ到着地ニ参着シ此ノ令状ヲ以テ當該召集事務所ニ届出ヅベシ

（出町 警察署管内）
徴集年 昭九年兵

受領證

一、ヲ月ヰ八日 東部第五十二部隊 ヘ召集ノ為賞召集令状 臨時

右受領ス
昭和十七年 七月 十日午後 四時四十五分
豫備役山砲兵上等兵
本人ニ代リ受領シタルモノハ左ニ記名捺印スベシ
根尾 志

富山聯隊區司令部 御中

① 召集令状（赤紙）／富山県庄下村の兵事係が，敗戦時に出された軍の焼却命令に従わず，受領証を保存した。これをもとに復元したもの。

（10）赤紙が来た —戦時下の国民生活—

赤紙が来て軍隊に入ると，どんなことをするのか。国内では女性や子どもは何をしていたか。

■ 赤紙が来た村

富山県の庄下村（砺波市）は，戸数250，人口1200人の村でした。チューリップの栽培が盛んで，アメリカにも輸出していました。

日中戦争後，この村から軍隊に入った人は263人で，そのうち53人が戦争で死亡しました。戦死者の最年長は41歳，最年少は14歳で海軍に志願し，1943年に16歳で死んだ少年兵でした。

1938年5月5日，23歳の森田忠信は，村役場の兵事係から，召集令状を受け取りました。妻と生まれたばかりの子を家に残して，富山歩兵第35連隊に，二等兵の新兵として入営しました。3カ月間訓練を受けたあと，中国の戦場に送られました。

戦場につくと，森田たち新兵は集められ，中国人捕虜の前に銃剣を持って立たされました。班長が「突け」と命令しました。その後，日本に帰されましたが，1943年に3度目の召集を受け，太平洋のトラック島へ送られました。

■ 銃後の女性

中国との戦争が長引くと，村の若者たちは，次々と召集されました。国防婦人会などの女性団体は，出征兵士を見送り，戦地の兵隊へ慰問品を送りました。米・砂糖・マッチ・衣料などの生活必需品は，切符制や配給制とされ，家族ごとに決められた数しか買うことができなくなりました。政府は隣組の制度をつくり，回覧板によって指示を伝えました。

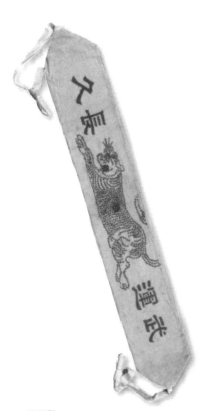

② 千人針（1941年 千葉県布佐町）／女性は千人針をつくって戦場に行く兵士に贈り，無事を祈った。〈我孫子市教育委員会提供〉

③田河水泡『のらくろ上等兵』（1932年）〈講談社〉

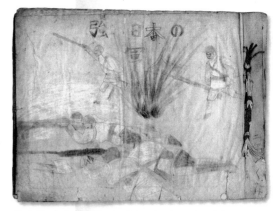

④小学2年生女子がつくった新聞切りぬき帳の表紙（1938年）

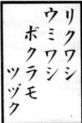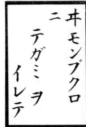

⑤「愛国イロハカルタ」
（1943年）
〈少国民文化協会発行〉

なべ・かま・ベーゴマなどの鉄製品や，指輪などの貴金属は，国に回収されました。こうした活動に協力的でないと，「非国民」と非難されました。

アジア太平洋戦争が始まると，庄下村のチューリップ畑は，油をとるためのヒマの畑や麦畑に変わりました。働き手のいなくなった家では，女性や老人が，米づくりや馬の世話などの農作業をしました。

■「ボクら少国民」

1931年9月19日，ラジオが初めて臨時ニュースを流し，満州事変の第一報を伝えました。戦争の拡大とともに，ラジオをもつ家が増え，普及率が1939年には30％を超え，1944年には50％に達しました。

ラジオ・新聞・雑誌・映画は，すべて政府や軍の統制下におかれました。「暴戻支那（とんでもなく悪い中国）」「鬼畜米英（鬼や獣のようなアメリカ・イギリス）」などと，国民の戦意を高める報道が行われました。戦争を続けるのに都合の悪い情報は，検閲によって発表を許可されず，真実は国民に伝えられませんでした。

子どもたちは，兵器のおもちゃで遊び，戦争ごっこをして育ちました。学校では，戦争をほめたたえ，国のためにつくすように教育されました。小学生は「少国民」とよばれました。

⑥町かどに立てられた看板（1940年）

入学試験の問題（1943年）
日本の兵隊は，何と言って戦死しますか。
（実践高等女学校）

― こういうことを言うと警察に捕まった──『特高月報』より ―

■1937年10月，夫が戦死した福島県の女性（28歳）が知人に宛てた手紙
「前略。支那の兵もやはり人間です。あちらにも私と同じ運命，いやそれ以上，悲惨な者がどんなにか多いことを思いますと，自他ともに，もはや一兵も傷つけたくありません。この悪魔のような戦争が，早く終わって下されと願うばかりでございます」
■1940年1月，福島県の農家の女性（38歳）の話
「国家なんて，虫の良いことばかりするものだ。足袋もなくて，働け働けと言われても仕方がない。それに増税だ何だと，これでは百姓がやりきれない。これも戦争があるためだから，戦争なんど敗けてもよいから，早くやめてもらいたいものだ」

■ サイパン島の玉砕を報じる新聞
〈「朝日新聞」1944年8月19日〉

② 『総員玉砕せよ！』／漫画家・水木しげるは，自らのニューギニアでの戦場体験をもとに，玉砕を描いた。
〈水木しげる『総員玉砕せよ！』講談社文庫〉

（11）餓死、玉砕、特攻隊 —戦局の転換—

ガダルカナルやサイパンで日本兵はどのように戦ったか。特攻隊員の死をどう見るか。

■ 餓死の島 —— ガダルカナル島

1942年8月から，南太平洋のガダルカナル島では，日米両軍の激戦が続きました。米軍の戦車攻撃や激しい砲撃の中を，日本軍は，最後には銃剣で突撃をくり返し，兵士は次々に倒されました。

海でも空でも，アメリカ側が圧倒していて，日本軍は食料や兵器・弾薬を補給できません。熱帯のジャングルの中で，兵士は栄養失調となり，マラリアや赤痢にかかり，餓死する人があい次ぎました。 [5]

日本軍の司令官は，ガダルカナル島3万の兵のうち「戦闘で倒れた戦死者5000人，餓死者1万5000人」と記しています。遺骨の多くは，今も現地に残されたままです。同じことは，ニューギニア島やフィリピン諸島など多くの戦場で起こりました。

アジア太平洋戦争での日本軍の戦死者230万人のうち，餓死あるいは病死した兵士は，140万人とみられています。ガダルカナル島の戦いによって，アメリカ側の優勢が明らかとなり，アジア太平洋戦争は大きく転換していきました。 [10]

■ 玉砕の島 —— サイパン島

1944年6月，7万の米軍がサイパン島に上陸してきました。この島からは，日本本土への空襲が可能となるため，4万の日本軍守備隊は厳しい戦いを強いられました。しかし，サイパン近海の海戦で日本は軍艦も [15]

ガダルカナル島からの電報

すべての部隊で食料がつきてしまって，もう2週間になる。木の実，草の根も，またつきてしまい，川底のミズゴケまで食いつくした。弾薬もない。全員，銃剣と軍刀で最後の戦いを準備するのみ。

（電報を受けた日本軍参謀の手記から）
〈辻政信『ガダルカナル』より〉

玉砕

最後まで戦って全員が死んでいくこと。現場は悲惨だが，玉が砕けるという美しい言葉で表した。「生きて虜囚（捕虜）の辱めをうけず」という「戦陣訓」の教えが徹底されていた。

③日本軍が玉砕したおもな島

● 日本軍が玉砕したおもな島

アッツ島 1943年5月
硫黄島 1945年3月
サイパン島 1944年7月
テニアン島 1944年8月
グアム島 1944年8月
マーシャル諸島
クワジャリン島 1944年2月
トラック諸島
ペリリュー島 1944年11月
マキン・タラワ島 1943年11月

④出撃直前の特攻隊員（1945年5月18日　知覧基地）〈朝日新聞社提供〉

航空機も失い，守備隊へ物資を送ることができなくなっていました。

守備隊は，米軍の戦車・火炎放射器などの砲火の中へ，銃剣で突撃を
くり返し，玉砕しました。約1万人の日本人住民やサイパン島民も，こ
れに巻き込まれて死亡しました。

弾薬も食料もなくなり，戦う力を失ったときは，降伏する（捕虜になる）
道があります。しかし，日本軍は捕虜となることを禁じていたため，残
されたのは玉砕だけで，司令官は「総員玉砕せよ」と命令しました。

■ 爆弾を抱えて体当たり──特攻隊

1944年から，日本軍は，戦闘機が爆弾を抱え，パイロットもろとも米
軍の航空母艦などに体当たりする戦法をとりました（特別攻撃隊）。

この特攻隊員は志願という形をとりましたが，上官などから志願を強
く求められた隊員も多くいました。特攻隊は，約3000機がアメリカ艦
隊めがけて出撃しましたが，米軍のレーダーにとらえられ，多くは撃墜
されました。特攻隊の戦死者は，4000人にのぼりました。

しかし，新聞などでは，特攻隊は国のために若い命をささげるものと
して，体当たりで生命を犠牲にすること自体がたたえられました。

⑤撃墜されて墜落していく特攻機

── 特攻機で沖縄に出撃した少年飛行兵 ──

荒木幸雄は，大空にあこがれる運動の得意な少年だった。1943年，15歳になったと
き，東京陸軍少年飛行兵学校に出願し，合格した。しかし，1年間の基礎教育を省かれ，
そのまま操縦を学ぶ上級学校へ行かされた。幸雄たちは，一日も早く戦地に行くために
訓練を受けた。幸雄は訓練中，空を見上げながら一度だけ仲間にぽつりと言った。

「できたら，工業専門学校に行って航空技術者になりたいんだ」

幸雄は，1年間の上級学校教育を終えて少年飛行兵となり，平壌にある飛行部隊で襲
撃機の操縦訓練を受けた。そして，1945年5月27日，17歳2カ月で，襲撃機を改造
し翼下に250キロ爆弾をつるした特攻機に乗り，万世基地（鹿児島県）から沖縄に出撃
した。幸雄たち第72振武隊の少年飛行兵は，初出撃が特攻だった。

⑥出撃前，子犬を抱く幸雄と少年飛行兵た
ち〈朝日新聞社提供〉

① 疎開班と残留組のお別れ会（1944年8月　東京）〈毎日新聞社提供〉

（12）町は火の海 ─本土空襲と学童疎開─

学童疎開で，なぜ残留組がいたのか。空襲が始まると，疎開班，残留組の子たちはどうなったか。

■ 空襲が迫ってきた

日本軍は太平洋の島々で米軍との戦闘に敗れ，1944年には，日本本土に近いサイパン島も米軍に占領されました。米軍はここに飛行場をつくり，大型爆撃機が日本本土を空襲する危険が迫ってきました。

このため政府は，「皇国を継ぐ若木の生命を，いささかなりとも傷つけ，失うことなきを願う」として，大都市の国民学校の子ども（3年生以上）を，農村に疎開させることを決めました（学童疎開）。

■ 学童疎開に行く子・行けない子

学校では，農村の親せきなど，縁故を頼って疎開することを勧めましたが，それができない子どもは，学校ごとに集団で疎開すると決めました。集団生活で，子どもが「少国民」として育つことも期待されました。

しかし，約3分の1の子どもは，縁故でも集団でも疎開できず，残留組といわれました。残留組の子どもは，疎開班のいなくなった学校に，午前中だけ通いました。

集団疎開の子どもたちは，先生といっしょに，地方の旅館や寺院を宿舎にして，共同生活を続けました。しかし，大勢の子どもたちが満足に食べられる食料はなく，体力は低下していきました。

残留組になった理由
・身体が弱い。
・疎開にもっていくふとんが用意できない。
・家事を手伝う。
・集団疎開をやめて，縁故疎開に変えたい。

疎開先でのメニューの例
9月8日
　朝：なすのみそ汁　なす塩づけ
　昼：なすのみそ汁　なす塩づけ
　晩：なすのみそ汁　なす煮
　　　なす塩づけ
9月9日
　朝：なすのみそ汁　ヒジキ煮
　　　なす塩づけ
　昼：なすのみそ汁　なす塩づけ
　晩：なすのしょうゆ汁　のり佃煮
　　　キュウリ塩づけ

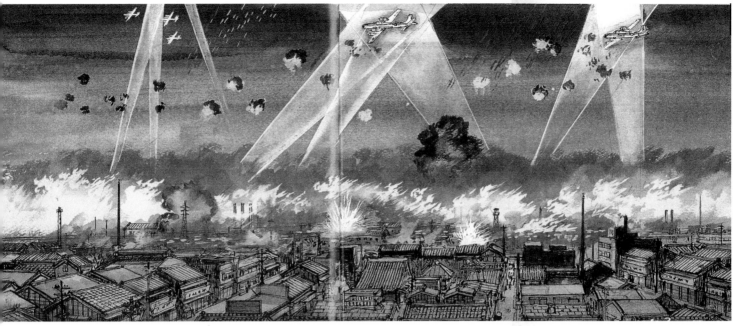

②東京東部への大空襲〈小松崎茂画〉

　親たちは，長い間家族から離れ，食料不足も続くなか，24時間の共同生活を送る子どものことを，心配しました。

■ 炎の中を逃げまどう

　1945年になると，米軍は，しきりに日本本土に空襲を行うようになりました。3月10日未明，米軍の爆撃機279機が，東京の東部に32万発という大量の焼夷弾を次々と投下しました。焼夷弾は木造家屋をたちまち炎上させ，町は火の海となりました（東京大空襲）。

　人びとは，焼け落ちる家々の炎に追われ，逃げ道を求めて右往左往するばかりでした。安全と思って逃げ込んだ橋の上や鉄筋の建物では，猛烈な炎の勢いにあおられて，折り重なるように焼死しました。

　残留組の子どもたちも，懸命に逃げましたが，多くの子どもが犠牲になりました。この2時間あまりの空襲によって，死者は10万人にのぼりました。このような焼夷弾での攻撃は，軍隊や軍事施設ではなく，住民をねらう無差別爆撃でした。

　疎開班の子どもたちは，空襲で自分の家が焼かれ，家族が焼死したことを，疎開先で知らされました。

　米軍はさらに名古屋・大阪・神戸・横浜など大都市を焼け野原にし，次いで，地方都市へも無差別爆撃をくり返しました。

③疎開先での供養／
空襲で焼け死んだ肉親の供養塔。「東京都城東区第二亀戸校父兄姉妹戦災死亡者各々精霊供養」と書かれている。
〈『写真絵画集成 学童疎開2』日本図書センター〉

④兵器工場で溶接作業をする女学生

― 中学生・女学生は工場へ ―

　長期化した戦争で，若い男性は次々と徴兵されて，軍需工場の労働者不足が深刻になってきた。1944年，政府は中学生・女学生を工場へ勤労動員することを決めた。1945年になると，授業はほとんど行われなくなった。中学生も女学生も，学校ではなく工場に通い，また工場の寮などに泊まり込んで，兵器や銃弾をつくる作業にあたった。工場では朝から10〜12時間も作業を続け，深夜におよぶこともあった。

　このように勤労動員された生徒たちの数は，全国で300万人を超えた。軍需工場は空襲の危険にさらされ，豊川（愛知県）の海軍工場では，米軍の爆撃によって，約450人の中学生・女学生が命を失った。

②沖縄戦の戦場

← 米軍の進行路

伊江島

読谷海岸

沖縄島
（沖縄本島）

座間味島

那覇

首里

渡嘉敷島

喜屋武岬　摩文仁

0　　　20km

①ガマ（洞窟）を攻撃する米軍

（13）荒れ狂う鉄の暴風 —沖縄戦—

鉄の暴風の中で，住民にどんなことが降りかかってきたか。そのとき日本兵はどんなことをしたか。

■ 暗闇の海に沈む子どもたち

1944年8月，沖縄の国民学校の子どもたち780人が，軍用船の対馬丸に乗って長崎に向かいました。アメリカ軍（米軍）の沖縄への攻撃が迫ってきたため，学童疎開が始まったのです。

しかし，米軍潜水艦の魚雷攻撃で対馬丸は沈められ，子どもたちは暗い夜の海に投げ出されました。救助されたのは，わずかな子どもたちだけでした。日本の護衛艦もいましたが，そのまま北進していきました。

■ 戦火に追われる住民たち

米軍は，1945年3月，多くの子どもや住民が残る沖縄に総攻撃を開始しました。沖縄本島付近には，千数百隻の艦船が押しよせ，航空母艦から飛び立つ飛行機は1300機，総兵力は50万人を超えました。これに対する日本軍は，約12万人でした。

日本軍は，住民を防衛隊に組織し，中学生などを鉄血勤皇隊員にして日本軍の戦闘に参加させました。女学生は学校ごとに看護要員にして，日本軍とともに行動させました（「ひめゆり学徒隊」など）。また，住民に住宅や食料を提供させ，飛行場の建設にも動員しました。

米軍は，艦船が海上から砲弾を撃ち込み，空から戦闘機や爆撃機で襲いかかりました。人も畑も森も吹き飛ばし，地形が変わるほどでした。さらに陸上では，火炎放射器で炎を吹き出す戦車などが攻撃してきます。これらはのちに，鉄の暴風とよばれました。

日本軍は多大な損害を出しながら，南部へ後退しました。住民も戦火の中で逃げ場を失い，次々と死傷者を出しながら，追いつめられていきました。

③米軍の艦砲射撃による砲弾の跡
〈那覇市歴史博物館提供〉

④降伏した鉄血勤皇隊員
（中学生）〈那覇市歴史博物館提供〉

⑤保護された姉妹と老人
〈那覇市歴史博物館提供〉

⑥捕虜となった日本兵
〈沖縄県平和祈念資料館提供〉

■ 捕虜も降伏も認めない

　住民は，壕やガマ（洞窟）にひそんで戦火を避けていました。日本兵がいたガマでは，食料を出させられ，赤ん坊は外に連れ出すように命じられました。米軍は，降伏してガマから出るように呼びかけましたが，日本兵がガマの出口で銃をかまえていました。

5　住民は日ごろから，捕虜になるなら帝国臣民として死を選べ，米軍は鬼畜だから捕まったら残虐な目にあうと教えられていたので，ガマから出ていくことをためらいました。ガマから出て保護される人もいましたが，米軍に攻撃されて死亡する人や自決する人もいました。

　日本軍は，最後には玉砕を決意して，住民にも手榴弾を配りました。
10　住民がこの手榴弾を爆発させ，家族や近所の人たちといっしょに自決した例が数多くあります。

　座間味島では，自決したとされる135人（年齢などがわかる人たち）のうち，12歳以下の子どもが55人，女性が57人を占めていました。これらは「集団自決」とよばれています。また，住民が日本軍に殺害さ
15　れる事件も起こりました。その多くは，日本軍の情報を米軍にもらしたのではないか，という疑いによるものでした。

　こうして，沖縄戦での沖縄県民の死者は15万人（人口約60万人）にのぼったと推定されています。鉄血勤皇隊員となった県立一中生254人のうち171人が，「ひめゆり学徒隊」の女学生222人のうち
20　123人が，戦闘のなかで死亡しました。

─ 沖縄戦──日本軍の作戦目的 ─

　日本軍は沖縄の戦闘で，「敵の出血消耗」をはかって米軍を少しでも長く足止めし，日本本土の防衛（本土決戦）の時間稼ぎをしようと考えていた。沖縄を「捨て石」にする作戦だった。

　沖縄の日本軍司令官は「兵員は最後まで戦うべし」と命じて，6月下旬に自決した。そのため，残された日本兵はこのあとも絶望的な戦闘を続け，犠牲者は増え続けた。沖縄の日本軍が正式に降伏したのは9月7日であった。

集団自決の現場にいた金城重明（16歳）の体験から

　渡嘉敷島では，役場を通じて手榴弾が配られ，いざというときには自決に使うように指示されていた。

　米軍が迫ってくると，人びとは一カ所に集められた。手榴弾を爆発させ，それでも死にきれない肉親に対して，カミソリやカマを使い，ひもで首をしめるなどした。

（この現場で金城重明は両親と弟・妹4人の命を失った）

沖縄県民の犠牲者

　一般県民の死者9万4000人，沖縄県出身軍人・軍属の死者2万8000人（以上は沖縄県統計）。これに疎開での死者，餓死やマラリアによる死者などをふくめて，推計される。

⑦ひめゆりの塔（沖縄県糸満市）／慰霊碑には，死亡した女学生と教師の氏名が刻まれている。最初の塔（右端）は，1946年に建てられた。

（14）にんげんをかえせ —原爆投下—

原爆による広島・長崎の人びとの苦しみとはどんなものか。投下したアメリカの目的は何か。

②加藤義典が描いた絵
〈広島平和記念資料館提供〉

■ 助けられなくてごめんなさい

　1945年8月6日午前8時15分，米軍の爆撃機が，原子爆弾「リトルボーイ」を広島市に投下しました。約600m上空で大爆発を起こし，きのこ雲を巻き上げました。学校は，すさまじい爆風で校舎が破壊され，子どもたちはその下敷きになって助けを求めました。

　当時17歳だった加藤義典は，一人の子どもを，なんとか助け出しました。しかし，猛烈な火の手が迫ってきます。もう一人，助けたい子がいたのですが，腕が柱におしつぶされて，引き出してあげられませんでした。子どもの手を握り，ごめんねと言う以外に何もできませんでした。このことは戦後も，ずっと加藤義典を苦しめましたが，74歳になってようやく，それを絵に描くことができました。

■ 8月9日、長崎にも

　米軍はさらに，8月9日午前11時2分に，長崎市にも原子爆弾「ファットマン」を投下し，やはり不気味なきのこ雲が立ちのぼりました。原爆は広島と長崎に，これまでの爆弾とは違う深刻な被害をあたえ，長い期間にわたって人びとを苦しめました。

　その爆風は強烈で，爆心地から0.5km付近で風速300m（毎秒），2km離れていても風速60m（毎秒）以上でした。放射された熱線も強烈で，爆心地の地表面の温度は3000℃以上に達していました。

　この熱線によって，人びとはひどい火傷を負い，皮膚は焼けてたれ下

③原爆のきのこ雲（長崎　米軍爆撃機から撮影）〈長崎原爆資料館提供〉

4 松添博（まつぞえひろし）『悲しき別れ―荼毘（だび）』〈長崎原爆資料館蔵〉

がり，短時間で死亡しました。爆風は建物を倒壊（とうかい）させて，迫ってくる火災の中で多くの人が焼死しました。

　こうして，1945年末までに，広島では約14万人（人口約35万人），長崎では7万人以上（人口約24万人）という大量の死者を出しました。

■ 放射線（ほうしゃせん）が人びとを苦しめる

5 　被爆（ひばく）した人たちを，その後も長く苦しめたのは，原爆が発した放射線（ほうしゃせん）による被害でした。放射線は，嘔吐（おうと），発熱，倦怠感（けんたいかん），貧血（ひんけつ），下痢（げり）などの症状（しょうじょう）を慢性化（まんせいか）させました。また髪の毛（かみ）が抜（ぬ）け落ちたり，白血病（はっけつびょう）を発症（はっしょう）させ，肺がん，食道がん，肝臓（かんぞう）がんなどを多発させたりしました。

　佐々木禎子（ささきさだこ）は，2歳のとき広島で被爆しました。逃（に）げるときに放射性（ほうしゃせい）降下物（こうかぶつ）（死（し）の灰（はい））をふくむ黒い雨にあいましたが，その後は元気に暮ら

10 していました。ところが12歳のときに身体に異変を感じ，白血病と診断（しんだん）されました。発病1年後の1955年に死亡しました。

　被爆者は，いつどのような病気が発病するかもしれないという不安や恐（おそ）れを消し去ることができないまま，戦後を生きてきました。

─ アメリカが原爆を投下した理由 ─

　原爆投下を命じたアメリカ大統領トルーマンは，「戦争の苦しみを早く打ち切り，多くのアメリカの若者の生命を救うために投下した」と声明した。原爆が戦争の終結，平和をもたらすという主張であった。しかし，当時の日本は，東京・大阪などの大都市をはじめ，多くの都市は焼け野原にされ，沖縄（おきなわ）は占領（せんりょう）されていて，すでに敗戦寸前（はいせんすんぜん）という状態にあった。同盟国イタリアは1943年に，ドイツは3カ月前に降伏（こうふく）していた。

　追い込まれた日本政府は，有利な条件で講和へもち込む道をさぐり，ソ連に仲介（ちゅうかい）を依頼（いらい）しようと考えていた。ところがソ連は対日参戦を宣言し，8月9日，中国東北部（満州）などに侵攻（しんこう）した。ソ連の参戦は，アメリカとの間で，以前から約束されていたことであった。アメリカは，原爆を投下して，自国だけの力によって，日本を降伏させたことにしたいと，考えるようになっていた。

① 女性たちの竹槍訓練（1945年8月　鹿児島）

（15）本土決戦か、降伏か ―日本の敗戦―

日本はどのようにして降伏にいたったのか。戦後，なぜ故郷に帰れない人びとがでたのか。

② 婦人雑誌も「一億特攻」

■ 竹槍で敵を突く

　1945（昭和20）年4月ごろから，東海地方などの中学生は，20キロ爆雷を背負って敵の戦車の下にとび込み，それをすばやく爆発させる訓練を受けました。中学生は学徒隊に組織されました。女学生も女子学徒隊として，傷病兵の看護のほか，手榴弾を投げる練習をしました。

　また，子どもと老人をのぞく，すべての国民は，国民義勇隊の一員とされ，竹槍で敵を突く訓練などが行われました。

　「一億特攻（一億人の国民すべてが特攻隊となる）」などのスローガンがさけばれ，米軍を日本本土で迎え撃つ，本土決戦が準備されました。政府は，長野県の松代に巨大な地下壕を掘りすすめ，天皇と戦争の最高指導部である大本営を，ここに移すことを決めました（松代大本営）。

■ ポツダム宣言――受けいれるべきか

　7月下旬，アメリカ・イギリス・中国の首脳の名で，日本に対して無条件降伏を求めるポツダム宣言を発表しました。しかし，日本政府は，「ただ黙殺するのみ」と言明しました。

　8月，アメリカは6日に広島に，9日に長崎に原爆を投下しました。またソ連は，8日に日ソ中立条約を破棄して対日参戦を声明し，中国東北部（満州）などに攻め入りました。これを受けて御前会議が開かれ，軍部は本土決戦を強く主張しました。しかし，何よりも国体を護持すべきだとする意見も強く，日本政府はポツダム宣言の受諾を決定しました。

ポツダム宣言

・日本国民をだまして，世界征服にのりだした過ちを犯した者たちの権力と勢力は，永久に取り除くべきである。

・日本国軍隊は，完全に武装を解除され，各自の家庭に帰り，平和的で生産的な生活を営む機会があたえられる。

・われらは，日本国政府が軍隊の無条件降伏を宣言することを要求する。それ以外の選択をするなら，すみやかで完全な壊滅があるだけだ。

＊この宣言ははじめ，米・英・中国3国の首脳の名で発表され，のちには参戦したソ連も加わった。

③中国東北部（満州）から帰国した子どもたち
（1946年12月　博多港）／右の少女は，遺骨をさげている。

④港で帰国を待つ朝鮮人の家族（1945年　博多港）
〈在日韓人歴史資料館提供〉

8月15日，国民は天皇のラジオ放送で，降伏・敗戦を知らされました。
　9月2日，日本は，東京湾に入ったアメリカ戦艦の甲板で，アメリカ・
イギリス・ソ連・中国など連合国に対して，降伏文書に調印しました。
中国に対しては，9月9日に南京でも降伏文書に調印しました。これに
5　よって，第二次世界大戦は，終結することになりました。

御前会議
天皇が出席して，国の最高方針を決めるために開かれる会議。

国体護持
天皇を最高の存在とする日本の国家のしくみを守りぬくこと。

■ 帰れない人びと

　戦争は終わりました。しかし満州では，開拓民など多くの人びとは，
日本に帰ろうとしても，交通機関も食料もとだえて，餓死・病死する人
もいました。親を失って取り残され，中国人に保護された子どもたちも
いました（中国残留日本人孤児）。また，ソ連軍が占領した地域にいた約
10　60万人の日本兵などが，捕虜としてシベリアに抑留されました。長い間，
厳しい寒さのなかで強制的に働かされ，多くの死者が出ました。
　一方，日本にいた朝鮮人は，帰国しようと博多（福岡県）や下関（山
口県）などの港につめかけました。植民地支配のため生活が苦しくなり，
日本に渡ってきた人たちや，炭鉱などに強制連行されてきた人たちです。
15　しかし，日本側の船の手配はすすまず，港は人びとであふれました。

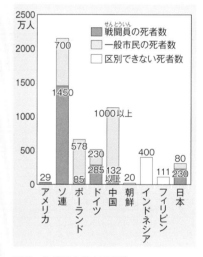

⑤第二次世界大戦の死者数
〈『世界史アトラス』「世界」1994年2月号による〉

― 連合国の動きと国際連合の成立 ―

　ヨーロッパ戦線でも，連合軍が反撃を始めた。1943年にはイタリアのムッソリーニを失脚に追い込み，イタリアを降伏させた。翌1944年には，レジスタンスの市民とともに，パリを解放した。1945年5月，ヒトラーは自殺して，ドイツは降伏した。
　連合国の米・英・ソ連の3首脳は，1945年2月にソ連のヤルタで会議を開いた。米ソのあいだで，ソ連の対日参戦の見返りに，千島列島と南樺太をソ連が領有するという密約が交わされた。6月には，アメリカのサンフランシスコで，連合国50カ国が世界平和と民主主義を守り，人権を尊重することを掲げた国際連合憲章に調印した。10月，国際連合が創設された。安全保障理事会では，米・英・仏（フランス）・ソ連・中国が強い権限をもつ常任理事国となった。

1 年表のAからLにあてはまることばを，語群から選びノートに書きましょう。

1929　アメリカから（　A　）が始まる
1931　満州事変が始まる
1932　日本が（　B　）国をつくる
1933　日本が（　C　）を脱退する
1936　（　D　）事件が起こる
1937　（　E　）戦争が始まる
1938　国家総動員法が成立する
1940　「反軍演説」を（　F　）が行う
　　　（　G　）同盟を結ぶ
1941　日本軍が（　H　），ハワイを攻撃する
1943　学徒出陣が始まる
1944　都市児童らの（　I　）が始まる
1945　（　J　）で地上戦が行われる
　　　（　K　），（　L　）に原爆が投下される
　　　ポツダム宣言を受諾する

語群
斎藤隆夫　国際連合　日独伊三国　学童疎開　日中　日米
国際連盟　満州　北海道　沖縄　長崎　広島　京都
世界恐慌　マレー半島　五・一五　二・二六

2 下線のできごとが起こった場所を，地図の（　　　）に，D，E，H，J，K，Lの記号で入れましょう。

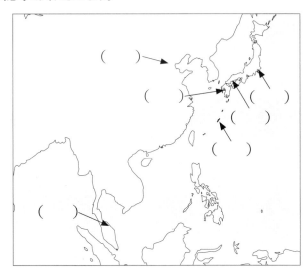

第5部　二つの世界大戦（8章・9章）　学習のまとめ

日本軍の兵士数の推移

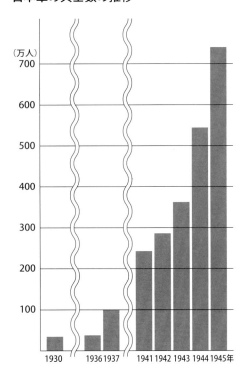

1 グラフを見て考えましょう。

左の表は「1930年から1945年までの日本軍の兵士数の推移」を表しています。これを見て，(1)～(5)について，自分の考えを書いてみましょう。

(1) 兵士の数が増えていったのはなぜでしょうか。

(2) 兵士の家族はどんな生活をしながら，この時代を過ごしたでしょうか。

(3) どれくらいの兵士が，生きて帰ることができなかったでしょうか。

(4) この当時に生きていたら，あなたはどんな生活をしていたでしょうか。想像してみましょう。

(5) この時代がどんな時代だったか考え，自分で「○○時代」と名づけてみましょう。

(6) グループやクラスで(1)～(5)を発表し，意見を交換しましょう。

大翔さんは，⑷について次のように書きました。

　この時代に生きていたら，『のらくろ』を読んで，愛国イロハカルタで遊んで，学校では，良い兵隊になれと言われていたので，戦争は正しいと思っていただろう。本土空襲が始まって，翼の幅が40mもあるB29が来たら，とてもこわかっただろう。中学生なので兵士にはならずにすんだが，少し年上の人は戦争に行かなくてはならなかった。兵士になることを拒否できた人はいたのだろうか。特攻隊の隊員は，出撃直前まで何を考えて過ごしていたのだろうか。

2　9章に登場した世界と日本の子どもや若者たちの姿を，すべて書き出してみましょう。子どもたちの姿から学習をふりかえり，印象に残ったことや考えたことを書きましょう。グループやクラスで発表しましょう。

3　第5部（8章・9章）をふりかえって，印象に残ったことを4コマ漫画で表現してみましょう。

タイトル

① 教科書や年表から，重要だと思うできごとを探します。
　↓
② マンガに表現する内容を考え，50字くらいの文に書きます。
　↓
③ 内容をわかりやすく伝えるように，4つのコマのセリフを考えます。
　↓
④ タイトルをつけます。
　↓
⑤ 4コマ漫画を描きます。
　↓
⑥ グループで，できごと順にならべて，発表会を開きましょう。
　↓
⑦ クラス全体で作品を鑑賞しましょう。
　↓
⑧ できごとの内容が，よく表現できていると思う作品の感想を書きましょう。

〈作品の例〉

4　日本や世界の国々は，なぜ第一次世界大戦の反省をいかせなかったのでしょうか。第5部をふりかえり，自分の考えを書きましょう。グループやクラスで発表しましょう。他の人の発表を聞いて，自分では気がつかなかった意見があったらメモしましょう。

紀元前1000年

紀元前500年

紀　元

500年

1000年

1500年

2000年

第10章 現代の日本と世界

今、世界の子どもたちは

ⓘ 第10章の扉ページでは，
社会の課題に取り組んでいる子どもたちと出会います。

銃の規制を訴える

アメリカ合衆国では，銃乱射事件が
あとをたちません。2018年，事件
が起きた高校の生徒たちがよびかけ
て，全米で，銃の規制を求める集会
や行進が行われました。エマ＝ゴン
ザレスさん（18歳）は，犠牲となった
17人の名をあげて死を悼み，「私た
ちの命のためにたたかおう」と，銃の
規制を訴えました。

▲左から3番目がアニーさん〈義井豊　撮影〉

子どもたちの働く環境を改善したい

ペルーでは，多くの子どもが学校に通いながら働いていま
す。マントックという組織では，働く子どもたちのために
教育のプログラムを提供し，子どもの権利を守る活動をし
ています。子どもたち自身がプロジェクトを企画していま
す。アニー＝オレバレス＝アレスクレナガさんは，2016年，
16歳のときに来日し，マントックの活動について報告しま
した。

アメリカ合衆国

デンマー

ペルー

大西洋

積極的に政治に関わろう

デンマークでは，18歳以上に選挙権，被選挙権があり
ます。ラッセ＝H＝ピーダセンさんは，いじめなど身近
な問題から政治に関心を高め，高校生で市議会議員に
なりました。2014年，来日し，「不満を言うばかりでは
何も変わらない。自分で社会を変えることだ」と，積極
的に政治に関わることの大切さを語りました。

〈西日本新聞社提供〉

水の事故をなくしたい

タイは水源にめぐまれていますが，サイクロンや津波などの被害を受けやすく，毎年多くの子どもが水の事故で亡くなっています。バンコクの小学校の子どもたちは，ＮＧＯの援助をうけ，事故予防のための絵本をつくりました。

〈©Save the Children〉

〈現代イスラム研究センター提供〉

空爆の恐ろしさを訴える

2012年，パキスタンのナビラ＝レフマンさん（当時8歳）は，米軍の無人機による「誤爆」で祖母を目の前で失い，自身も右手を負傷しました。2015年にナビラさんは来日し，空爆の恐ろしさを訴えながら，「平和な故郷で学校に行きたい」「弁護士になって，教育を受けられない故郷の子どもたちのために何かをしたい」と語りました。

太平洋

インド洋

タイ

パキスタン

ルワンダ

男らしさへの思いこみをなくしたい

ルワンダでは，女性への差別や暴力が問題となっています。男の子たちは「ボーイズ・フォー・チェンジ」というグループをつくり，かつては女性の仕事とみなされていたそうじに「おそうじ男子」として取り組むなど，意識を変えるための活動を行っています。

〈プラン・インターナショナル提供〉

現代の学習課題　第二次世界大戦終結から70年以上がたち，科学技術がめざましく発展しました。国境を越えて，人・情報・商品・金が動いています。そこには光と影があり，大きな課題があります。歴史がいよいよ，あなたの生きる現在とつながります。さまざまな社会の課題について，歴史をふりかえって考えてみましょう。あなたは，どんな未来を切りひらくのでしょうか。

① 街頭演説をする山口シヅエ（1946年　東京）

（1）焼け跡からの出発 ― 占領と日本の民主化 ―

焼け跡で街頭演説が始まった。人びとはどんな願いをもっていたか。GHQは何をしようとしたか。

連合国軍総司令部（GHQ）が
日本政府に出した改革の指令
（1945年10月）

1 女性の解放
2 秘密警察・治安維持法の廃止
3 教育の自由主義化
4 労働組合の結成を奨励
5 財閥の解体・農地改革

闇市
　焼け跡などにできた露店形式の市場。空地などで、配給制度に違反する食料や生活必需品も売買された。

② 食糧メーデー〈毎日新聞社提供〉

■ 弟はフィリピンで死んだ

　1945年8月，敗戦から10日後には，戦争中におさえられていた女性参政権を求める運動が，再び始められました。12月，法律が改正されて，20歳以上の男女が，普通選挙権を得ます。翌1946年4月，戦後初めての衆議院議員選挙が行われました。

　山口シヅエ（28歳）は，戦争反対を訴えるために，立候補を決意しました。東京の焼け跡や闇市をまわり，690回も街頭演説をしました。かねを鳴らし，食べ物屋だと思って集まった人びとに向かって，演説を始めました。空襲で家と工場が焼かれた話，愛する弟が戦死した話をすると，人びとは涙を流しました。「二度と戦争をしてはなりません」「女性が働きやすい社会にしましょう」と訴えて，当選しました。

　この選挙で，39名の女性議員が誕生しました。衆議院議員に占める女性議員の割合は8.4%で，当時としては世界でも高いものでした。

■ 学校給食をしてください

　敗戦後，政府からの配給物資が十分に届かず，人びとは深刻な食料不足に苦しみます。農家への買い出しや闇市で食料を手に入れて，飢えをしのぎました。「大阪では，餓死者が10月（1945年）までに200人に」「11月，東京での餓死者は一日25人」と，新聞が報道しました。

　1946年5月に開かれた食糧メーデーには，25万人の人びとが皇居前広場に集まり，「働く者に食べ物を」「人民の政府を」と声をあげました。

③1日だけの学校給食／1946年9月の始業式に，全国で行われた。

④マッカーサーと昭和天皇（1945年　アメリカ大使公邸）〈朝日新聞社提供〉

⑤1945年の銀座（東京都）／ＰＸ（アメリカ兵用の売店）と書かれている。

小学生の橋本実（11歳）も，「疎開のために遅れた勉強を取りもどしたいが，米がないので，弁当を持っていけません。ぼくたちに学校給食をしてください」と，たくさんの人びとに向かって訴えました。

■ 占領と民主化

　日本を占領するために，1945年10月，連合国軍総司令部（ＧＨＱ）が東京に置かれます。アメリカ軍のマッカーサーが，最高司令官でした。占領の目的は，日本が，アメリカや他の国々を再びおびやかすことがないように，軍国主義をなくし，民主化を行うことでした。
　ＧＨＱは軍隊を解散させ，戦争を指導した政治家や軍人を逮捕して，極東国際軍事裁判（東京裁判）にかけました。この裁判では，昭和天皇の責任は問われませんでした。また，戦争をすすめる地位にいた人は，公務員や議員の職から追放されました。
　ＧＨＱは，日本政府に，民主化をすすめる指令を出します。労働組合が数多く結成され，食料不足のうえに，物価が急激に上がったため，賃金の引き上げを求めて，次々とストライキを行いました。また，新しい政党が結成され，戦前はおさえられていた政党も活動を再開しました。
　一方で，ＧＨＱは，報道や出版の検閲を行いました。占領政策の批判や米兵による暴行事件の報道を禁止し，原爆投下を批判した新聞も発行停止にしました。また，1947年，260万人が参加するストライキを労働組合が計画すると，これを中止させる命令を出しました。

■ 200万ヘクタールの解放

　ＧＨＱの指令により，戦争と深いかかわりをもち，日本経済を支配していた三菱，三井，住友などの財閥は解体されました。
　また，政府が，地主の農地を安い価格で強制的に買い上げ，小作農に売りわたして，自作農にする改革がすすめられました（農地改革）。これにより，自作農は大幅に増えました。

労働者の権利を守る法律
　労働組合法や労働条件の最低基準を定めた労働基準法が制定された。

⑥検閲された被爆体験記／石田雅子（14歳）は長崎で原爆にあい，その体験を本にしたが，ＧＨＱは出版を認めなかった。
〈『長崎・そのときの被爆少女〜六五年目の『雅子斃れず』時事通信社〉

⑦農地改革のポスター（1町歩は約1ヘクタール）〈国立公文書館蔵〉

①『あたらしい憲法のはなし』（復刻版）〈文部省著作〉

六　戦争の放棄

みなさんの中には、今度の戦争に、おとうさんやにいさんを送りだされた人も多いでしょう。ごぶじにおかえりになったでしょうか。それともとうとうおかえりになら

なかったでしょうか。また、くうしゅうで、家やうちの人を、なくされた人も多いでしょう。いまやっと戦争はおわりました。二度とこんなおそろしい、かなしい思いをしたくないと思いませんか。こんな戦争をして、日本の国はどんな利益があったでしょうか。何もありません。ただ、おそろしい、かなしいことが、たくさんおこっただけではありませんか。戦争は人間をほろぼすことです。世の中のよいものをこわすことです。だから、こんどの戦争をしかけた国には、大きな責任があるといわなければなりません。このまえの世界戦争のあとでも、もう戦争は二度とやるまいと、多くの国々ではいろいろ考えましたが、またこんな大戦争をおこしてしまったのは、まことに残念なことではありませんか。

そこでこんどの憲法では、日本の国が、けっして二度と戦争をしないように、二つのことをきめました。その一つは、兵隊も軍艦も飛行機も、およそ戦争をするためのものは、いっさいもたないということです。これからさき日本には、陸軍も海軍も空軍もないのです。これを戦力の放棄といいます。「放棄」とは、「すててしまう」ということです。しかしみなさんは、けっして心ぼそく思うことはありません。

（2）もう戦争はしない —日本国憲法—

いろいろな憲法案が発表された。日本の新しい憲法にふさわしいのはどれだろうか。

■ あたらしい憲法のはなし

1947年,『あたらしい憲法のはなし』という社会科の教科書が, 全国の中学1年生に配られました。次のようなことが書かれていました。

「こんどの憲法は, 民主主義を根本の考え方としていますから, 主権はとうぜん国民にあります」「みなさんは憲法で基本的人権というりっぱな強い権利を与えられました」「兵隊も軍艦も飛行機も, およそ戦争をするためのものは, いっさいもたない」「よその国と争いごとがおこったとき, けっして戦争によって, 相手をまかして, 自分のいいぶんをとおそうとしないことを決めたのです」

新しい憲法が施行された日,記念の式典が行われた学校もありました。戦争中, 軍需工場で働いていた愛知県の少女は,「新憲法では戦争がなくなっていいね。じっさい戦争だけはいやだわ。今おもってもぞっとするわ」と, 家族と話し合っています。

■ 憲法改正案をめぐって

1945年, 連合国軍総司令部（GHQ）は, 日本政府に憲法の改正を指示しました。しかし, 政府がまとめた改正案は, 天皇が統治権をもつなど, 大日本帝国憲法とほとんど変わらないものでした。

そこでGHQは, 憲法研究会の憲法案などを参考にしてGHQ草案をつくり, 政府に示します。憲法研究会とは, 新しい憲法をつくろうと集まった, 学者やジャーナリストのグループです。憲法学者の鈴木安蔵が

②鉄カブトの再生（1946年　大阪市）

極東委員会
日本の占領政策の最高決定機関は, 米・英・ソ連・中国など連合国の11カ国からなる極東委員会だった。
ソ連・中国・フィリピン・オーストラリアなどは, 日本の憲法を改正し, 軍国主義をなくすことを, 強く主張した。天皇の戦争責任を追及する意見も出た。

③憲法発布記念式典
（1946年　東京）／日本国憲法では、天皇は日本国と日本国民統合の象徴とした。

中心となり、自由民権運動のなかでつくられた憲法案や、世界の憲法をとり入れて、国民主権を基本とする憲法案をつくり、発表していました。

　政府は、GHQ草案をもとにして、新たに憲法改正案を作成します。戦後初の選挙で選ばれた衆議院議員がこれを審議しました。このなかで、5 国民主権が明記され、生存権が定められるなど、重要な修正が加えられました。

　提案された憲法改正案では、義務教育は小学校までとしていました。教師たちは、貧しさのため進学できない子どもがたくさんいることを取り上げ、中学校までを義務教育とするように求めました。各地で集会を10 開き、署名を集めて運動し、帝国議会はこれを受け入れました。

■ 密航船が運んだ憲法

　日本国憲法は、帝国議会の可決を経て、1946年11月3日に公布され、翌年5月3日から施行されました。この時期は、大変な食料不足で、「憲法より飯だ」というプラカードが、メーデーに出て話題になりました。政府は憲法を普及させるためのパンフレットを全家庭に配り、各地で講15 演会を開いて、憲法への理解を広げようとしました。

　降伏後の沖縄・奄美群島と小笠原諸島は、アメリカ軍に直接支配されていました。アメリカ軍政府は、当時、本土との行き来を禁じ、手紙も許可しませんでした。

　1947年の夏、日本国憲法の写しが、密航船で沖縄に運ばれました。20 沖縄の学生たちは、この憲法をノートに写しました。のちに沖縄県知事になる大田昌秀は、すべてが目新しく心にしみるものばかりだったと、回想しています。

日本国憲法　第25条

すべて国民は、健康で文化的な最低限度の生活を営む権利を有する。

（一部）

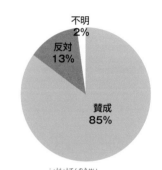

A. 象徴天皇制について

不明 2%
反対 13%
賛成 85%

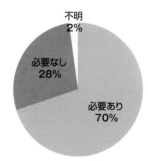

B. 戦争放棄の条項について

不明 2%
必要なし 28%
必要あり 70%

④憲法改正についての世論調査（『毎日新聞』1946年5月27日）／対象は、沖縄をのぞく全国2000人の有識者。

― 日本国憲法と旧植民地の人びと ―

　日本に住んでいた朝鮮・台湾など旧植民地出身の人たちは、1947年5月2日、憲法の施行前日の勅令（天皇の命令）で、「当分の間、外国人とみなす」とされ、1952年には、日本国籍を一方的に奪われた。

　朝鮮出身の石成基は、戦争中、日本国民として徴用され、マーシャル諸島の戦闘で右腕を失った。1952年、日本国籍がないことを理由に、戦傷病者に対する年金の支給を打ち切られた。石成基たちは、日本の政府と裁判所に、国籍による差別の廃止を訴え続けたが、退けられた。やがて、このことは国連でもとりあげられ、2000年に、弔慰金などを支給する法律ができた。

（3）走れ、ぞう列車 —戦後の子どもと教育—

ぞうを見たい。子どもたちはどんな行動を起こしたか。学校はどう変わっていったのか。

② 『ぞうれっしゃがやってきた』（作）小出隆司（絵）箕田源二郎／空襲が始まると、東山動物園でも警護する人たちや飼育係によってライオンやクマなどが殺された。〈岩崎書店〉

教育基本法（1947年）

第1条（教育の目的）　教育は、人格の完成をめざし、平和的な国家及び社会の形成者として、真理と正義を愛し、個人の価値をたつとび、勤労と責任を重んじ、自主的精神に充ちた心身ともに健康な国民の育成を期して行われなければならない。

（一部）

＊この法律は、2006年に改定された。

■ 命がけで象を守る

1946年3月、名古屋の東山動物園が再開され、象が子どもたちの前に姿をあらわしました。子どもたちを迎えたのは、戦争を生きのびたわずかな数の動物たちでした。ライオンやトラは、はく製や看板に絵を画いたものでした。

戦争中には、全国の猛獣が次々と処分されました。子どもたちに人気があり、各地に40頭ほどいた象も、そのほとんどが殺されました。そのなかで、東山動物園では、園長と職員が処分命令に抵抗して象を守り、2頭の象が生き残っていました。

■ 象を貸してください

1949年5月、東京の台東区子供議会では、象の借り入れを満場一致で決議し、代表二人を名古屋へ送り出しました。この子供議会は、占領政策の一環として、GHQの指示で始められた取り組みです。

子供議会の臨時総会が、名古屋で開かれました。東京の中学生が、「下級生は象を見たことがありません。ぜひ上野動物園に象を貸してください」と訴えました。名古屋の中学生もこれを真剣に受け止めましたが、象の健康状態や運搬手段の問題などで、実現しませんでした。

大人たちのはからいで、東京の子どもたちが象を見に行くための、名古屋行きの特別列車が仕立てられました。これがぞう列車の始まりです。関東各地や彦根（滋賀県）からも列車は出発し、この年の秋までに1万人以上の子どもが、象に会いに行くことができました。

③青空教室（1945年9月　東京）〈毎日新聞社提供〉

子どもたちはこのあとも，「外国から象を買ってほしい」と国会に請願し，インド政府に要望しました。

『山びこ学校』の中学生

「母のように貧乏のために苦しんで生きていかなければならないのはなぜか」（中学2年　江口江一「母の死とその後」1949年）

山元中学校（山形県）の43人の作文を集めた『山びこ学校』が出版され，共感を集めた。山元中学校では，「いつも力をあわせていこう」「働くことがいちばんすきになろう」「なんでもなぜ？と考える人になろう」と，生活と向き合う作文・討論・調査を中心にした学習がすすめられた。

〈KADOKAWA〉

■ 新しい教育が始まる

1947年，日本国憲法にもとづいて，「個人の尊厳を重んじ，真理と平和を希求する人間」を育てるとする教育基本法が制定されました。小学校・中学校の9年間を義務教育とする教育制度が始まりました。男女共学となり，小学校を卒業したあと，だれもが中学校に進学できるようになりました。

しかし，発足したころの新しい中学校には，戦争による荒廃と予算不足から，体育館や廊下を仕切って教室にするところもありました。また，教師の不足も深刻で，1学級50人以上の過密状態の教室，午前組・午後組の二部授業などもありました。

戦前の教育の中心だった教育勅語と修身は，廃止されました。歴史の教科書は神話からでなく，石器時代から始まり，「縄目の紋のついた土器や石器を使い，シカやイノシシ，貝などを食べて生活していた。その証拠は畑などで見つけることができる」と，書かれました。社会科が新しい教科として始まり，社会のしくみや民主主義について学びました。

④墨ぬり教科書／「ボクハ，カウクウ兵ダヨ」「私タチハ，カンゴフニ ナリマセウ」などの文章が消されている。〈東書文庫蔵〉

― 盲目の戦争孤児 ―

小倉勇は，1945年7月，13歳のときに敦賀大空襲（福井県）で母を亡くした。戦後は父と暮らしたが，その父も死去した。孤児になって親戚の家にあずけられたが，「親戚というだけで，何でめんどうを見なければならないのか」と言われ，逃げ出した。

敦賀駅で汽車に乗り，福井駅，東京駅，上野駅，三宮駅，大阪駅などで暮らした。駅の近くには闇市が立ち，食料が得やすかったからだ。このような戦争孤児は，「駅の子」とよばれた。全国に12万人の戦争孤児がいたとされるが，実際にはもっと多かったともいわれる。小倉勇は目が悪かったため，一人では何もできない。食料を得るために仲間を誘い，盗み，置き引き，空き巣など何でもやった。窃盗をするときには，人の気配を感じて連絡する見張り番をした。京都駅に着いたときには緑内障が悪化し，目が見えなくなっていた。

15歳のとき，京都府立伏見寮という戦争孤児施設に収容され，施設の先生に言われて盲学校に通うことにした。この先生との出会いがなければ，「悪の道」に入っていたと，小倉勇は話す。高齢になった今も，現役のマッサージ師として仕事をしている。

⑤京都駅で撮影された戦争孤児の少年（1947年）〈積慶園提供〉

① 日本の植民地支配から解放されて喜ぶ人びと（1945年8月16日）〈韓中文化協会提供〉

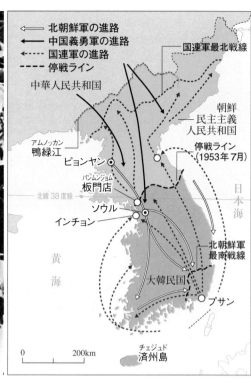

② 北朝鮮軍・国連軍・中国義勇軍の動き

（4）南北に引き裂かれる ―朝鮮戦争と冷戦―

朝鮮半島では同じ民族が二つの国に分かれ、ついに戦争を始めた。なぜだろうか。

■ 解放された朝鮮半島では

　1945年8月15日早朝、日本の朝鮮総督府の高官は、独立運動家の呂運亭とソウルで会談し、朝鮮にいる日本人の安全を保障してほしいと頼みました。呂はこれを受け入れ、総督府は朝鮮人の政治犯を釈放し、独立を準備する活動に干渉しないことを確認しました。

　朝鮮の新しい国づくりが始まりました。労働組合が結成されて、日本人の工場を引き継ぎ、農民組合は、地主に小作料の引き下げを要求しながら、収穫した米を都市の人びとに配給しました。

　一方、アメリカとソ連は、北緯38度線で朝鮮半島を分割して、占領しました。国が南北に分けられてしまうことに心を痛めた人たちは、何度も話し合いをもちましたが、合意は成立しませんでした。そして、1948年、南に大韓民国（韓国）が、北には朝鮮民主主義人民共和国（北朝鮮）がつくられました。

■ 米ソの対立と新中国の誕生

　ソ連軍によってドイツから解放された東ヨーロッパの国々や、レジスタンスが盛んだったフランス・イタリアでは、第二次世界大戦ののち、共産党への支持が広がりました。

　アメリカは、こうした動きに対抗して、西ヨーロッパの国々に総額125億ドルを超える資金を援助しました。そして、東ヨーロッパ諸国の政権を動かしていたソ連の勢力をおさえる政策をとりました。米ソは自

呂運亭（1886〜1947）
　日本の植民地支配下で、独立運動に加わり、解放後は統一した独立国家づくりに努力した。

冷戦
　第二次世界大戦後、東ヨーロッパや中国などアジアにも、社会主義をめざす国が成立した。アメリカを中心とする資本主義国（西側陣営）と、ソ連を中心とする社会主義国（東側陣営）とが厳しく対立した。
　両陣営が全面衝突する戦争に至らない状態だったので、「冷戦（冷たい戦争）」とよばれた。

太平洋

台湾(中華民国)

中華人民共和国

アメリカ合衆国

ソビエト連邦（れんぽう）

北極海

ドイツ民主共和国(東)
ドイツ連邦共和国(西)（れんぽうきょうわこく）

大西洋

③対立するアメリカとソ連（1950年代）

④朝鮮戦争で爆撃（ばくげき）された村〈『朝鮮日報』1952年11月30日〉

国の影響力（えいきょうりょく）を強めようと，各地に軍隊を配備して対立しました（冷戦（れいせん））。

　中国では，日本との戦争に勝利したのち，国民党軍と共産党軍の間で内戦が始まりました。はじめ国民党軍は，アメリカなどに支援（しえん）され，共産党軍を圧倒（あっとう）していました。しかし，紙幣を大量に発行して物価の高騰（こうとう）を招いたため，国民の支持を失っていきました。共産党は，土地を農民に分けることを約束して支持を得て，1949年に中華人民共和国（ちゅうかじんみんきょうわこく）が成立しました。一方，国民党軍は台湾（たいわん）にうつりました。

⑤中華人民共和国の成立を宣言する毛沢東主席（もうたくとう）（1949年）

■ 朝鮮戦争（ちょうせんせんそう）の開戦と休戦

　1950年6月25日早朝，北朝鮮軍は，武力で朝鮮半島を統一する方針をとって，北緯38度線を越えて（こ）韓国に侵攻（しんこう）しました。27日には，38度線から50kmのソウルは，北朝鮮軍によって占領されました。

　この戦争には，韓国側にアメリカを中心とする国連軍が，北朝鮮を支援して中国義勇軍が参戦し，朝鮮半島の全域が戦場となりました。双方（そうほう）が激しく戦うなかで，民衆は逃（に）げまどい，家族も離（はな）ればなれになりました。

　1951年，国連軍と中国・北朝鮮軍の間で休戦会談が始まり，1953年に休戦協定が結ばれました。戦闘（せんとう）は終わりましたが，軍事境界線には，延々と鉄条網（てつじょうもう）が張られ，多数の地雷（じらい）が埋（う）められています。その後も，南北の緊張（きんちょう）した状態が続きました。

朝鮮戦争の死者
・韓　　国　　　　133万人
・北朝鮮　　　　　250万人
　　　（いずれも市民をふくむ）
　そのほか，米軍6万人，中国義勇軍100万人が戦死したといわれる。

⑥アメリカの軍用機を修理する日本の工場（1953年）

― 日本と朝鮮戦争 ―

　朝鮮戦争が続くなか，日本はサンフランシスコ平和条約に調印して，1952年4月，独立を回復した。平和条約と同じ日に結んだ日米安全保障条約（にちべいあんぜんほしょうじょうやく）にもとづいて，アメリカ軍は，引き続き日本国内に基地を維持（いじ）して，朝鮮半島に出撃（しゅつげき）した。米軍が武器の修理や弾薬（だんやく）の補給などを日本で行ったため，日本の工業生産は急速にのび，経済復興のきっかけとなった。
　また，アメリカの指示により，海上保安庁（かいじょうほあんちょう）の部隊が朝鮮半島に派遣（けん）されて機雷除去（きらいじょきょ）の作戦にあたり，そのとき18名が死傷した。日本赤十字社の看護師たち100名近くが，北九州につくられた国連軍の病院で負傷兵を看護した。
　アメリカ軍が朝鮮半島に出動すると，GHQの指令により，日本国内の治安を守るためとして，1950年8月に警察予備隊（けいさつよびたい）がつくられた。警察予備隊は，1952年には保安隊（ほあんたい）に，1954年には自衛隊（じえいたい）となっていった。

① ネルー首相と象のインディラ（1957年　上野動物園）〈朝日新聞社提供〉

（5）インドも中国も来なかった —日本の独立—

講和会議に参加しなかったのはどんな国か。日米安保条約で日本はどう変わっていくのか。

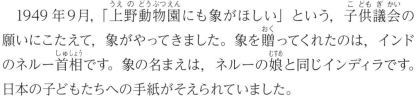

■ インディラがやってきた

1949年9月，「上野動物園にも象がほしい」という，子供議会の願いにこたえて，象がやってきました。象を贈ってくれたのは，インドのネルー首相です。象の名まえは，ネルーの娘と同じインディラです。日本の子どもたちへの手紙がそえられていました。

「世界の子どもたちはみんな同じですが，不幸なことに，大人になると時々けんかをします。このような大人のけんかは，やめさせなければなりません。私たちは，インドや日本の子どもたちが成長したとき，自分の祖国のためだけではなく，アジアと世界の平和と協力のためにも，力をつくしてほしいと願っています」

象のインディラが日本に来た翌年，朝鮮戦争が始まりました。

② ソ連や中国などもふくむ全面講和を主張する旗（1950年メーデー　東京）

■ 日本が独立する

アメリカは日本との講和を急ぎました。1951年9月，領土や賠償の問題を解決し，国交を回復するための講和会議が，アメリカのサンフランシスコで開かれました。しかし，インドはこの会議に出席しませんでした。日本を占領していたアメリカ軍の引きあげを定める条文が，平和条約の案になかったためです。

また，連合国の間で，中国を代表する政府について意見が分かれたため，中華人民共和国も中華民国も講和会議に招かれませんでした。大韓民国（韓国）と朝鮮民主主義人民共和国（北朝鮮）は，日本の戦争相手国ではなかったとして会議に招かれませんでした。そのため，日本が戦争で最

③ 平和条約に調印する吉田茂首相
（1951年9月　サンフランシスコ）
〈毎日新聞社提供〉

5

10

15

④砂川闘争（1955年　東京都砂川町）／米軍基地の滑走路拡張に反対し，わらをいぶして測量を阻止する農民たち。1956年，拡張は中止された。〈朝日新聞社提供〉

⑤第二次世界大戦後のアジアの主な独立国

地図凡例：
■ 第二次世界大戦後に独立した国／（　）は，独立年
□ 第二次世界大戦以前から独立していた国

- パキスタン（1947）
- インド（1947）
- ラオス（1949）
- ビルマ（1948）
- セイロン（1948）
- マラヤ連邦（1957）
- 朝鮮民主主義人民共和国（1948）
- 大韓民国（1948）
- ベトナム民主共和国（1945）
- フィリピン（1946）
- ベトナム国（1949）
- カンボジア（1953）
- インドネシア（1949）

0　2000km

も大きな被害をあたえた中国，植民地としていた朝鮮半島の国は，講和会議に参加できませんでした。

　ソ連・ポーランドなどは，条約の内容に賛成せず，また中国が参加できなかったことを理由に，条約には調印しませんでした。

5　吉田茂首相は，アメリカなど48カ国との間で，平和条約に調印しました（サンフランシスコ平和条約）。これによって日本は，1952年4月28日，主権を回復して独立しました。しかし，沖縄・奄美群島や小笠原諸島は，引き続きアメリカの支配の下におかれました。

　その後，日本はインドなどと平和条約を結び，国交を開きました。1956年には日ソ共同宣言によって，北方領土問題は未解決のままソ連と国交を回復し，国連への加盟が認められました。しかし，韓国とは1965年の日韓基本条約まで，中国とは1972年の日中共同声明まで，国交は正常化されませんでした。北朝鮮との国交は，現在も開かれていません。

■アジアの独立と日米安保条約

　第二次世界大戦後，アジアの国々は次々と独立を達成しました。15　1945年9月にベトナム民主共和国が，翌年フィリピンが，1949年にはインドネシアが独立しました。

　1951年，平和条約に調印した日に，日本とアメリカは日米安全保障条約（日米安保条約）を結びました。これにより，独立後も引き続きアメリカ軍が日本に駐留し，国内の基地（施設・区域）20　を自由に使用することを，認めることになりました。

― インドネシアの独立 ―

　オランダ領東インドでは，日本軍の占領下でも独立を求める運動が起こり，1945年8月17日，指導者スカルノらがインドネシア共和国の独立を宣言した。しかし，オランダはこれを認めず，軍隊を派遣したため，4年以上にわたって独立戦争が続いた。植民地の独立を支持する国際的な世論もあり，国際連合でも停戦を求めたため，オランダもその独立を認めた。

　1955年には，インドネシアのバンドンで，第1回アジア・アフリカ会議が開かれた。アジア・アフリカの29カ国の指導者が集まり，「人類の平等と大小すべての国の平等」「他国の内政に干渉しない」などを定めた平和十原則を発表した。

賠償を求めたアジア諸国

　アメリカは，講和会議の参加国に，日本に賠償を請求する権利を放棄するよう求めた。しかし，戦争で大きな被害を受けたアジア諸国はこれに反発した。

　日本は，ビルマ・フィリピン・南ベトナム・インドネシアとの間に協定を結び，工場・ダム・橋の建設などによる賠償を行った。

北方領土問題

　日本政府は，北方四島は日本固有の領土であり，その帰属の問題を解決してロシアとの平和条約を結ぶとの基本方針にもとづいて，交渉を行っている。

⑥日本にあった主なアメリカ軍基地〈『朝日年鑑』1953年版より〉

地図凡例：
▲ 主な在日米軍基地（駐屯地・飛行場・軍港・陸上演習場など）
▨ 海軍・空軍演習場
琉球（アメリカによる統治）

- 千歳
- 三沢
- 立川
- 市ヶ谷在日米軍司令部
- 伊丹
- 小松
- 岩国
- 板付
- 横須賀
- 佐世保
- 小牧
- 富士山麓

0　400km

邦人漁夫、ビキニ原爆実験に遭遇

「死の灰」をつけ帰港した第五福竜丸〈静岡県〉

23名が原子病
一名は東大で重症と診断

水爆か

"死の灰"つけ遊び回る 21名

焼けただ…

グロー

①第五福竜丸の被ばくを伝える新聞〈「読売新聞」1954年3月16日〉

水爆大怪獣映画

②映画『ゴジラ』のポスター〈©作品年度（1954年）TOHO CO.,LTD.〉

（6）ゴジラの怒り、サダコの願い ——原水禁運動——

映画『ゴジラ』が大ヒットしたのはなぜか。人びとは原水爆と原子力発電をどう考えていたのか。

アメリカとソ連の原子力開発競争

1945年	アメリカが広島・長崎に原爆投下
1946年	アメリカがビキニ環礁で原爆実験
1949年	ソ連が原爆実験
1952年	アメリカが水爆実験
1953年	ソ連が水爆実験
1954年	ソ連が実用的な原子力発電所を運転する
1957年	アメリカが商業用の原子力発電所を運転する

ビキニ環礁での水爆実験

実験場から240kmにあるロンゲラップ島の住民が被ばくし、ほかの島への移住をアメリカに強制された。

原爆を許すまじ
浅田石二作詞　木下航二作曲

ふるさとの街やかれ
みよりの骨うめし焼土に
今は白い花咲く
ああ許すまじ原爆を
三度許すまじ原爆を
われらの街に

＊佐々木禎子もこの歌をよく口ずさんだという。

■ 死の灰をあびた第五福竜丸

太平洋のビキニ環礁から北東150kmの海で、第五福竜丸はマグロ漁をしていました。1954年3月1日早朝、水平線上にせん光が走り、ごう音がとどろきました。やがて灰色の雲が空をおおい、船の甲板には、白い灰が降り積もって、靴のあとがつきました。

乗組員は目や頭の痛み、吐き気を訴えました。皮膚に水ぶくれができ、髪の毛が抜ける人もでました。14日に焼津港（静岡県）に帰り着いて、乗組員23人はすぐ入院し、急性放射線症と診断されました。

白い灰は、アメリカがビキニ環礁で行った水爆実験によるものでした。この水爆の破壊力は、広島型原爆の1000倍もあり、4500km離れた日本でも、放射能を帯びた雨が降りました。乗組員の久保山愛吉が、「原水爆の被害者は私を最後にしてほしい」という言葉をのこして、9月に死亡しました。

11月には、映画『ゴジラ』が公開されました。水爆実験ですみかを破壊された怪獣ゴジラが、東京を襲うという話です。

■ 原爆を許すまじ

5月に東京都杉並区の主婦たちが、原水爆禁止署名運動を始めました。運動は「原爆を許すまじ」の歌声とともに全国に広がり、署名数は3200万人を超えました。1955年8月、広島市で原水爆禁止世界大会が開かれ、被爆者や久保山愛吉の遺族が、核兵器の廃絶を訴えました。

③原爆の子の像（広島平和記念公園）

④原子力平和利用博覧会（1956年　広島）／全国を巡回したが，広島では平和記念資料館が会場になった。〈中国新聞社提供〉

⑤中沢啓治『はだしのゲン』英語版／作者の体験をもとにした作品。多くの国で出版されている。

連合国軍の占領下では，被爆者は被害の実態や苦しみを発表することが禁じられ，病気や生活を援護する対策も行われませんでした。

被爆後10年が過ぎると，白血病を発症する被爆者が増えました。12歳の佐々木禎子は，病気をなおす願いをこめて，病院で千羽鶴を折り続けましたが，1955年10月に死去しました。同級生たちは，原爆で亡くなった子どもの記念像を建てようとよびかけました。全国の学校で賛同する声が広がり，3年後に「原爆の子の像」が建てられました。

■ 原子力の夢を追う

アメリカもソ連も，「核兵器の力で脅威をあたえ，相手に攻撃を思いとどまらせる」と主張して，核兵器の開発と実験をくり返しました。核戦争が起こるのではないかという，不安と恐怖が世界に広がりました。

そこで，アメリカの大統領は，原子力は平和利用できると国連で演説し，平和利用を推進する国際機関がつくられました。日本でも，アメリカの働きかけによって，1955年から原子力平和利用博覧会が各地で開かれ，この年，原子力基本法が制定されました。原子力発電の危険性は，国民には伝えられませんでした。アメリカは，西側の陣営の国には，原子力発電の技術と核燃料を提供しました。

日本では，1963年に実験用の原子炉で初めて発電が行われ，『鉄腕アトム』のテレビ放映が始まりました。1970年，敦賀原子力発電所（福井県）からの電気で，大阪万国博覧会の開会式の灯りがともされました。

原子力基本法
第2条　原子力利用は，平和の目的に限り，安全の確保を旨として，民主的な運営の下に，自主的にこれを行うものとし，その成果を公開し，進んで国際協力に資するものとする。

（一部）

⑥国連軍縮会議に出席した高校生たち／外務省ユース非核特使としてスピーチを行った。（2016年　スイス・ジュネーブ）〈平和活動支援センター提供〉

― 微力だけど無力じゃない――被爆者の心を世界に伝える高校生 ―

1998年のインド・パキスタン核実験がきっかけとなり，長崎では，高校生平和大使を国連へ派遣することにした。その後，高校生自らが，核兵器廃絶をめざす「高校生1万人署名活動」を始め，各地の若者へ広がった。韓国では，在韓被爆者や被爆2世・3世，現地の高校生たちとともに，原爆写真展を開催し署名を集めている。「ミサイルよりもえんぴつを！」を合言葉に，アジアの子どもたちへ文房具を贈り，フィリピンの高校生との平和交流も始まった。

各地で集めた署名は，毎年，高校生平和大使が国際連合軍縮局に届けている。これらの継続した活動が認められ，2018年，ノーベル平和賞候補として推薦されることになった。高校生たちは，「微力だけど無力じゃない」を胸に，核兵器廃絶と平和な世界の実現をめざし，未来を拓く活動を続けている。

② 国会を取り巻いた人びと（1960年6月18日）

① 安保反対のデモ（1960年6月18日　東京・銀座）〈朝日新聞社提供〉

（7）国会を包囲する人波 ―日米安保条約の改定―

国会に押しかけた人びとはどんなことを訴えたのか。そのころ沖縄ではどんな動きがあったのか。

フォーカス🔍

■「民主主義を守れ」「戦争反対」の声

　東京で，子どもの絵の教室を開いていた小林トミは，1945年の東京大空襲を見た体験をもっていました。家から川一本へだてた東京の空が，一晩中，恐ろしいほど真っ赤に燃えていた光景は，忘れられないものでした。

　1960年5月，小林トミは，日米安保条約の改定案が，衆議院で強行採決されたニュースを聞きました。安保条約によって日本は戦争に巻き込まれるのではないか，戦争になったら大変だと思い，デモに参加することを決心しました。プラカードを持ち「いっしょに歩きましょう」と呼びかけると，二人で始めたデモに歩道から大勢の人が加わって，300人ほどの列になりました。

■日米安保条約の改定

　1955年，冷戦下，アメリカとの関係を重視し，憲法改正をめざす保守勢力が合同して，自由民主党（自民党）を結成しました。一方，憲法を護ろうとする日本社会党（社会党）も統一して，これに対抗するわく組みができました。その後，38年にわたって自民党の政権が続き，社会党などの野党はこれと対立しました（55年体制）。

　1960年，自民党の岸信介内閣は，日米関係を強化するために，日米安全保障条約（日米安保条約）を改定しようとしました。社会党など野党はこれに激しく反対しました。それだけでなく，日米安保条約の破棄を

> **日米安全保障条約**（1960年）
>
> 第5条　各締約国は，日本国の施政の下にある領域における，いずれか一方に対する武力攻撃が自国の平和及び安全を危うくするものであることを認め，自国の憲法上の規定及び手続に従って共通の危険に処するように行動することを宣言する。
>
> 第6条　日本国の安全に寄与し，並びに極東における国際の平和及び安全の維持に寄与するため，アメリカ合衆国は，その陸軍，空軍及び海軍が日本国において施設及び区域を使用することを許される。
>
> （一部要約）

③衆議院での強行採決（1960年5月19日）〈毎日新聞社提供〉

④伊江島の子どもたちと遊ぶ黒田操子（1956年）／東京都の高校生・黒田は米軍の土地接収に苦しむ伊江島の人びとに励ましの手紙を送り、全国から本・雑誌を集めて寄贈した。〈阿波根昌鴻撮影・ヌチドゥタカラの家蔵〉

求める運動が、全国に広がっていきました。

　5月、衆議院で条約改定の採決強行の動きが強まると、これを民主主義への危機ととらえる声が高まりました。国会周辺は、最大で30万人を超す人波で埋まりました。各地で、社会党・日本共産党や労働者・市民・学生によって、集会やデモ行進が行われました（安保闘争）。

　日米安保条約の改定後、岸首相は混乱の責任をとって辞任しました。あとを継いだ池田勇人首相は、経済を成長させて、国民の間の政治的な対立をおさめようと、「所得倍増」政策を打ち出しました。

　このころ、米ソ両国は核兵器を開発して、世界各地で対立を強めていました。アメリカの偵察機がソ連上空で撃墜され、東ドイツがベルリンの壁を築きました。両国はキューバでもソ連のミサイル基地建設をめぐって激しく対立し、核戦争の危機が現実となりました（キューバ危機）。

■ アメリカの支配が続く沖縄

　沖縄は、サンフランシスコ平和条約によって本土と切り離されました。アメリカの統治が続き、米軍基地が本土から沖縄へ次々に移されました。

　1955年、伊江島では、米軍が銃剣で住民を追い立て、ブルドーザーで家を壊して土地を取り上げ、基地を拡張しようとしました。住民は座り込みなどで抵抗を続けました。米軍基地反対の運動は沖縄全体に広がり、「島ぐるみ闘争」とよばれました。

　1963年2月、那覇市で、下校する途中の中学生が青信号で横断中に、米軍のトラックにはねられて死亡しました。運転していた米兵は、軍事裁判で無罪となりました。沖縄（琉球政府）の警察は、取り調べることも、逮捕することもできませんでした。

キューバ危機（1962年）

　1959年に、キューバで革命が起きると、アメリカは軍事力で新しい政権を倒そうとした。そのため、キューバはソ連に近づき、ソ連のミサイル基地建設を認めた。アメリカはこの動きに強く反発し、キューバ周辺の海上を封鎖したため、ミサイルを積んだソ連の船は引き返した。

⑤朝日茂（1913〜1964）／ベッドの上で裁判を支援する寄せ書きを読んでいる。〈朝日新聞社提供〉

― 憲法を暮らしに生かす ―

　重症の結核患者だった朝日茂は、生活保護の基準があまりにも低すぎると、国を相手とする裁判を始めた。基準では、栄養補給に卵を食べることも、新聞を読むこともできなかった。朝日は、これは憲法に違反していると主張した。

　東京地方裁判所は、1960年、この訴えを認め、「憲法25条が定める最低限度の生活」が保障されていないとする判決を下した。その後、最高裁判所の審理の途中で、朝日は死亡した。この裁判をきっかけに、生存権保障を実現しようとする動きが広がった。

②「夢の島」と名づけられたゴミ埋立地
（1970年　東京都）〈時事通信社提供〉

①「三種の神器」とよばれた家庭電化製品〈和倉昭和博物館とおもちゃ館蔵〉

（8）豊かさとその代償 ―高度経済成長―

洗濯機やテレビがわが家にやってきた。人びとの暮らしはどう変わっていくのだろうか。

- 1956年「明るいナショナル」
  （家電）
- 1964年「飲んでますか？」
  （栄養ドリンク）
- 1965年「うちのテレビにゃ色が
  ない」
  （カラーテレビ）
- 1968年「大きいことはいいこと
  だ」
  （チョコレート）
- 1969年「Oh！モーレツ！」
  （ガソリン）
- 1970年「DISCOVER
  JAPAN」
  （鉄道）
- 1975年「私作る人，ぼく食べる
  人」
  （インスタントラーメン，
  放送中止）

③流行したテレビCM

④熊本駅から出発する集団就職の列車
（1970年）〈熊本日日新聞社提供〉

■「洗多苦」からの解放

　洗濯は力仕事で時間がかかりました。たらいに水を汲み，洗濯板に衣類を押しつけて洗うと，手にあかぎれができました。1950年代，「お洗濯の苦労から奥様を解放」などの宣伝とともに，電気洗濯機が売り出されました。合成洗剤が使われ始め，手ぶくろやホースはビニール製に，バケツや洗濯ばさみはプラスチック製に変わっていきます。

　1960年代には，白黒テレビと電気冷蔵庫も普及し，1970年代には，カラーテレビへの買いかえがすすみ，自家用車をもつ家庭も増えました。テレビのコマーシャルは，消費者に向けて次々と新しい商品の宣伝をしました。広告会社の宣伝の指針には，「もっと使わせろ」「捨てさせろ」「流行遅れにさせろ」などのやり方が盛り込まれていました。

■農村から都会へ

　1960年，高校進学率は58％でした。中学校を出たばかりの若者が集団就職の専用列車に乗り，故郷をあとにして，東京・大阪・名古屋などの大都市をめざしました。「金の卵」とよばれ，紡績工場や町工場に会社の寮から通って働いたり，商店に住み込みで働いたりしました。岩手県から東京へ集団就職した中学生は，次のように語っています。「農業では，いくら働いても生活が苦しい。高校進学して親に余計な苦労をかけるよりも，就職して少しでも家計を助けようと思う」

　日本の経済は1955年ごろには，ほぼ戦前の水準を回復しました。1960年代には急速な経済成長をとげ，1968年の国民総生産は，アメリカ，ソ連についで世界第3位になりました（高度経済成長）。技術革新によっ

⑤ あこがれのテーブルとイスでの食事（1964年　豊四季台団地）
〈柏市教育委員会提供〉

⑥ 水俣病におかされた胎児性患者
（1969年）〈塩田武史撮影〉

	男	女
高校進学率	71.7%	69.6%
大学進学率	20.7%	4.6%
中学卒月給 （17歳以下）	1万4200円	1万3700円
高校卒月給 （18・19歳）	1万8300円	1万5800円
大学卒月給 （20〜24歳）	2万6500円	統計なし

⑦ 進学率, 学歴・男女別の月給（1965年）
〈総務省統計局資料〉

　て，鉄鋼・自動車・プラスチックなどの重化学工業が発展し，太平洋ベルト地帯では海岸を埋め立てて，石油化学コンビナートが建設されました。エネルギーは，石炭から輸入される石油に変わりました。

　都市には，高層ビルが立ち並び，地下鉄が走り，郊外にはサラリーマンが多く住む団地が建てられました。新幹線や高速道路が大都市を結び
5　ました。建設現場では，農村から出稼ぎに来た人びとが働いていました。農村では，専業農家が減り，過疎の問題が深刻化しました。

■ 豊かさのかげに

　新日本窒素肥料水俣工場は，ビニールをやわらかくする化学原料をつくるトップメーカーでした。1956年，5歳の女の子が口もきけず歩けな
10　くなり，工場の付属病院に入院しました。水俣病の発見です。熊本大学の研究者が調査をすすめ，1959年には，水俣湾で獲れた魚に含まれる有機水銀が原因であると発表しました。汚染源は工場排水であるという説に工場側は反論し，排水を続けました。政府は
15　1968年に，工場排水が原因であると認めました。

　1960年代後半には，公害病の患者と家族たちが，公害の防止と賠償を求めて，裁判を起こしました。公害反対の住民運
20　動が高まり，1971年，環境庁がつくられました。翌年，大気汚染防止法と水質汚濁防止法が改正され，企業の責任が書き込まれました。

　1970年代以降，環境基準が設定され，
25　原油や排ガスから硫黄分を除く技術や燃料消費が少ない自動車エンジンの開発などがすすみました。

⑧ 産業別の人口の変化
〈総務省『国勢調査報告』による〉

| | 100%
90
80
70
60
50
40
30
20
10
0 | | | | 第3次産業
第2次産業
第1次産業 |

1950年	1960年	1970年	1980年	1990年
30	38	47	55	59
22	29	34	34	34
48	33	19	11	7

⑨ 四大公害病裁判

	水俣病	新潟水俣病	イタイイタイ病	四日市ぜんそく
発生地域	水俣湾沿岸 （熊本県）	阿賀野川流域 （新潟県）	神通川流域 （富山県）	四日市市周辺 （三重県）
原因物質	有機水銀	有機水銀	カドミウム	亜硫酸ガス
症状	脳の神経がおかされ,手足がしびれ,目や耳が不自由になる	水俣病と同じ	骨がぼろぼろになり,折れてしまい,激しく痛む	目が痛む,のどが炎症をおこし,ぜんそくの発作がおきる
原告	138人	77人	33人	12人
被告	チッソ	昭和電工	三井金属鉱業	石油コンビナート6社
提訴, 判決	1969年提訴, 1973年 患者側勝訴	1967年提訴, 1971年 患者側勝訴	1968年提訴, 1972年 患者側勝訴	1967年提訴, 1972年 患者側勝訴
認定患者数	2280人 （2016年3月末）	705人 （2016年3月末）	200人 （2016年3月末）	2216人 （2012年6月）

① 東京オリンピック開会式／日本の選手団355人中, 女子は61人。
沖縄からの選手の参加はなかった。〈朝日新聞社提供〉

② 閉会式で行進するザンビアの選手

（9）第三世界と東西陣営 ―1960年代の世界―

東京オリンピックの不参加国はどこか。当時, アフリカ, アジア, 世界でどんな動きがあったか。

フォーカス

開催した 都市・年	参加した 国・地域	アフリカ諸国の 金メダル数 (金メダル総数)
東京 1964年	93	1個 (163個)
ソウル 1988年	159	6個 (241個)
北京 2008年	204	13個 (302個)

③ アジアで開かれたオリンピック（夏季）

■ 東京オリンピック

1964年, アジアで初めてのオリンピックが東京で開かれ, テレビ放送は人工衛星で海外にも同時中継されました。参加した国と地域には, 新たに独立したアジア・アフリカの国々が加わり, それまでで最高の93となりました。マラソンでは, エチオピアのアベベ選手が優勝しました。閉会式では, この日にイギリスから独立したザンビアの選手が, 新しい国旗を持って行進しました。

アメリカや西ヨーロッパなど西側の資本主義国, ソ連など東側の社会主義国がメダル争いを演じました。しかし, アジアでは, 中国・北朝鮮・北ベトナムなどは参加できませんでした。

④ チャスラフスカ選手（チェコスロバキア）／
東京大会の女子体操の個人総合で優勝した。
1968年のメキシコ大会でも連続優勝した。
〈朝日新聞社提供〉

■ 独立から非同盟中立へ

1960年は, アフリカで17の国が独立し,「アフリカの年」といわれました。植民地支配からの独立は, 世界の大きな流れとなりました。アジア・アフリカは, 第三世界とよばれ, 東西のいずれの陣営にも加わらず, 非同盟中立を掲げる国が増えていきました。しかし, 米ソは, これらの国を自国の陣営につけようと, 資金・技術や武器を援助しました。

南北に分けられていたベトナムでは, アメリカが南ベトナムの政府を援助し, 南北統一を妨げました。統一を求める人びとが, 南ベトナム解放民族戦線（解放戦線）を結成して, 抵抗の戦いを始めました。

1965年には, アメリカは南ベトナムに地上部隊を派遣するとともに, 解放戦線を支援する北ベトナムに大規模な爆撃を加えました。米軍は,

⑤日本公演のために羽田空港に着いたザ・ビートルズ（1966年　東京）

⑥アメリカでのベトナム反戦平和行動（1967年）
〈マルク・リブー撮影『ジャン・ローズ　ワシントンD.C.』何必館・京都現代美術館蔵〉

ベトナム全域で枯葉剤を大量にまき，北ベトナムに対しては，住民や学校・病院への無差別爆撃を行いました（ベトナム戦争）。

■ベトナム戦争と西側陣営

アメリカで，ベトナムの戦場のようすがテレビで伝えられると，戦争に反対する運動が高まりました。大学生を中心とする若者たちが，その先頭に立ちました。髪をのばし，ジーンズをはき，ギターを弾いてフォークやロックの歌で思いを伝え，反戦平和を訴えました。また，経済優先の考えや，男女の役割を固定する考えも批判しました。

アメリカの黒人たちは，人種差別撤廃の運動を広げていました。とくに，ベトナム戦争に貧しい黒人が多く動員されることを問題にし，この戦争に反対しました。

日本政府は，ベトナムでのアメリカの軍事行動を支持しました。日本や沖縄の米軍基地から，艦艇や航空機が出撃しました。戦車や艦船の修理も日本で行われ，企業には，軍事関係の注文がありました。このころ，日本商品の輸出がのび，高度経済成長の一つの原因となりました。

西ヨーロッパ諸国は，1960年代，アジアやアフリカからの安い石油や原料の輸入に支えられて，経済成長を続けました。自動車や家庭電化製品が普及し，アメリカに続いて大量消費社会が生まれました。こうした国々でも，ベトナム戦争に反対する運動が広がりました。

ベトナムの独立への歩み

年	できごと
1887年	フランスの植民地となる
1940～45年	日本軍が進駐する
1945年	ベトナム民主共和国が独立を宣言する
1945～54年	フランスとの戦争
1954年	ジュネーブ協定（南北に分けられる）
1955年	南にベトナム共和国が成立する
1965年	米軍が北ベトナム爆撃開始，南ベトナムに地上部隊を派遣する
1973年	ベトナム和平協定に調印する
1975年	ベトナム共和国（南）が崩壊し，ベトナム戦争が終結する
1976年	ベトナムが統一される

⑦演説するマーチン＝ルーサー＝キング（1929～1968）／1963年，人種差別の撤廃を求めて，20万人以上がワシントンに集まった。

― 忘れなかったマルタの歌声 ―

東側陣営では，1956年，ハンガリーでソ連の支配に反対する抵抗運動が起こったが，武力でおさえられた。

その後，チェコスロバキアでは，西側との経済交流の拡大や言論の自由など民主化を求める運動が起こった。体操のオリンピック金メダリスト・チャスラフスカもその先頭に立った。1968年，ソ連を中心とするワルシャワ条約機構軍が侵入し，この民主化の動きを鎮圧した。首都プラハの市民は戦車の前に立ちはだかり，花を差し出し，言葉で抗議をした。

チェコの歌手マルタ＝クビショバは，ザ・ビートルズの『ヘイ・ジュード』の歌詞を変えて歌い，人びとを励ました。民主化がソ連によっておさえられたのち，マルタの歌は演奏を禁止された。1989年，再び市民が立ち上がり，革命を起こして民主化を実現した。このとき，マルタの歌声が街に流れ，チャスラフスカが，20年ぶりに人びとの前に立って，演説した。

① 嘉手納付近の地図（1921年）〈陸軍参謀本部〉

（10） 基地の中の沖縄 ― 沖縄の本土復帰 ―

戦後，沖縄の人びとの暮らしはどう変わったか。「基地の中の沖縄」とはどんな意味なのだろう。

② 米軍機の墜落を報じる新聞
〈「沖縄タイムス」1968年11月19日〉

③ 沖縄県の在日米軍基地（2017年）／在日米軍基地の70％が沖縄にある。

フォーカス 🔍

■ あい次ぐ米軍機の事故

　1959年6月30日午前11時前，沖縄の宮森小学校に，米軍のジェット戦闘機が墜落しました。嘉手納基地を飛び立ったあと操縦不能となり，民家35棟をなぎ倒し，校舎に激突，炎上しました。この事故で，小学生11人をふくむ17人が死亡しました。

　1968年11月19日午前4時，嘉手納基地で激しい爆発音が7，8回とどろきました。地面が大きくゆれ，周辺の民家の窓ガラスが割れました。ベトナムに向かう大型爆撃機が離陸に失敗して，爆発したのです。近くに核兵器の貯蔵庫があったので，住民は恐怖と怒りでふるえました。

■ 本土への復帰

　1960年代後半，ベトナム戦争が激しさを増すなか，沖縄では，祖国復帰を求める運動が高まりました。佐藤栄作内閣は，アメリカと沖縄返還の交渉を始めました。佐藤首相は，核兵器を「持たず，つくらず，持ち込まさず」という非核三原則を沖縄にも適用すると，国会で表明しました。しかしこのとき，アメリカが必要とする場合には，核兵器を沖縄に再び持ち込むことを認める密約を結んでいました。

　1972年5月15日，沖縄は本土に復帰しました。戦争で切り離された土地が，交渉によって返還され，このあと，法の上でも生活面でも本土との一体化がすすみました。

④嘉手納付近の地図（2017年）〈国土地理院〉
★ はもとの森根集落（真栄城玄徳の土地）
✕ はB52墜落地点
青文字はおもな米軍施設
▪▪▪ は嘉手納町の境界

しかし，日米安全保障条約によって，沖縄の米軍基地はそのまま残され，新たに自衛隊が配備されました。1970年代の中頃までに，本土の米軍基地は大幅に減少しましたが，沖縄の基地は強化されていきました。

■ 平和な島を返して

5　1995年，米兵が12歳の少女を暴行する事件が起こり，これに抗議する県民集会が開かれ，8万5000人が集まりました。日米両政府は，普天間基地の返還を決め，代わりの基地を沖縄県内につくることに合意しました。

2014年，安倍晋三内閣は，名護市辺野古に基地をつくる工事を始めました。しかし，沖縄の多くの人びとは，基地の強化につながるとして建設に反対しています。

10　1990年代以降，修学旅行や観光で沖縄を訪れる人が増え，基地への経済的な依存は減りました。しかし，米兵による犯罪や米軍機の墜落事故は続いています。2004年には，普天間基地のヘリコプターが，沖縄国際大学に墜落して，爆発して炎上する事故が起こりました。

⑤沖縄県民総決起大会
（1995年　宜野湾市）／高校生代表は，「軍隊のない，悲劇のない平和な島を返してください」と訴えた。〈沖縄タイムス社提供〉

― 私の土地は基地の中にある ―― 真栄城玄徳と祖母カミ ―

1950年代の半ば，真栄城玄徳は，祖母のカミに連れられて，生まれ故郷の土地（沖縄市字森根）を訪ねた。米軍嘉手納基地のゲートで許可証をもらい，フェンスの内側に入った。

「ここはなー，桑畑があったさー。母屋の後ろにはなー，大きなくすぬち（クスノキ）が何本もあったさー。あのくすぬちで，タンスをつくるのを楽しみにしてたさー」と，屋敷の跡にたたずんで，祖母は語った。

この土地は，夫が死んだあと，祖母が少しずつ買い集めたものだった。沖縄戦で，玄徳の父（祖母の長男）は行方不明になったまま帰ってこなかった。戦後，祖母の土地は米軍の基地にされていた。この土地を相続した玄徳は，土地を基地に提供する契約を結んでいない。1998年，玄徳は補償金を使って，「くすぬち平和文化館」を建設した。子どもの姿を描いた壁画には，「ゆがふたぼーり（幸せが訪れますように）」と名まえをつけた。

①エルサレムにあるなげきの壁（ユダヤ教の神殿の一部）　②なげきの壁の近くにあるイスラム教のアルアクサー・モスク

（11）パレスチナの平和 —中東戦争と石油危機—

イスラエル建国をアラブの人びとはどう受けとめたか。中東戦争は世界にどんな影響を与えたか。

イスラエル独立宣言（1948年）

イスラエル国は、ユダヤ人移民と離散民に開かれている。イスラエル国は、イスラエルの預言者たちに従って自由、正義、そして平和にもとづくことになるだろう。イスラエル国は宗教・人種・性別による区別なく、すべての市民の社会的・政治的な権利の完全な平等を保証する。

（一部要約）

③パレスチナ地域とイスラエル（2017年）

■ イスラエルの建国

　エルサレムは、ユダヤ教・キリスト教・イスラム教の聖地とされています。ここは長い間、3つの宗教の人たちが共存して暮らす町でした。

　ヨーロッパで、第二次世界大戦中にドイツによるユダヤ人の迫害と大量虐殺が行われ、ユダヤ人による国家をつくる運動が高まります。ユダヤ人はパレスチナを、神がユダヤの民にあたえた「約束の地」とよび、この地域を植民地にしていたイギリスの支援も得て、数十万人が移住しました。そして、1948年に、ここに住むユダヤ人が独立を宣言して、イスラエルという国が誕生しました。

　イスラエルは、建国に反対する周辺のアラブ諸国との戦争に勝って、パレスチナの約80%を領土としました。その後、アメリカに支援されて軍備を増強し、1967年にはパレスチナの全土を占領しました。

　ユダヤ人であれば国民として受け入れるという政策をとったので、アフリカやロシア（旧ソ連）からも多くの人びとが移り住んできました。

■ パレスチナ人の怒り

　パレスチナには、イスラム教のモスクが建ち、オリーブ畑やブドウ畑が広がっていました。穀物も豊かに実る土地でした。

　イスラエルが建国されたとき、中部のリッダという町では、パレスチナ人5万人が、ユダヤ人部隊によって追い立てられ、そのなかで300人

④検問されるパレスチナ人の女性（2003年　ヨルダン川西岸・ジャユース村）／ゲートを通ってオリーブ畑に働きにいくところ。
〈古居みずえ『パレスチナ―瓦礫の中の女たち』〉

⑤パレスチナ人とユダヤ人のデモ（2002年）／イスラエル軍によるヨルダン川西岸地区の街の封鎖に反対している。〈広河隆一撮影〉

以上が死亡しました。この直後にイスラエルとアラブ諸国との戦争が始まり，70万人以上のパレスチナ人が故郷を離れ，難民となりました。その後の戦争で難民は増え，480万人にもなっています。この人びとが故郷のパレスチナにもどることを，イスラエル政府は認めていません。

5　現在，イスラエルには，約150万人のパレスチナ人が住んでいます。この人たちは，就職などさまざまな点で，ユダヤ人よりも不利な立場におかれています。さらに，イスラエルが占領するヨルダン川西岸地区とガザ地区には，1993年，暫定自治が約束されましたが，紛争は続いています。パレスチナ人は独立国家の建設を望んでいます。

中東戦争と石油危機

10　1973年10月，エジプト軍がスエズ運河を渡り，イスラエルを攻撃しました。北からは，シリア軍も攻め込みました。これに対して，イスラエルは，アメリカから大量の武器援助を受けて，巻き返しに成功します（第四次中東戦争）。

このとき，アラブの国々は，イスラエルを支援するアメリカなどの国への石油の輸出を禁止しました。さらに，石油の価格を，1バレル（約
15　159リットル）当たり2ドルから10ドル以上に引き上げました。

このため，それまで安い原油によって支えられてきた世界経済は，大きな打撃を受け，深刻な不景気となりました（石油危機）。これによって，日本の高度経済成長は終わりました。中心となる産業も，それまでの鉄鋼・造船などにかわって，自動車・精密機械・コンピュータ関連産業な
20　どになりました。

アメリカや日本などの資本主義国は，エネルギー消費を減らし，企業経営を合理化するなどして，不景気から回復しました。この時期,日本は，自動車などを盛んに輸出したため，アメリカなどとの貿易上の摩擦が激
25　しくなりました。

ソ連など社会主義国は，産業・経済の転換がうまくできず，1980年代には，深刻な経済危機におちいりました。

パレスチナ地域の動き

1915年	イギリスがアラブ人の独立を認める
1917年	イギリスがユダヤ人国家の建国を約束する
1947年	国連がパレスチナ分割案を決議
1948年	イスラエルが建国される
〃	第一次中東戦争
1956年	第二次中東戦争
1967年	第三次中東戦争
1973年	第四次中東戦争
1982年	イスラエルがレバノンに侵攻する
1987年	第一次インティファーダ（パレスチナ人によるイスラエルへの抗議行動）
1993年	パレスチナ暫定自治協定
2000年	第二次インティファーダ
2006年	イスラエルがレバノンに侵攻する
2008年	イスラエルがガザ地区に侵攻する
2012年	パレスチナ国家が国連に準加盟を認められる

⑥放出された洗剤の売り場に押しよせる人びと（1973年）／石油危機の影響で物価が高騰し，品不足への不安から混乱がおきた。〈毎日新聞社提供〉

先進国首脳会議（サミット）

主要先進国は，1975年から首脳会議を開催して，国際協調をはかるようになった。

① 中国残留日本人孤児の調査を報じる新聞〈『朝日新聞』1981年2月28日〉

② 母と再会した王暁霞〈『朝日新聞』1981年3月13日〉

（12）問い直される戦後 ― 日中国交正常化と東アジア ―

残留孤児とはどんな人びとか。日中国交正常化や戦争被害への補償はどのように進められたか。

日本と東アジアの動き

年	できごと
1951年	サンフランシスコ平和条約を結ぶ（中国・朝鮮半島からは参加できなかった）
1965年	日韓基本条約を結ぶ
1972年	日中共同声明を発表する
1978年	日中平和友好条約を結ぶ
1981年	中国残留日本人孤児の調査が始まる
1995年	戦後50年の村山内閣総理大臣談話を発表する
2002年	日朝平壌宣言を発表する
2015年	戦後70年の安倍内閣総理大臣談話を発表する

日中共同声明（1972年9月）

日中両国は、長い伝統的友好の歴史をもつ隣国である。両国国民が切望している戦争状態の終結と国交の正常化は、両国関係の歴史に新たな1ページを開くこととなろう。

日本側は、過去において日本国が戦争を通じて中国国民に重大な損害を与えたことについての責任を痛感し、深く反省する。

両国間には社会制度の相違があるが、平和友好関係を樹立することが可能である。両国間の国交の正常化と友好関係の発展は、両国国民の利益に合致し、アジアにおける緊張緩和と世界の平和に貢献するものである。

（一部要約）

■ **私はだれなのですか**

1981年3月、赤ん坊のときの写真を掲げて、「私はだれなのですか」と問いかける人たちの姿が、新聞やテレビで報道されました。中国残留日本人孤児の肉親さがしでした。アジア太平洋戦争が終わって36年、日中国交正常化から9年がたっていました。

残留孤児とは、満州事変以降、家族で開拓団として中国東北部（満州）へ渡り、敗戦後も日本に帰国できず、地元の中国人に命を救われて養われた人たちです。日本軍や開拓団がしたことを許せない中国人から「日本鬼子」といじめられることもありました。

肉親さがしのための訪日調査では、1981年から1999年までに、日中両国政府が残留孤児と認めた人は2000人を超えました。そのうち身元が確認されたのは約670人です。帰国した人たちの日本での生活は、言葉も通じず、きわめて苦しいものでした。

満州開拓団を一番多く送り出した長野県のある中学校では、開拓団と生徒たちの曾祖父母・祖父母の歴史を調べました。帰国者の孫やひ孫である生徒たちは「生きぬいてくれた祖父に感謝する」「孤児を助けてくれた中国の人たちを尊敬する」と書いています。

日中の国交の正常化

1970年代は、石油危機に加えて、それまでの冷戦下の対立にも大きな変化が起きました。1971年には、アメリカが中華人民共和国との関係改

③中学生が地域の戦没者について調べて作ったグラフ／
戦没者総数911人のうち，1945年8月が200人にのぼる。

④和解の握手を交わす中国人被害者と企業側の弁護士

善に踏み切り，国連でも同国が中国を代表する政権であると認められました。1972年に田中角栄首相と周恩来首相が北京で会談し，日中共同声明を発表しました。この声明で，日本側は過去の戦争についての反省を明らかにし，中国側は日本に対する国家としての賠償請求を放棄しました。こうして両国の国交がようやく正常化されました。

5 ベトナム戦争が終結し，東アジアや東南アジアの国々が経済の発展を求めるようになり，経済大国としての日本の役割が増大しました。経済発展をとげた韓国や台湾などでは，1980～90年代に政治の民主化がすすみ，共産党政権が続く中国でも民主化を求める動きが起こりました。

■戦争被害への補償

10 1990年代になると，人権を求める世界の流れのなかで，中国人の戦争被害者と遺族が，個人として，謝罪と賠償を求めて裁判を起こしました。しかし，いずれの裁判でも，最終的には日中共同声明などを根拠として，訴えは退けられました。そのようななかで，2007年に最高裁判所が判決に，「被害者らの苦痛は極めて大きく，（中略）被害救済の努力が期待される」

15 と付言したことを受けとめて，和解をすすめた企業もあります。この企業は，被害者に謝罪して和解金を支払い，記念碑を建て，強制連行・強制労働の事実を後世に伝える取り組みを続けています。

河野洋平官房長官談話
（1993年）

・調査の結果、長期に、広い地域に、慰安所が設けられ、数多くの慰安婦が存在したことが認められる。

・朝鮮半島からの慰安婦の募集、移送などは、総じて本人たちの意思に反して行われた。

・軍の関与の下で、多数の女性の名誉と尊厳を深く傷つけた。政府は、苦痛を受け、心身に癒やすことのできない傷を負ったすべての方々に対し、心からお詫びと反省の気持ちを申し上げる。

・歴史の真実を直視し、歴史研究・歴史教育を通じてこの問題を記憶にとどめ、過ちをくり返さない決意を表明する。

（一部要約）

＊現在，日本政府は「慰安婦」問題について「軍や官憲によるいわゆる強制連行を直接示すような資料は発見されていない」との見解を表明している。

― 問い直される人権の侵害 ―

1990年代，世界では，戦時下や植民地支配下での人権侵害を問い直す動きがすすんだ。2001年に南アフリカで開かれた，国連主催の会議で，奴隷貿易や奴隷制度，植民地支配の責任が初めて問われた。

アメリカ政府とカナダ政府は，第二次世界大戦中に日系アメリカ人を強制収容所に入れたことを謝罪し，被害者に補償を行った。2013年，イギリス政府は，植民地だったケニアで独立を求めた人びとを収容所に入れ，拷問・虐待した問題で，被害者に補償を行うことを表明した。

1991年の韓国の金学順の証言をきっかけとして，日本政府は，戦時下の女性への暴力と人権侵害についての調査を行った。そして，1993年にお詫びと反省の気持ちをしめす政府見解を発表した。このように，東アジアでも戦時下の人権侵害を問い直す動きがすすんだ。アメリカ，オランダなど各国の議会もこの問題を取り上げた。

現在，世界各地の戦時下の暴力や人権侵害の責任が問い直されるようになっている。

① ルーカス＝チョン（7歳　アメリカ）の絵／
「Help」という文字がいくつも書かれている。

② レイス（13歳　イラク）の絵／アラビア語で，「アメリカはぼく
たちから，自由や幸せを奪っている。アメリカはぼくたちみたい
な子どもを殺しているだけなんだ」と書かれている。
〈日本イラク医療支援ネットワーク提供〉

أُحِسّ بأن العُدوان الأمريكي يأخُذ حريتَنا وسَعادَتَنا
ويقتُل الطِفالنا وشبابنا

（13）絶えない戦火 —冷戦の終結と新たな戦争—

アフガニスタン攻撃，イラク戦争と戦火が絶えない。なぜ，戦争はなくならないのだろうか。

フォーカス

■ 子どもたちは見ていた

　ニューヨークの第89小学校は，世界貿易センタービルの近くにあります。2001年9月11日の朝，110階建ての一つ目のビルが崩れ落ちたとき，子どもたちは登校したばかりで，教室の中にいました。子どもたちが走って逃げているとき，二つ目のビルが崩壊しました。アメリカの政策に反対する集団が4機の旅客機を乗っ取り，3機をビルに突入させたのです。この事件で，約3000人が死亡しました。　[5]

　これに対しアメリカ政府は，この行為を戦争とみなし，犯行集団の拠点があるとしてアフガニスタンを爆撃しました。このため多数の住民が死亡し，深刻な日照りで苦しんでいた人びとへの救援物資も届かなくなりました。　[10]

■ 冷戦の終結とその後の世界

③ ベルリンの壁の崩壊（1989年）／
1990年には東西ドイツが統一された。

　1980年代になると，社会主義のしくみをとっていた東ヨーロッパの国々では，民主化をめざす運動も広がり，1989年，冷戦の象徴だったベルリンの壁が取り壊されました。この年，米ソ首脳がマルタで会談し，冷戦の終結を宣言しました。東ヨーロッパの社会主義体制が崩壊し，ソ連も1991年には社会主義を維持できなくなって解体し，ロシア連邦などが誕生しました。　[15]

　冷戦が終わったあとも，地域のかかえる問題が武力紛争となることも多く，そのなかで，市民も被害を受けています。ソ連が解体したため，アメリカが唯一の超大国となり，その軍事行動　[20]

④イラク南部ナジャフのアメリカ軍捕虜収容所（2003年3月31日）〈AP通信社〉

も目立っています。西アジアでは，イラクのクウェート侵攻をきっかけとする湾岸戦争（1991年），アフガニスタン攻撃（2001年），イラク戦争（2003年）などが起こっています。

　一方，地域協力の動きもすすんでいます。1993年にできたヨーロッパ
5 連合（EU）は，ヨーロッパ議会や統一通貨（ユーロ）をつくり，結びつきを強めています。東南アジア諸国連合（ASEAN）やアジア太平洋経済協力会議（APEC）などの動きもすすみ始めました。

■ イラク戦争と市民・子どもたち

　2003年3月，アメリカ・イギリスなどがイラクに対して軍事攻撃を開始しました。この戦争は，武力攻撃を認める明確な国連決議なしに始まり，
10 これを支持したのは35カ国ほどでした。世界各地で反対のデモや集会が行われ，多数の市民が参加しました。

　イラクの首都バグダッドには，毎晩のように爆弾が落とされました。軍事施設や政府の建物だけでなく，住宅地や市場が爆撃され，多くの市民が死亡しました。イラクのフセイン政権は3週間で崩壊しました。

15 　しかし，アメリカ・イギリスなどの外国軍による占領に，イラクの人びとは強く反発し，治安が安定しない状態が続きました。

─ 拡大する自衛隊の活動 ─

　2014年，安倍晋三内閣は，憲法の解釈を変更し，集団的自衛権の行使を認めることを閣議で決めた。日本が直接攻撃を受けていなくても，日本と密接な関係にある国が攻撃を受け日本の存立が脅かされ国民の生命に明白な危険があるなどの条件のもとで，武力を行使できるとした。翌年には，安全保障関連法を成立させ，自衛隊は，他国軍の戦闘機に空中や海上で給油をしたり，武器や弾薬の輸送もできるとした。国連平和維持活動（PKO）での自衛隊活動も広がり，武装集団に襲われた他国軍や民間人を助けに向かう「駆けつけ警護」もできるとした。

　2017年には，防衛大臣は安全保障関連法にもとづき，武力攻撃を受けていない平時から，自衛隊が米軍の艦隊などを守る「武器等防護」の実施を初めて命じた。

　このような動きに対して，多くの憲法学者や市民が反対の声を上げた。

⑤ ヌハードの自画像と詩／医療支援のためにイラクにいた日本人が，子どもたちに絵を描いてもらった。ヌハードの自画像には，「おとなたちへ」という詩がそえられていた。
〈日本イラク医療支援ネットワーク提供〉

おとなたちへ

どうして戦争を始めたの

私たちは戦争なんて望んでいない

ほかの国の人たちと

平和に過ごしたい

どうか私たちの疑問に答えてください

私たちは　とても怒っています

アメリカの開戦と大量破壊兵器

　アメリカなどは，イラクが大量破壊兵器をかくしもっていることを主な理由として開戦した。しかし，2004年10月，アメリカは，イラクにこれらの兵器がなかったことを公式に認めた。

　大量破壊兵器とは，核兵器，細菌爆弾などの生物兵器，毒ガスなどの化学兵器をさす。

イラク戦争の死者数

イラクの民間人	15万1000人

〈2008年　WHO調査推計による〉

アメリカ軍兵士	4488人
その他の参戦国兵士	317人

〈2012年　AP通信集計による〉

⑥ 南スーダンでのPKO活動／首都ジュバで，道路の側溝工事を行う陸上自衛隊施設部隊（2013年3月）〈共同通信社提供〉

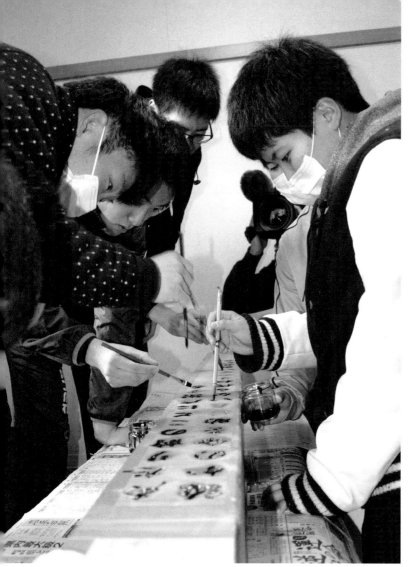

① 木碑を書く高校生たち
(「毎日新聞」2017年2月25日)

（14）
3月11日
午後2時46分
―大震災とグローバル化―

大震災をどのように記憶していくのか。
この経験で人びとの暮らしはどのように変わったのか。

■ 石碑から木碑へ

　岩手県大槌町には，「大きな地震が来たら戻らず高台へ」と書きこまれた木碑（木柱）があります。2011年3月11日，午後2時46分。三陸沖でマグニチュード9.0の大地震が起きました。最大震度7の揺れと国内観測史上最大の津波により，東北・関東地方を中心に広い範囲で被害が出ました（東日本大震災）。この町でも震災で1200人余りが犠牲になりました。

　町には，昭和三陸津波（1933年）の教訓が刻まれた石碑がたくさんありました。しかし，2011年の震災当時中学生だった少年が高校生になったときに，木碑を建てることを思いつきました。少年は住民と話し合い，あえて朽ちる木を使い，建て替えるたびに震災を思い出してもらおうと，4年に1度の建て替えをすることにしました。

■ 変わりゆく被災地の風景

　この大地震は，福島県の沿岸部も襲いました。双葉町と大熊町にまたがる東京電力福島第一原子力発電所では，高さ14mの津波が堤防を乗り越え，敷地内に大量の海水が流れ込みました。すべての電源が失われ原子炉の冷却ができなくなったため，燃料棒が2800℃以上になって溶け落ち（メルトダウン），建屋で水素爆発も起こりました。放出され吹き上げられた放射性物質が飛び散り，陸地も海も汚染しました。廃炉に向けた作業は続いていますが，困難をきわめています。

　福島原発の事故の影響で，福島県の11市町村の8万人以上の住民は，政府の指示により，着の身着のままで避難しました。政府の指示のない地域から自主的に避難した人びとも多くいます。その後，徐々に避難指示が解除されても，避難先で家を借りたりして，生活の拠点が避難先に移っている家庭が増えました。そのために，故郷に戻る人が少なくなる

福島の子ども（小学5年生）の手紙

　ことしはほうしゃのうのえいきょうでプールに入れず，また，たくさんの友だちが，ひなんしたり，てんこうしたりして仲の良かった友だちが，ほとんどいなくなってしまいました。げんぱつさえなければ，という思いでむねがいっぱいになりました。

　ぼくには，いもうとがいて，まだ1さいなので，いもうとのしょうらいが，しんぱいです。6年生になったらもどってくる友だちや，もしかしたら帰ってこない友だち，いろいろいるので，少しでも，早く友だちに，すてきなふるさと，ふくしまにかえってきてほしいです。

〈『福島の子どもたちからの手紙ほうしゃのうっていつなくなるの？』〉

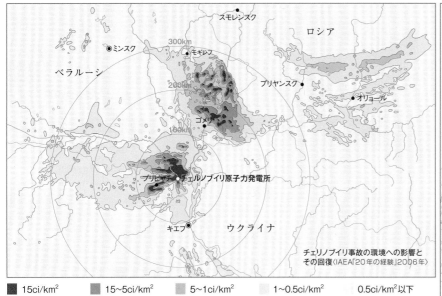

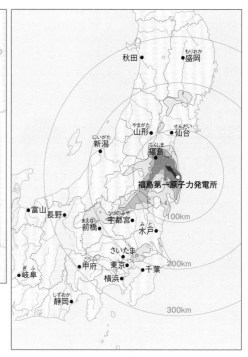

■ 15ci/km² ■ 15〜5ci/km² ■ 5〜1ci/km² □ 1〜0.5ci/km² □ 0.5ci/km²以下

②チェルノブイリ原発事故による放射能汚染地図〈早川由紀夫による〉／1986年, ソ連のチェルノブイリ原子力発電所（現ウクライナ）の原子炉が爆発し, 被害が広がった。セシウム137による地上汚染（ci/km²は1km²当たりキュリーと読む）。

■ 8μSv/h以上 ■ 8〜4μSv/h
■ 4〜1μSv/h □ 1〜0.25μSv/h
□ 0.25μSv/h以下

③福島第一原子力発電所からもれた放射能の広がり（2011年12月9日）〈早川由紀夫による〉／2011年3月に地表に落ちた放射性物質が, そのままの状態で保存されている場所の放射線量（μSv/h はマイクロシーベルト毎時と読む）。

ので, もとの地域の暮らしをとり戻すのは難しくなります。被災地では, 今も復興に向けた取り組みが続いていますが, 震災前と異なる新しい風景が現われています。

■ モノづくりへの影響

東北地方には, 自動車部品や半導体などの電子部品の開発・生産を行う中小企業が集まっていました。大震災によって, これらの企業の多くは被災し, 部品の供給ができなくなってしまいました。

自動車は3万点, 薄型テレビは1万点ともいわれる部品からつくられ, その一部の部品が欠けただけで生産に大きな影響が出ます。このため, 自動車など多くのメーカーは, 被災していない地域でも, 必要な部品がないために製造が滞り, 減産・停止に追い込まれました。また, 海外の製造業にも影響がおよびました。

輸出企業は, 国際競争で生き残るために, 部品を安価に生産できる地域でつくらせ, それらをもちよって完成品を組み立てるという方法で, 費用の削減に励んでいます。しかし, もし1つの部品の供給ができなくなると, 関連する多くの工場で生産が止まる可能性があります。今回の大震災では, グローバル化時代の経済のしくみや課題が明らかになりました。

東日本大震災による世界の製造業への影響
- フォード（米）：塗料の不足で車体が黒, 赤の新車の販売を中断
- ゼネラル・モーターズ（米）：部品不足でトラック生産を一時停止
- ルノーサムスン自動車（韓国）：部品不足から減産
- 日系自動車メーカーの中国工場：部品調達が滞り減産

グローバル化
輸送・通信などの発達や国際的なルールによって, 人（労働力）・モノ（商品）・カネ（資金）・情報などが国境を越えて行き来するようになっていくこと。

― 世界の原発 ―

福島の原子力発電所の事故を受け, エネルギー政策の見直しが行われた。ドイツやオーストリア, イタリア, ベルギー, スイスでは, 国内のすべての原発が廃止されることになった。2017年には, 台湾がアジアで初めて脱原発を決めた。これに対して, フランスやイギリス, アメリカは原発に依存する立場を変えていない。中国やインドなどでは, 経済成長にともなう電力不足に直面し, 原発の建設がすすめられている。日本では, 脱原発を訴えるデモが各地で行われるなか, 2014年に政府が, 原発を発電コストが安く昼夜を問わず安定供給できる電源の一つとして位置づけ, 再稼働の方針を決定した。

① 秘密の図書館の内部〈©Ahmad〉

② 前線の兵士〈©Ahmad〉

（15）未来は私たちの手の中に ―人間らしく生きる―

「秘密の図書館」とは何だろう。この世界，この社会で，君たちはどう生きるか。

■ 秘密の地下図書館

　内戦が続くシリアに，2015年，「秘密の図書館」がつくられました。住民が爆破された家々から命がけで本を集めて，地下につくりました。収集した本は1万4000冊以上にのぼります。医療従事者や教員から兵士まで，幅広い人びとが利用しました。毎日通ってくる少年もいました。若者たちは，本を読むことで自由への希望を見いだしました。

　第二次世界大戦下，アウシュビッツ強制収容所では，14歳の少女が8冊の本を隠しもっていました。2003年に始まったイラク戦争では，空爆から本を守るため，3万冊もの蔵書を自宅へ運び避難させた女性図書館員もいました。

■ 千年に一度のまちづくり

　東日本大震災による津波で，町の8割の建物が被災した宮城県女川町で，更地になった土地に新たな町をつくる事業がすすんでいます。町は，死者・行方不明者827名という大きな人的被害を出しましたが，復興計画のなかで防潮堤を造らないことを決定しました。海に囲まれた町で海とともに生きてきた町民は，海が見えなくなることを選ばず，その代わりに，津波が来ても逃げられる，建物は失っても人命は失わない町をつくることを決めました。

　町民は，持続可能な町のしくみをつくり，次世代に引き継いでいくために，町の利用計画から建造物のデザインまで，町全体の方向性を何度

③ シリアと周辺の国々（2017年）

トルコ
地中海
アレッポ　●ラッカ
シリア
レバノン
●ダマスカス
イスラエル　　イラク
ヨルダン
0　　200km

シリア内戦

　2010年にチュニジアで始まった民主化運動に触発され，シリア国内でも若者を中心に反体制デモが始まった。政府は軍を使って弾圧したため，政府派と反政府派による内戦になった。実際は，国外からやってきたグループや，アメリカ，ロシアなども争いに加わっており，混迷をきわめている。国外に逃れた難民は550万人，国内の避難民は600万人を超えている（2018年，UNHCR国連難民高等弁務官事務所）。

④女川町の津波対策を施した水産加工施設「マスカー」（写真中央）／中東のカタールからの資金援助で再建した。

⑤家計簿から始める貧困脱出計画（ホンジュラス）／貧困の削減に向けたJICA（国際協力機構）の活動。

も話し合いました。話し合いの場には，小・中学生も参加しました。

　30代，40代が中心となって動き，「60代は口を出さず，50代は口を出してもいいけど手は出さず」といった上の世代が支える形で，次世代が中心となった町づくりがすすめられました。

■ 不当なバイトに声を上げる

5 　賃金が正当に支払われない，シフトがきつくてテスト中も休めない，賃金に見合わない責任の重い仕事をさせられるといった，働かせ方に問題のあるアルバイトが深刻化しています。2015年には，東京や千葉の飲食店やコンビニで働く5人の高校生が，被害に泣き寝入りをせず，労働組合を結成して，雇用者に賃金や待遇の改善を求めて交渉しました。

10 　グローバル化がすすむなかで，裕福な人と貧しい人の生活の格差が広がりました。日本でも，パート・アルバイト・派遣社員などの非正規雇用者が増え，働く者の立場がますます弱くなっています。

　世界では，貧困や難民，感染症・災害・気候変動などが大きな問題となっています。各国が協力しないと解決できないこれらの問題に取り組むた

15 め，2015年に国際連合の加盟国は，世界を良くするための17の「持続可能な開発目標（ＳＤＧｓ）」を決めました。目標の一つに，2030年までに，1日1.25ドル未満で生活する状態の「極度の貧困」を世界のあらゆる場所で終わらせることを挙げています。

　日本は世界の国々に，資金の援助や技術者の派遣を行っています。また，

20 民間の組織（ＮＧＯ：非政府組織）も各地で活動しています。

⑥日本のNGOの支援でつくられた用水路を利用して，作物を収穫するアフガニスタンの人びと〈西日本新聞社提供〉

国際NGO「核兵器廃絶国際キャンペーン」（ICAN）
　広島や長崎の被爆者と連携し，国連での核兵器禁止条約（2017年）の成立に貢献した。2017年にノーベル平和賞を受賞した。

― あなたの夢は ―

　人は，健康で，遊んだり学んだりして，自分の夢をかなえていく，そんな平和な世界を思い描きます。平和は，戦争によって破られるだけでなく，貧困や差別，人権の抑圧，環境の破壊などによっても，その実現が妨げられます。平和を実現したいと望むなら，どのようにして平和が壊され，失われてきたのか，過去の歴史から学びとることが必要です。そして，一人ひとりが平和を考え続けること，平和の実現のために努力することが求められます。

　しかし，「あなたの夢は？」と問われた子どもが，「夢って何のこと？　わからない」と口ごもってしまうような国や地域が，世界にはたくさん存在しています。

一人ひとりの歴史・家族の歴史

1 日本や世界の100年を記録する

　まず，年表に，世界や日本の主なできごとを書き込みましょう。聞きとるときに，西暦何年に……とたずねても，なかなか記憶がつながりません。こんな大事件があった頃に……と聞いてみると，曾祖父母や祖父母の記憶がよみがえります。自分でも，20世紀がどういう時代だったか，調べることで，話の中身がわかるようになります。

2 曾祖父母・祖父母・父母に聞きとる

　曾祖父母・祖父母・父母などのうち，だれの話を聞くかは，家族に相談してみましょう。親せきが集まる盆や正月だと，みんなから話を聞くことができます。「あの頃の記憶」には，祖父母など本人からだけでなく，「おじいちゃんは，こんなことをよく言っていた」というように，おじさんやおばさんの話を聞いて，書くこともできます。

　しかし，楽しく話題にできる人生ばかりではありません。戦争のときの話などは，話したくないようなこともありますから，無理に聞きだそうとしないで，ゆっくりと話に耳をかたむけましょう。

　わからない用語などは，質問してみましょう。写真や資料などを見せてくれるかもしれません。

> おじいちゃんの子どもの頃の写真です。紀元二千六百年記念とは，どういうことか，聞いてみました。

3 聞きとりの結果を年表にまとめる

　年表に書き込むとき，何年，場所はどこということを意識して書くようにしましょう。何歳で生まれ，何歳で亡くなったかということを記録するだけでも，自分につながる人たちが20世紀という時代をどう生きてきたのか，何を体験したのか，イメージがわいてきます。

　最初から細かく調査できなくても，一度，年表にまとめてみてから，さらに，わからないところを聞くことで，深まっていきます。

> ひいおじいちゃんが軍隊に入っていたときの写真です。体験したことを聞いてみました。

4 さらに深めるために

　聞きとりで出てきたできごとを，図書館などで調べてみましょう。世界や日本の歴史年表には載っていなくても，地域で起こった重要なできごとが見つかるかもしれません。また，有名な歴史的事件が，曾祖父母や祖父母の暮らした地域にどんな影響をおよぼしたのか，意外な歴史に出会うかもしれません。

　20世紀は激動の時代でした。わが家の歴史に関係のある地名が全国，世界に広がる可能性もあります。地図に表して整理してみるのもいいでしょう。

> 景気がよくて，大忙しだった。昭和30年頃の写真。どんな時代だったのか，調べてみました。

5 発表をする

　聞きとりをしたり調べたりして印象に残ったことを，グループやクラスで発表しましょう。他の人の家族の歴史と共通することはあったでしょうか。感想を書きましょう。

わが家の 20 世紀年表

西暦	元号	世の中の出来事	①曾祖父 甚平	②祖父 満夫	③母 則子	その頃の記憶
1901	明治 34	八幡製鉄所操業				
1904	37	日露戦争				
1910	43	韓国併合	福島に農家の三男と			小作人の家で貧乏だった
1914	大正 3	第一次世界大戦	して生まれる			らしい
1923	12	関東大震災	江別に移住			土地を求めて来たが大変
1925	14	男子普通選挙				苦労したらしい
1930	昭和 5		徴兵検査で丙種			体が弱かったらしい
1931	6	満州事変	妹が結核で死ぬ			冷害がひどい年だった
1933	8		結婚し長男誕生	8人兄弟の長男とし		
1937	12	日中戦争		て生まれる		畑の手伝いをさせられた
1939	14		次男誕生	尋常小学校入学		
1941	16	アジア太平洋戦争	兄が南洋で戦死			援農の学生が来ていた
1945	20	終戦				終戦で先生が泣いていた
1951	26	サンフランシスコ講和会議		東京に出て寿司屋で		東京のにぎわいにびっく
1965	40	ベトナム戦争		働いた		りした
1967	42				長女として生まれる	
1972	47	沖縄返還	妻が亡くなる	札幌に戻り店を開く		札幌オリンピックのジャ
1974	49				小学校入学	ンプを家族で見に行った
1981	56		大水害で水田全滅			
			農家をやめる			金八先生のファンだった
1985	60	冷戦の終結	札幌で入院し死去	組合の理事長になる		
1989	平成元		(75 歳)		看護師になる	
1992	4				結婚	新婚旅行はハワイ
1995	7				長女出産	保育園が遠くて苦労した
1999	11		(元気に寿司を握っ		家を建てる	
2000	12		ている)		三男が生まれる	

第6部　現 代（10章をふりかえる）　学習のまとめ

1 ①～⑦のできごとを，年表の A から G に入れましょう。

1947 日本国憲法（にほんこくけんぽう）が施行（しこう）される
（ A ）

1951 サンフランシスコ平和条約（へいわじょうやく）を結ぶ
（ B ）

1956 国際連合（こくさいれんごう）への加盟（かめい）が認められる

1960 日米安全保障条約（にちべいあんぜんほしょうじょうやく）が改定される
○高度経済成長（こうどけいざいせいちょう）がすすむ
（ C ）

1972 （ D ）
日中共同声明（にっちゅうきょうどうせいめい）を発表する

1973 （ E ）
石油危機（せきゆきき）が起こる
（ F ）

1991 ソ連が崩壊（ほうかい）する

1995 阪神淡路大震災（はんしんあわじだいしんさい）が起きる
（ G ）

2011 東日本大震災（ひがしにほんだいしんさい）が起きる

① 第四次中東戦争（ちゅうとうせんそう）が始まる
② ビキニ水爆実験（すいばくじっけん）で第五福竜（だいごふくりゅう）丸が被ばくする
③ ベルリンの壁（かべ）が開放される
④ 朝鮮戦争（ちょうせんせんそう）が起こる
⑤ 沖縄（おきなわ）が本土に復帰する
⑥ 日韓基本条約（にっかんきほんじょうやく）を結ぶ
⑦ イラク戦争（せんそう）が始まる

2 上の①②④⑦の下線のできごとが行われた地域，③⑤の下線の地域を，下の地図の（　　　）に番号で入れましょう。

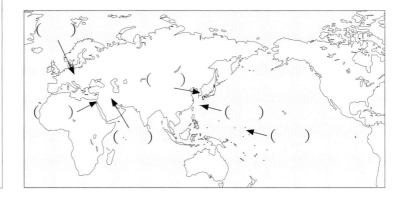

3 学習をふりかえり，時代の変化を絵に表してみましょう。

(1) 第二次世界大戦の前と後（1960年ごろまで）で，大きく変わったことをグループで出しましょう。特に印象に残った変化について，戦争前と戦後のようすを絵にしましょう。解説を書きましょう。

第二次世界大戦前

第二次世界大戦後

戦前，女性参政権を得るために国会に5万人の請願書を出したが，選挙権は得られなかった。戦後，初の衆議院議員選挙で女性議員が39人も当選した。

凛さんのグループが描いた絵と解説

(2) 高度経済成長を経て，日本の経済や生活で変わったことをグループで出しましょう。特に印象に残った変化について，高度経済成長の前と後のようすを絵にしましょう。解説を書きましょう。

高度経済成長前

高度経済成長期

現在

昔の洗濯は，力をこめて手で洗う洗多苦だった。長時間の重労働だった。電気洗濯機の登場で，機械が助けてくれる仕事になった。洗濯機は進化を続けている。

凛さんのグループが描いた絵と解説

4 国際社会の課題を考えましょう

第6部の学習をふりかえり，国際社会での課題となっていることをあげ，日本ができることを考えて文章にまとめましょう。グループやクラスで話し合いましょう。

大翔さんは，シリア難民について考えました。

シリア内戦で，2012年から1000万人もの人が難民になっています。世界の難民の数は，第二次世界大戦後で最大になっているそうです。戦争にまき込まれて住む場所を追われるなんて，ほんとうにつらいことだと思います。国連で難民を助けているし，世界の国々も難民を受け入れているので，日本でも，希望する人たちに来てもらってはどうでしょうか。

5 歴史を現代とつなげて，考えを深めましょう。

　第6部の学習をふりかえり，学習したことを現代とつなげて考え，意見を交換しましょう。

(1) 歴史のなかの人びとは，さまざまな課題に直面していました。第6部の人びとの課題のなかで，現在から見て「乗り越えられた」と思うことと，「現在も課題となっている」と思うことに分けて出し合い，黒板に書きます。

(2) 黒板を見て，その分け方で良いか，意見を交換します。

(3) 他の人の意見を聞いて，考えを深めましょう。

結衣さんは，公害と環境問題について考えました。

　私は公害を「乗り越えられた」ことと思いました。おばあちゃんが昔は公害がひどかったと言っていました。工場から出る煙がひどくて，ぜんそくの患者も出て，朝，洗濯物を干すと，夕方に鉄の粉がついて赤くなっていたそうです。今は水もきれいになり，エコカーや省エネが広まっているし，学校でもリサイクルの取り組みをしています。

　でも，大翔さんが「最近の気候は前とはずいぶん違う。温暖化はどうなっているのだろう」と言っていたので，環境問題は世界の課題だと思いました。原子力発電所で事故がおきると，とくに大変なことになってしまいます。私たちに何ができるのか考えてみようと思います。

翔太さんは，戦争と平和の問題について考えました。

　第二次世界大戦後，日本は戦死者を出していないので，「戦争で死ぬこと」を「乗り越えられた」こととしました。これは大きなことだと思います。

　でも，世界では戦争が続いていて，パレスチナもシリアもずっと大変です。日本にもミサイルが飛んでくるようなことがあったら，どうしたらいいのでしょうか。ミサイルは発射から10分で届くそうです。核兵器の問題もあります。核兵器の数はどのくらい減っているのでしょうか。軍縮会議のようなところで話し合いは進んでいるのでしょうか。自衛隊の装備が大きくなっているようです。戦争ってどうやって始まるのでしょうか。

歴史学習を終えて

　歴史学習を終えて，ある生徒は次のような感想を書きました。

　教科書に書かれているできごとは，そこに生きていた人間の今でした。その記憶が私たちのもとまで，途方もない時間と数えきれない人の手を通して伝えられてきました。

　人間の歴史とは，自分と同じ場所にかつて生きた人びとの記憶の集まったものだと思います。同じように，今も歴史となって伝えられていくでしょう。そのとき私の今が過ちを犯した時代とよばれたくありません。過去の人びとの記憶と，今ここに生きる私たちの記憶を伝えていくひとりとして，私は歴史を学び続けていきたいと思います。

　歴史の中の人びとと出会い，疑問に思ったこと，もっと知りたいと思ったことについて，これからも学びを深めていきましょう。みなさんの時代が始まっています。

地球が誕生する	46億年前
生物が誕生する	35億年前
ほ乳類が誕生する	2億1200万年前
人類が誕生する（猿人がチンパンジーの祖先と分かれる）	700万年前
ラミダス猿人が現れる	440万年前

時代区分	北海道など	本州など	沖縄など	日本の社会・政治・経済の動き

日本の社会・政治・経済の動き

時代区分	北海道など	本州など	沖縄など
原始		旧石器時代	
		縄文時代	
	続縄文文化の時代	弥生時代	貝塚文化の時代
古代	オホーツク文化の時代 / 擦文文化の時代	古墳時代 / 飛鳥時代 / 奈良時代	

2万年前 この頃, きびしい氷期となる
○この頃, ナウマンゾウなど大型動物の狩りが行われる

1万5000年前 この頃, 土器がつくられる（縄文時代の始まり）

1万2000年前 弓矢が使われる
1万年前 この頃, 日本列島が大陸からへだてられる
○貝塚が各地に残される

5000年前 この頃, 土偶がさかんにつくられる

紀元前4世紀 朝鮮半島から青銅器・鉄器が伝わる
○北九州に水田稲作が伝わる（弥生時代の始まり）

紀元前1世紀
○倭人が100あまりのクニに分かれている
57 倭の奴の国王が中国（漢）から金印を授けられる
○倭人が朝鮮半島から鉄をさかんに手に入れる
○倭国で大乱が起こる
239 倭国の女王・卑弥呼が中国（魏）に使いを送る

○大型の前方後円墳が築かれ始める

399 倭と百済が朝鮮半島で新羅と戦う

478 倭王の武が中国（南朝の宋）に使いを送る

538 百済から仏教が伝えられる
587 蘇我氏が物部氏を滅ぼす
593 厩戸皇子（聖徳太子）が摂政となる
607 小野妹子を隋に派遣（第2回遣隋使）
645 中大兄皇子らが蘇我入鹿を倒す（646大化の改新）
663 朝鮮半島の白村江で, 唐・新羅軍に敗れる
672 壬申の乱が起こる
673 大海人皇子が即位し, 天武天皇となる
701 大宝律令を定める
710 都を平城京にうつす
○逃亡や戸籍のごまかしが増える
727 渤海からの使いが初めて日本に来る

794 都を平安京にうつす
○アテルイら蝦夷が朝廷軍と戦う

貝製の釣り針
（約2万3000年前）／
沖縄県サキタリ洞遺跡出土。
〈沖縄県立博物館・美術館蔵〉

加曽利貝塚〈千葉市立加曽利貝塚博物館提供〉

鉄ののべ板／
朝鮮半島からもたらされ, 古墳に納められていたもの。〈大阪府立近つ飛鳥博物館提供〉

▶ 律令制による支配のしくみ

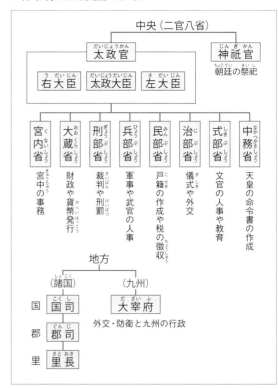

中央（二官八省）

| 太政官 | | | 神祇官 朝廷の祭祀 |

右大臣 ／ 太政大臣 ／ 左大臣

| 宮内省 宮中の事務 | 大蔵省 財政や貨幣発行 | 刑部省 裁判や刑罰 | 兵部省 軍事や武官の人事 | 民部省 戸籍の作成や税の徴収 | 治部省 儀式や外交 | 式部省 文官の人事や教育 | 中務省 天皇の命令書の作成 |

地方
（諸国） （九州）
国 … 国司
郡 … 郡司
里 … 里長
大宰府 外交・防衛と九州の行政

この頃，人類が石器を使う（打製石器）	260万年前
この頃，人類が火を使う	150万年前
現生人類（ホモ・サピエンス）が現れる	16万年以上前
現生人類がアフリカを出て世界に広がる	6万年以上前

日本の文化・宗教

中国	朝鮮

世界の動き

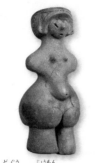

土偶／「縄文のビーナス」
〈茅野市尖石縄文考古館蔵〉

中空土偶〈函館市教育委員会蔵〉

銅鏡／古墳に納められていた。
〈奈良県立橿原考古学研究所提供〉

新羅の金製の冠／
新潟県糸魚川から出土したヒスイの玉で飾られている。
〈韓国国立中央博物館蔵〉

○飛鳥寺が建立される

奈良県の藤ノ木古墳から出土した金銅製の冠（復元品）
〈奈良県立橿原考古学研究所附属博物館蔵〉

新羅の弥勒菩薩像
〈韓国国立中央博物館蔵〉

712　『古事記』が編さんされる
720　『日本書紀』が編さんされる
752　東大寺の大仏が完成する

京都・広隆寺の弥勒菩薩像

中国：殷／周／戦国／春秋／秦／漢／三国／南北朝／隋／唐

朝鮮：高句麗・新羅・百済／新羅

2万年前　この頃, きびしい氷期となる

1万6000年前　この頃, シベリアで土器がつくられる
1万年前～5000年前　この頃, 農耕と牧畜が始まる

5500年前　メソポタミアで都市国家がおこる
4500年前　エジプトでピラミッドがつくられる
　〃　　　　インダス川流域で都市がつくられる
3500年前　この頃, 西アジアで鉄器の使用が広がる

紀元前8世紀　ギリシアで都市国家が成立する
紀元前563年頃　ガウタマ＝シッダールタ（シャカ）が生まれる
紀元前221　秦の始皇帝が中国を初めて統一する
紀元前202　漢が中国を統一する
紀元前4　この頃, イエス（キリスト）が生まれる
　　　　○仏教が中国に伝えられる
　　　　○ローマ帝国が栄える
　　　　○シルクロード経由の東西交易が行われる
220　漢が滅び, 魏・蜀・呉の三国に分かれる

313　ローマ帝国がキリスト教を公認する
　　　　○朝鮮半島に高句麗・新羅・百済の3カ国が分立する
384　仏教が百済に伝えられる

隋の煬帝

589　隋が中国を統一する
610頃　ムハンマドがイスラム教を開く
618　隋が滅亡し, 唐がおこる

ムハンマド

676　新羅が朝鮮半島を統一する
698　中国東北部に渤海がおこる

○唐の文化が栄える
750　西アジアでアッバース朝が成立する

283

時代区分	北海道など	本州など	沖縄など	日本の社会・政治・経済の動き

| | オホーツク文化の時代 | 貝塚文化の時代 | | 802 坂上田村麻呂が胆沢城を築き、蝦夷をおさえる |

桓武天皇

アテルイ（阿弖流為）とモレ（母礼）を記念する碑（清水寺）

日本の社会・政治・経済の動き

- 802 坂上田村麻呂が胆沢城を築き、蝦夷をおさえる
- 869 東北地方で大地震と大津波が起きる
- 894 遣唐使の派遣を中止する
- 935 平将門の乱が起こる（〜940）
- 939 藤原純友の乱が起こる（〜941）
- 988 尾張国の郡司・百姓が国司を訴える
- 1016 藤原道長が摂政となる
- 1086 白河上皇が院政を始める
- 1156 保元の乱が起こる
- 1158 後白河上皇の院政が始まる
- 1159 平治の乱が起こる
- 1167 平清盛が太政大臣となる
- 1179 平清盛が後白河上皇から権力を奪う（平氏政権）
- 1180 源頼朝・源義仲らが反乱を起こす（源平の内乱）
- 1185 平氏が壇ノ浦の戦いで滅亡する
- 1189 源頼朝が奥州藤原氏を滅ぼす
- 1192 源頼朝が征夷大将軍となる
- 1205 北条義時が執権となる
- 1221 承久の乱が起こる
  - 幕府が京都に六波羅探題を置く
- 1231 大ききんが起きる
- 1232 北条泰時が御成敗式目を定める
  - ○各地で定期市が開かれる
- 1274 元軍が九州北部を攻撃する
- 1275 阿テ河荘の百姓が訴え状を出す
- 1278 元のクビライ＝カンが日本船の交易を許す
- 1281 元軍が再び九州北部などを攻撃する
- 1297 幕府が永仁の徳政令を出す
  - ○悪党が各地でさかんに活動する
- 1333 鎌倉幕府が滅亡する
- 1334 後醍醐天皇が政治を行う（建武の新政）
- 1336 足利尊氏が北朝をたて、南北朝の内乱が始まる
- 1338 足利尊氏が征夷大将軍となる
  - ○倭寇がさかんに朝鮮半島をおそう
  - ○十三湊でアイヌが交易を行う
- 1369 明が倭寇の取り締まりを求める
- 1378 足利義満が幕府を京都の室町に移す
- 1392 南北朝が統一され、内乱が終わる

時代区分：古代（平安時代）、中世（鎌倉時代・室町時代）
北海道など：オホーツク文化の時代／擦文文化の時代／アイヌ文化の時代
本州など：貝塚文化の時代／グスク時代
沖縄など：平安時代／鎌倉時代／南北朝時代／室町時代

▶源氏・北条氏系図

- ❶ 北条 時政（ほうじょう ときまさ）
- 源 義朝（みなもとのよしとも）
- ❷ 義時（よしとき）
- 政子（まさこ）①
- 頼朝（よりとも）①
- ❸ 泰時（やすとき）
- ③ 実朝（さねとも）
- ② 頼家（よりいえ）
- ❺ 時頼（ときより）
- 公暁（くぎょう）
- ❽ 時宗（ときむね）
- ⓮ 高時（たかとき）
- ○の数字は将軍になった順序
- ●の数字は執権になった順序

〈御成敗式目〉（ごせいばいしきもく）

一、20年以上続けてその領地を支配していれば、その土地の所有者とする。

一、女子に譲りわたした土地についても、男子と同様に、親があとから取りあげることができる。（一部要約）

▶鎌倉幕府のしくみ（かまくらばくふ）

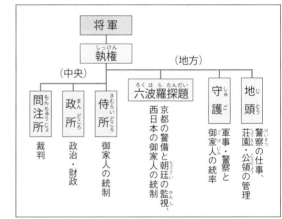

- 将軍
- 執権（しっけん）
- （中央）
- （地方）
- 問注所（もんちゅうじょ）…裁判
- 政所（まんどころ）…政治・財政
- 侍所（さむらいどころ）…御家人の統制
- 六波羅探題（ろくはらたんだい）…京都の警備と朝廷の監視、西日本の御家人の統制
- 守護（しゅご）…軍事・警察と御家人の統率
- 地頭（じとう）…警察の仕事、荘園・公領の管理

▶足利氏系図（あしかがしけいず）

足利義満（あしかがよしみつ）

- ① 足利 尊氏（あしかが たかうじ）
- 基氏（もとうじ）（鎌倉府の長官）
- ② 義詮（よしあきら）
- ③ 義満（よしみつ）
- ⑥ 義教（よしのり）
- ④ 義持（よしもち）
- 政知（まさとも）
- 義視（よしみ）
- ⑧ 義政（よしまさ）
- ⑨ 義尚（よしひさ）
- ⑫ 義晴（よしはる）
- ⑮ 義昭（よしあき）
- ⑬ 義輝（よしてる）
- ○の数字は将軍になった順序

日本の文化・宗教	中国	朝鮮	世界の動き

日本の文化・宗教

○最澄が天台宗を伝える
○空海が真言宗を伝える

最澄

905　紀貫之らが『古今和歌集』を
　　　編さんする
○紀貫之が『土佐日記』を著す
○清少納言が『枕草子』を著す
○紫式部が『源氏物語』を著す

空海

1053　藤原頼通が平等院鳳凰堂を
　　　建てる

1124　奥州藤原氏が中尊寺金色堂
　　　を建てる

平等院『雲中供養菩薩像』
〈1977年3月25日切手発行〉

東大寺南大門

○法然が浄土宗を広める
○栄西が禅宗を広める
○鴨長明が『方丈記』を著す
○『平家物語』が語られる
○親鸞が浄土真宗を広める
○道元が永平寺を建てる
○日蓮が日蓮宗を広める
○一遍が時宗を広める

運慶『無著像』〈興福寺蔵〉

1330頃　吉田兼好が
　　　　『徒然草』を著す

金閣〈鹿苑寺提供〉

1397　足利義満が金閣を建てる
○『御伽草子』がさかんに読まれる

中国・朝鮮

唐　新羅

十五国代

宋　高麗

金

南宋

モンゴル

元

明

世界の動き

○イスラム文化が発展する
○北ヨーロッパでバイキングがさかんに活動する
○ボロブドゥール寺院が建設される（インドネシア）
○西アフリカでガーナ王国が栄える
843　フランク王国が分裂する
　　　（フランス・ドイツ・イタリアのもとになる）

907　中国で唐が滅亡する
936　高麗が朝鮮半島を統一する
960　中国で宋がおこる
○中国で火薬・羅針盤・活字が発明される
○西ヨーロッパで封建制度が広がる

1038　イランでセルジューク朝が成立する

1071　セルジューク朝がエルサレムを支配する
1096　第1回十字軍の遠征が始まる
　　　（1270年に第7回十字軍）
1115　中国東北部で金が成立する
○カンボジアでアンコール・ワットの建設が始まる
1127　金が宋を滅ぼし，南宋がおこる
○南宋で朱子学が成立する

チンギス＝カン

1206　チンギス＝カンがモンゴルを統一する
1215　マグナ・カルタ（大憲章）を定める（イギリス）

○モンゴル軍が中央アジアに遠征する
○西アフリカでマリ帝国が成立する

1259　モンゴル帝国が高麗を支配する
○サハリンのアイヌがモンゴル軍と戦う
1271　クビライ＝カンが国号を元と改める
1279　元が南宋を滅ぼす
1299　トルコにオスマン朝がおこる
○イタリアでルネサンスが始まる（～16世紀）
○イブン＝バツータが中国まで航海する（モロッコ）

1347　ヨーロッパで伝染病のペストが大流行する
　　　（～1351）

1368　中国で明が成立し，元が北に追われる

1392　高麗が滅亡し，朝鮮王朝が始まる

時代区分	北海道など	本州など	沖縄など

日本の社会・政治・経済の動き

年	出来事
1404	明との勘合貿易が始まる
1420	各地できききんが起きる
1428	正長の土一揆が起こる
1429	尚氏が琉球（沖縄島など）を統一する
1457	蝦夷地でコシャマインらが戦いを起こす
1467	応仁の乱が起こる（～1477）
	○下剋上がさかんになる
1485	山城の国一揆が起こる（～1493）
1488	加賀の一向一揆が起こる（～1580）
1526	石見銀山の採掘が始まる
1543	倭寇船に乗ったポルトガル人が種子島に鉄砲を伝える
1549	ザビエルが鹿児島に来航し，キリスト教を伝える
	○倭寇が中国の海岸部をおそう
1573	織田信長が足利義昭を追放し，室町幕府を滅ぼす
1580	織田信長が一向宗の本山・石山本願寺を降伏させる
1582	豊臣秀吉が山城国で検地を行う（～1598太閤検地）
1588	豊臣秀吉が刀狩令を出す
1590	豊臣秀吉が北条氏，奥州を征服する
1592	豊臣秀吉が朝鮮を侵略する
1600	関ヶ原の戦いが起こる
1603	徳川家康が征夷大将軍となる
	○東南アジアで日本町が栄える
1609	薩摩の島津氏が琉球を征服する
1613	幕府が全国でキリスト教を禁止する
1615	豊臣氏が滅びる（大阪夏の陣）
〃	幕府が武家諸法度・禁中並公家中諸法度を定める
1635	幕府が日本人の海外渡航と帰国を禁止する
〃	幕府が武家諸法度を改定し参勤交代の制度を定める
1637	島原・天草一揆が起こる（～1638）
1639	ポルトガル船の来航を禁止する
1641	オランダ商館を平戸から長崎の出島に移す
1669	蝦夷地でシャクシャインらが戦いを起こす
1680	徳川綱吉の政治が始まる（～1709）
1687	生類憐みの令を出す
1716	徳川吉宗の政治が始まる（～1745享保の改革）
1733	江戸で初めての打ちこわしが起こる
1742	公事方御定書を定める
	○百姓一揆が各地で起こる
1772	田沼意次が老中となる（～1786）
1782	天明の大ききんが起きる（～1787）
1787	松平定信の政治が始まる（～1793寛政の改革）
1789	蝦夷地のクナシリでアイヌが戦いを起こす
1792	ロシアのラクスマンが根室に来航する

時代区分（左欄）：中世／近世

北海道など：アイヌ文化の時代

本州など：室町時代／戦国時代／安土桃山時代／江戸時代

沖縄など：グスク時代／琉球王国

▶室町幕府のしくみ

将軍
─ 管領（京都（中央））
　　─ 問注所（記録・文書の保管）
　　─ 政所（幕府の財政）
　　─ 侍所（京都の警備と裁判）
─ 将軍の補佐
（地方）
─ 鎌倉府（関東の10カ国の統治）
─ 奥州探題
─ 九州探題
─ 守護・地頭

徳川家康

▶徳川氏系図

① 徳川 家康
② 秀忠　　尾張家　紀伊家　水戸家
③ 家光
④ 家綱　⑤ 綱吉
⑥ 家宣
⑦ 家継
⑧ 吉宗
⑨ 家重
⑩ 家治
⑪ 家斉
⑫ 家慶
⑬ 家定　⑭ 家茂
定信（松平）
光圀
斉昭
⑮ 慶喜

○の数字は将軍になった順序

▶江戸幕府のしくみ

将軍
─ 大老（臨時の職）
─ 老中（幕府の政治のとりまとめ）
　─ 大阪城代（西国大名の監視など）
　─ 京都所司代（朝廷・公家，西国大名の監視など）
　─ 寺社奉行（寺社の取り締まり）
　─ 若年寄（老中の補佐）
　─ 勘定奉行（幕府の財政）
　　─ 郡代・代官（年貢の徴収など）
　─ 町奉行（江戸の町の行政，警察・裁判）
　─ 大目付（大名の監視）
　─ 遠国奉行（京都・大阪・長崎，佐渡などの支配）

日本の文化・宗教	中国	朝鮮	世界の動き

○禅宗の文化が栄える
○能や狂言　観阿弥・世阿弥が活躍する

銀閣〈慈照寺提供〉

1482　足利義政が銀閣の建設を始める
○茶の湯, 生け花がさかんになる

▶南蛮文化
ヨーロッパの風俗, 芸術, 科学技術などがもたらされる

1576　安土城が築城される
○狩野永徳が『唐獅子図屏風』
　を描く
○千利休が活躍する
○阿国歌舞伎が流行する
○二条城などの大きな城郭が
　築かれる

『阿国歌舞伎図』
〈京都国立博物館蔵〉

『見返り美人図』
〈東京国立博物館蔵
1991年4月19日切手発行〉

▶元禄文化
上方（京都・大阪）を中心に町人文化が栄える
○菱川師宣が『見返り美人図』を描く
○井原西鶴が『日本永代蔵』を著す
○松尾芭蕉が『おくの細道』を著す
○近松門左衛門が『曽根崎心中』を著す

○新しい学問がおこる
1774　杉田玄白が『解体新書』を
　　　出版する
1776　平賀源内がエレキテルを
　　　製作する
1790　本居宣長が『古事記伝』を著す
○喜多川歌麿『高名美人六家撰』が出版される
○小林一茶がさかんに俳句をつくる

エレキテル（複製）
〈国立科学博物館蔵〉

明
朝鮮
清

1405　鄭和の船隊がインド・東アフリカまで航海する
　　　（～1433　7回　中国）

1453　オスマン帝国がビザンツ帝国を滅ぼす
　　　○中米でアステカ王国が栄える
　　　○南米でインカ帝国が栄える
1492　コロンブスが大西洋を横断してアメリカに到達する
1498　バスコ＝ダ＝ガマがインドに到達する
　　　○ルネサンスがヨーロッパに広がる
1517　ルターがカトリック教会を批判する（宗教改革）
1521　スペインがアステカ王国を滅ぼす
1522　マゼラン船隊が世界を一周して帰る（スペイン）
1533　スペインがインカ帝国を滅ぼす
1545　南米のポトシ銀山が開発される
1558　イギリスでエリザベス1世が即位する

1581　オランダがスペインからの独立を宣言する
1588　イギリスがスペインの無敵艦隊を破る

1600　イギリス東インド会社が設立される
1602　オランダが東インド会社を設立する

1608　フランスが北アメリカに植民地をつくる

1620　イギリスからピューリタンが北アメリカに移住する
　　　○インディアンが土地を奪われ始める

1642　ピューリタン革命が起こる（イギリス）
1644　清が中国を支配する

1661　ルイ14世の絶対王政が始まる（～1715 フランス）

1688　名誉革命が起こる（イギリス）
1689　権利の章典を定める（イギリス）
　　　○ロック『市民政府二論』（1690 イギリス）
　　　○モンテスキュー『法の精神』（1748 フランス）
　　　○ルソー『社会契約論』（1762 フランス）
　　　○アフリカからの奴隷貿易がさかんになる

1769　ワットが蒸気機関を改良する（イギリス）
　　　○イギリスで産業革命が始まる
1775　北アメリカで13植民地が独立戦争を始める
1776　独立宣言を出す（アメリカ）

1789　フランス革命が起こり人権宣言が発表される
1793　ルイ16世が処刑される（フランス）

▶ 19世紀

時代区分	北海道など	本州など	沖縄など	日本の社会・政治・経済の動き
近世	アイヌ文化の時代	江戸時代	琉球王国	1804 ロシアのレザノフが長崎に来航する ○工場制手工業が行われる
				1825 幕府が異国船打払令を出す
				1833 天保のききんが起きる(～1839)
				1837 大塩平八郎が大阪で反乱を起こす
				1839 渡辺崋山らが幕府を批判して捕らえられる(蛮社の獄)
				1841 水野忠邦の政治が始まる(～1843 天保の改革)
				1853 ペリーが浦賀に来航する
				1854 幕府が日米和親条約を結ぶ
				1858 幕府が日米修好通商条約を結ぶ
				1860 井伊直弼が暗殺される(桜田門外の変)
				1862 生麦事件が起こる
				1863 長州藩が下関で外国船を砲撃する
				〃 イギリス艦隊が鹿児島を砲撃する
				1864 4カ国艦隊に下関砲台を占領される
				1866 薩摩藩と長州藩が同盟を結ぶ(薩長同盟)
				○世直し一揆が各地で起こる
				1867 徳川慶喜が大政奉還を行う
				〃 朝廷が王政復古の大号令を出す
近代		(明治)		1868 鳥羽・伏見の戦いが起こる(～1869 戊辰戦争)
				〃 五箇条の誓文を出す
				1869 版籍奉還を行う 北海道に開拓使を置く
				1871 廃藩置県を行う 日清修好条規を結ぶ
				〃 岩倉使節団が出発する
				1872 学制を定める
				1873 徴兵令を出す 地租改正条例を出す
				1874 民選議院設立建白書を提出する(自由民権運動の始まり)
				〃 台湾に出兵する
				1875 樺太千島交換条約を結ぶ
				〃 朝鮮で江華島事件を起こす
				1876 日朝修好条規を結ぶ
				1877 西南戦争が起こる
				1879 琉球を沖縄県とする(琉球処分)
				1880 国会期成同盟が結成され,国会開設の運動が広がる
				1881 天皇の名で国会開設を約束する
				〃 自由党が結成される
				1882 軍人勅諭を出す 福島事件が起こる
				1883 鹿鳴館が完成する
				1884 秩父事件が起こる
				1886 北海道庁を置く
				1889 大日本帝国憲法を発布する
				1890 第1回衆議院議員選挙を行い,帝国議会を開く
				〃 教育勅語を出す
				1891 田中正造が議会で足尾鉱毒問題を訴える
				1894 領事裁判権が廃止される 日清戦争が始まる(～1895)
				1895 下関条約を結ぶ 三国干渉が行われる
				1899 北海道旧土人保護法を定める

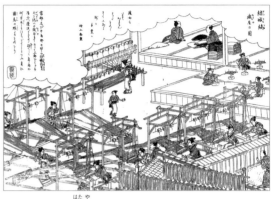

工場制手工業の機屋〈『尾張名所図会』国立国会図書館蔵〉
*工場制手工業(マニュファクチュア)とは,工場に人びとを集め,分業によって生産を行う方法。

▶ 明治政府のしくみ(1871年)

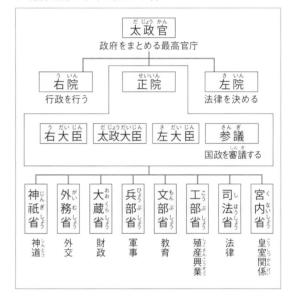

西郷隆盛 　大久保利通 　木戸孝允 　伊藤博文

ビールびん製造
工場で働く子ども
(1900年ごろ
札幌市)
〈北海道大学附属図書館蔵〉

日本の文化・宗教	中国 朝鮮	世界の動き

日本の文化・宗教

▶化政文化

江戸を中心に町人文化が栄える

1802 十返舎一九『東海道中膝栗毛』が出版される
1814 滝沢（曲亭）馬琴『南総里見八犬伝』が出版される
　○歌川広重『東海道五十三次』が出版される
　○葛飾北斎『富嶽三十六景』が出版される
1821 伊能忠敬が『大日本沿海輿地全図』を完成する

歌川広重『東海道五十三次・府中』〈国立国会図書館蔵〉

蒸気機関車〈『高縄鉄道之図』港区立港郷土資料館蔵〉

▶文明開化

1872 福沢諭吉が『学問のすゝめ』を著す

植木枝盛

楠瀬喜多〈高知市立自由民権記念館蔵〉

1879 植木枝盛が『民権自由論』を著す

1882 加藤弘之が『人権新説』を著す

1887 中江兆民が『三酔人経綸問答』を著す

1890 森鷗外が『舞姫』を著す
1893 黒田清輝が『舞妓』を描く
　〃　高村光雲『老猿』が
　　　シカゴ万国博覧会に出品される
1895 樋口一葉が『たけくらべ』を著す
1897 正岡子規らが
　　　雑誌『ホトトギス』を創刊する

高村光雲『老猿』
〈東京国立博物館蔵
1983年3月10日切手発行〉

世界の動き

年	できごと
1804	ハイチ革命が起こり, 世界初の黒人共和国が誕生する
〃	ナポレオンが皇帝になる（フランス）
1810	ハワイ王国が成立する
	○中南米諸国が独立する
1814	ウィーン会議が開かれる（～1815）
1830	七月革命が起こる（フランス）
1833	工場法で児童労働が週48時間と決まる（イギリス）
1840	アヘン戦争が始まる（～1842）
1842	清とイギリスが南京条約を結ぶ
1848	二月革命が起こり共和制になる（フランス）
1851	太平天国の運動が起こる（～1864中国）
1857	インド大反乱が起こる
1859	ダーウィンが『種の起源』を著す（イギリス）
1861	イタリアが統一される　南北戦争が始まる（～1865アメリカ）
1863	リンカーンが奴隷解放宣言を発表する（アメリカ）
	○ニュージーランドで先住民が反乱を起こす
1867	マルクスが『資本論』を著す（ドイツ）
1869	スエズ運河が開通する
1871	ドイツ帝国が成立する
1874	タイでチャクリ改革（近代化）が始まる
1876	オスマン帝国（トルコ）でミドハト憲法が公布される
1877	イギリスがインドを完全に植民地にする
1879	エジソンが電灯を発明する（アメリカ）
1881	スーダンでイギリスに対する抵抗運動が起こる（～1898）
1882	ドイツ・オーストリア・イタリアが三国同盟を結ぶ
1884	アフリカ分割のためのベルリン会議が開かれる
	○欧米諸国による世界の分割がすすむ
1890	第1回国際メーデーが開かれる（アメリカなど）
1891	チリで議会が力をもつ
1894	朝鮮で東学農民戦争が起こる
1899	中国で義和団戦争が始まる（～1901）
〃	南アフリカでボーア戦争が始まる（～1902）

リンカーン

ビスマルク

中国：清
朝鮮：朝鮮　大韓帝国

時代区分	北海道など	沖縄など	日本の社会・政治・経済の動き

官営八幡製鉄所の第一溶鉱炉（建設中）

		（明治）	1901　官営八幡製鉄所が操業を始める
			1902　日英同盟を結ぶ
			1904　日露戦争が始まる（～1905）
			1905　ポーツマス条約を結ぶ　韓国を日本の保護国とする
			1908　ブラジルへの集団的な移民が始まる
			1910　大逆事件が起こる　日本が韓国を併合する
			1911　関税自主権を回復する　『青鞜』が発刊される
	本州など	（大正）	1912　第一次護憲運動が起こる（～1913）
			1914　第一次世界大戦に参戦する（～1918）
			1915　中国に21カ条の要求を出す
			1916　吉野作造が民本主義を主張する
			1918　米騒動が起こる　シベリアに出兵する（～1922）
			〃　　原敬の政党内閣が成立する
近代			1920　国際連盟に加盟する
			○普通選挙運動が高まる
			1922　全国水平社，日本農民組合，日本共産党が結成される
			1923　関東大震災が起きる
			1924　第二次護憲運動が起こる
			1925　治安維持法，男子普通選挙法が成立する
			1928　治安維持法を改定し，最高刑を死刑にする
			1930　世界恐慌の影響が日本にもおよぶ
			1931　満州事変が始まる　東北・北海道できききんが起きる
			1932　日本が「満州国」をつくる
			〃　　五・一五事件が起こる
			1933　国際連盟を脱退する
		（昭和）	1936　二・二六事件が起こる
			○軍部の力が強まる
			1937　日中戦争が始まる　日独伊防共協定を結ぶ
			1938　国家総動員法が成立する
			1940　斎藤隆夫が衆議院での演説によって，議員を除名される
			〃　　日独伊三国同盟を結ぶ　大政翼賛会を結成する
			1941　日ソ中立条約を結ぶ
			〃　　マレー半島・ハワイを攻撃する（～1945アジア太平洋戦争）
			1942　ミッドウェー海戦が行われる
			〃　　ガダルカナル島の戦いが行われる
			1943　学徒出陣が始まる
			1944　学童疎開が始まる　特攻作戦を始める
			1945　東京などの都市への空襲が本格化する
			〃　　沖縄で地上戦が行われ，アメリカ軍に占領される
		アメリカによる統治	〃　　広島に原爆が投下される（8月6日）
			〃　　ソ連が対日宣戦を行う（8月8日）
			〃　　長崎に原爆が投下される（8月9日）
			〃　　ポツダム宣言を受諾する（8月14日）
			〃　　連合国軍による占領が始まる　女性の参政権が実現する
			1946　日本国憲法が公布される（11月3日）
			1947　GHQが2・1スト中止を命令する
			〃　　教育基本法・労働基準法・地方自治法が公布される
			〃　　日本国憲法が施行される（5月3日）
			1949　沖縄で米軍基地の固定化が始まる
			1950　共産党員らの追放が始まる　警察予備隊が発足する

旧岩崎邸／財閥の邸宅。

ブラジルへの移民を奨励するポスター

▶戦争を批判したジャーナリスト

石橋湛山
『東洋経済新報』（雑誌）で平和・民権・自由主義を訴える。

桐生悠々
「関東防空大演習を嗤う」（『信濃毎日新聞』1933年）で軍部を批判する。

▶斎藤隆夫の「反軍演説」

議会で日中戦争について質問し，「戦争によって平和は得られるのか」「戦争を長引かせ国民を苦しめるのではないか」と政府と軍を批判した。衆議院議員を除名されたが，次の選挙で当選した。

斎藤隆夫

▶国際連合憲章　前文

われら連合国の人民は，われらの一生のうちに二度まで言語に絶する悲哀を人類に与えた戦争の惨害から将来の世代を救い，基本的人権と人間の尊厳及び価値と男女及び大小各国の同権とに関する信念をあらためて確認し，…自由の中で社会的進歩と生活水準の向上とを促進する…ために，寛容を実行し，…国際の平和及び安全を維持するためにわれらの力を合わせ…国際機構を用いることを決意して，われらの努力を結集することに決定した。

（一部要約）

日本の文化・宗教

1901 与謝野晶子が『みだれ髪』を著す
〃 滝廉太郎が『荒城の月』を作曲する
1906 島崎藤村が『破戒』を著す
〃 夏目漱石が『坊っちゃん』を著す
○外山亀太郎が蚕の遺伝を研究する
1910 石川啄木が『一握の砂』を著す
1911 平塚らいてうが『青鞜』を創刊する

石川啄木

『青鞜』創刊号表紙

1915 芥川龍之介が『羅生門』を著す
1918 児童雑誌『赤い鳥』が創刊される
○生活の近代化と文化の大衆化がすすむ
・サラリーマンが増える
・職業婦人が増える
・大衆雑誌・映画・演劇が普及する
○100万部以上を発行する新聞があらわれる
1925 ラジオ放送が始まる
1927 川端康成が『伊豆の踊子』を著す
1929 小林多喜二が『蟹工船』を発表する
1931 田河水泡が『のらくろ』の連載を始める
宮澤賢治が『雨ニモマケズ』を執筆する

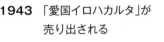

『加藤隼戦闘隊』ポスター／1944年にもっとも多くの観客を集めた映画。

1938 石川達三が『生きてゐる兵隊』を発表，発売禁止となる
○新聞社が軍歌を募集する
1943 「愛国イロハカルタ」が売り出される

アメリカ映画『カサブランカ』ポスター（1946年日本公開）

1945 アメリカ・イギリスの映画の公開が始まる
1946 長谷川町子が『サザエさん』の連載を始める
○アメリカ風の文化が広がる
1951 山元中学校の生徒作文集『山びこ学校』が出版される

中国・朝鮮

中国：清 → 中華民国 → 中華人民共和国
朝鮮：大韓帝国 → 日本の植民地時代 → 大韓民国／朝鮮民主主義人民共和国

世界の動き

1905 孫文らが東京で中国同盟会を結成する
1907 イギリス・フランス・ロシアが三国協商を結ぶ
1910 韓国が日本に併合される
1911 辛亥革命が起こる（中国）
1914 第一次世界大戦が始まる（～1918）
1917 ロシア革命が起こる
1918 ドイツで革命が起こり，ドイツが降伏する
1919 朝鮮で三・一独立運動が起こる
〃 中国で五・四運動が起こる　ベルサイユ条約が結ばれる
1920 国際連盟が成立する　インドで不服従運動が広がる
1921 ワシントン会議が開かれる
1922 ムッソリーニが政権につく（イタリア）
〃 ソビエト社会主義共和国連邦が成立する
1924 スターリンの政治が始まる（ソ連）
1928 パリ不戦条約が結ばれる
1929 世界恐慌が始まる
1930 ロンドン海軍軍縮会議が開かれる
1932 イギリスなどがブロック経済をとる
1933 ヒトラーが首相となる（ドイツ）
〃 ニューディール政策が始まる（アメリカ）
1935 イタリアがエチオピアに侵攻する
1937 中国で抗日民族統一戦線が結成される
1939 ドイツがポーランドに侵攻し，第二次世界大戦が始まる
1940 杉原千畝がリトアニア領事館でユダヤ難民に通過ビザを発行する
1941 ドイツがソ連に侵攻する
〃 イギリスとアメリカが大西洋憲章を発表する
1943 イタリアが降伏する（9月8日）
〃 カイロ会談が行われる
1945 ヤルタ会談が行われる
〃 ドイツが降伏する（5月7日）
〃 ポツダム宣言が発表される（7月26日）
〃 第二次世界大戦が終結する（9月2日）
〃 国際連合が成立する
○アジア諸国の独立が続く　米ソの対立（冷戦）が始まる
1948 大韓民国・朝鮮民主主義人民共和国が成立する
1949 北大西洋条約機構（NATO）が成立する
〃 ドイツ連邦共和国（西）・ドイツ民主共和国（東）が成立する
〃 中華人民共和国が成立する
1950 朝鮮戦争が起こる（～1953）

孫文

時代区分	北海道など	本州など	沖縄など	日本の社会・政治・経済の動き

日本の社会・政治・経済の動き

	西暦	できごと
	1951	サンフランシスコ平和条約・日米安全保障条約を結ぶ
	1954	ビキニ水爆実験で第五福竜丸が被ばくする
	〃	自衛隊が発足する
	1955	第1回原水爆禁止世界大会が広島で開催される
	〃	社会党・自民党が結成される　原子力基本法が成立する
	1956	日ソ共同宣言に調印し, 国交を回復する
	〃	国際連合への加盟が認められる
	1960	日米安全保障条約が改定される
		○高度経済成長政策がすすめられる
	1962	最初の原子炉が茨城県東海村で運転を開始する
	1963	新産業都市を指定する
	1964	東京オリンピックが開かれる
	1965	日韓基本条約を結ぶ
		○公害の被害が深刻化する
	1968	小笠原諸島が日本に復帰する
		○公害反対運動が高まる
	1972	沖縄が日本に復帰する
	〃	日中共同声明を発表し, 国交が正常化する
	1973	石油危機が起こる(高度経済成長の終わり)
	1975	第1回先進国首脳会議に参加する
	1978	日中平和友好条約を結ぶ
		○アメリカとの貿易摩擦が激しくなる
	1979	国際人権規約を国会が承認する
	1981	中国残留日本人孤児の調査が始まる
		○バブル景気が始まる
	1986	男女雇用機会均等法が施行される
	1989	消費税が実施される(税率3％)
	1991	バブル景気が崩壊し, 不景気となる
	1992	国連平和維持活動協力法(PKO法)が成立する
	1993	冷害のため米を緊急輸入する
	1994	子どもの権利条約を国会が承認する
	1995	阪神淡路大震災が起きる
	〃	オウム真理教による地下鉄サリン事件が起こる
	1997	アイヌ文化振興法が成立する
	〃	地球温暖化防止京都会議が開かれる
		○大企業の倒産が続く
	1999	周辺事態法が成立する
	2002	日朝首脳会談が行われ, 平壌宣言を発表する
	〃	北朝鮮から拉致事件被害者の一部が帰国する
	2003	イラク復興特別措置法が成立する
	2004	自衛隊がイラクに派遣される
	2006	教育基本法を改定する
	2009	新型インフルエンザが流行する
	2011	東日本大震災が起き, 福島原発で大事故が起こる(3月11日)
	2013	秘密保護法が成立する
	2015	18歳選挙権法が成立する
	〃	平和安全法制が成立する
	2017	テロ等防止法が成立する
	2020	新型コロナウィルス感染症が広がる

時代区分欄: 現代（昭和）（平成）（令和）
北海道など〜沖縄など欄: アメリカによる統治

▶日韓基本条約および付随協約

1. 両国は, 国交を樹立する。
2. 韓国併合条約はもはや無効であることを認める。
3. 韓国政府を朝鮮にある唯一の合法的な政府と認める。
付　両国は, 財産および請求権をたがいに放棄し, 日本は韓国に経済協力を行う。
（一部要約）

▶核拡散防止条約

1. 核兵器保有国（米・ソ連［のちロシア］・英・仏・中国）は非保有国に核兵器を譲りわたすことをせず, 核軍縮をすすめる義務を負う。
2. 非核兵器国は, 核兵器の製造, 取得を禁止する。
3. 5年ごとに会議を開き, 条約の運営状況を検討する。
（一部要約）

日中共同声明の発表を終えた田中角栄首相（左）と周恩来首相（右）〈毎日新聞社提供〉

阪神淡路大震災
〈毎日新聞社提供〉

東日本大震災／
津波が到達した時刻で止まった学校の時計。
〈岩手県立高田高校〉

熊本地震（2016年）〈毎日新聞社提供〉

日本の文化・宗教	中国	朝鮮	世界の動き

日本の文化・宗教

1952	壺井栄が『二十四の瞳』を発表する
〃	手塚治虫が『鉄腕アトム』の連載を始める
1953	テレビ放送が始まる
1954	黒澤明監督の『七人の侍』が公開される
	○各地に住宅団地ができる
1957	大江健三郎が『死者の奢り』を著す
1958	東京タワーができる
1960	松本清張が『日本の黒い霧』を著す
	○大相撲で大鵬が活躍する
1963	名神高速道路が一部開通する
1964	東海道新幹線が開通する
〃	東京オリンピックが開催される
	○婦人雑誌が幅広く読まれる
1969	藤子・F・不二雄が『ドラえもん』の連載を始める
1970	万国博覧会が大阪で開かれる
1972	札幌オリンピックが開催される
	○カラーテレビが普及する
1973	中沢啓治が『はだしのゲン』の連載を始める
1978	成田国際空港が開港する

東京タワー

瀬戸大橋

1988	青函トンネル・瀬戸大橋が開通する
〃	宮崎駿監督の『となりのトトロ』が公開される
	○携帯電話・インターネットが普及する

最初の携帯電話／
重さ900グラム（1987年）。

1998	長野オリンピックが開催される
1999	ペットロボット AIBO が販売される
2002	日韓共催ワールドカップが開かれる

○スマートフォンが
急速に普及する

日韓共催ワールドカップ記念切手
〈2002年5月24日切手発行〉

中華人民共和国

朝鮮民主主義人民共和国　大韓民国

世界の動き

1951	サンフランシスコ対日講和会議が開かれる
1952	アメリカが水爆実験を行う
1953	ソ連が水爆実験を行う
1955	インドネシアでアジア・アフリカ会議が開かれる
〃	ワルシャワ条約機構が成立する
	○アメリカで公民権運動がさかんになる
1959	キューバ革命が成功する
1960	アフリカで17カ国が独立する（アフリカの年）
1961	ユーゴスラビアで第1回非同盟諸国会議が開かれる
1962	キューバをめぐって米ソの緊張が高まる
1963	米・英・ソが部分的核実験禁止条約に調印する
	＊大気圏内・宇宙空間・水中における核実験を禁止。
1965	アメリカが北ベトナム爆撃を開始する
	○世界各地でベトナム反戦運動がさかんになる
1968	核拡散防止条約が結ばれる
〃	チェコスロバキアにソ連軍が侵入する
1971	中華人民共和国が国連の代表権を認められる
1972	スウェーデンで国連人間環境会議が開かれる
1973	ベトナム和平協定を結び，アメリカ軍が撤退する
〃	第四次中東戦争が始まる　石油危機が起こる
1975	南ベトナム政府が降伏しベトナム戦争が終わる
1979	スリーマイル島原発で大事故が起こる（アメリカ）
〃	ソ連軍がアフガニスタンに侵攻する（～1989）
1986	チェルノブイリ原発で大事故が起こる（ソ連）
1989	天安門事件が起こる（中国）
〃	ベルリンの壁が崩壊する（ドイツ）
〃	米ソが冷戦の終結を宣言する（マルタ会談）
1990	東西ドイツが統一される
1991	湾岸戦争が始まる
〃	南アフリカ共和国でアパルトヘイトの終結を宣言する
〃	ソ連が崩壊する
1993	イスラエルとパレスチナが暫定自治協定に調印する
〃	ヨーロッパ連合（EU）が発足する
1996	包括的核実験禁止条約が結ばれる
1999	EUの11カ国でユーロの使用を始める
〃	NATO軍がユーゴスラビアを爆撃する
2001	ハイジャック機が世界貿易センタービルに突入する（アメリカ）
〃	アメリカなどがアフガニスタンを爆撃する
2003	イラク戦争が始まる
2004	スマトラ沖大地震と大津波が起きる
2008	アメリカの金融危機が世界に広がる
2010	中国の国内総生産（GDP）が世界2位になる
2011	チュニジアなどで独裁政権が倒される
〃	ドイツなどがエネルギー政策を転換する
2016	国連総会で平和への権利宣言が採択される
2017	国連総会で核兵器禁止条約が採択される
2020	世界各地で新型コロナウイルス感染症が広がる

索引（さくいん）

〈 執筆　編修 〉子どもと学ぶ歴史教科書の会

岩本賢治
（京都橘大学）

遠藤　茂
（元千葉県公立小学校）

奥山　忍
（活水中学校・高等学校）

狐塚健一
（元東京都公立中学校）

黒田貴子
（元東京都公立中学校）

小石都志子
（元東京都公立中学校）

小林富江
（元東京都公立中学校）

篠宮雅代
（元東京都公立中学校）

菅間正道
（自由の森学園中学校・高等学校）

周藤新太郎
（千葉県立東葛飾高等学校）

関　　誠
（東京都杉並区立天沼中学校）

瀬戸口信一
（元東京都公立中学校）

髙嶋　道
（元北鎌倉女子学園中学校・高等学校）

髙橋美由紀
（千葉県船橋市立若松中学校）

千葉　保
（元神奈川県公立小学校）

鳥塚義和
（元千葉県立高等学校）

鳥山孟郎
（元東京都立高等学校）

楢崎由美
（元東京都公立中学校）

樋口景吉
（元東京都公立中学校）

平野　昇
（元千葉県公立小学校）

福田恵一
（元東京都公立中学校）

本庄　豊
（元立命館宇治中学校・高等学校）

三橋広夫
（元千葉県公立中学校）

安井俊夫
（元愛知大学）

山田麗子
（元埼玉県公立中学校）

四十栄貞憲
（千葉市立千葉高等学校）

若木久造
（元東京都公立中学校）

（アイウエオ順）
株式会社学び舎編集制作部

────── 〈 校閲　コア・アドバイザー 〉──────

荒川章二　　（元国立歴史民俗博物館）　　池　　享　　（元一橋大学）

大日方純夫　（早稲田大学）　　　　　　　藤田　覚　　（元東京大学）

古田元夫　　（日越大学）　　　　　　　　保立道久　　（元東京大学）

宮瀧交二　　（大東文化大学）

〈イラストなど〉　　窪寺弘次　　高橋　光　　肥後くめ子
〈表紙・装幀〉　　　株式会社 kubotaDesign 工房
〈デザインレイアウト〉　株式会社 kubotaDesign 工房

ともに学ぶ人間の歴史

| 229 | 学び舎 | 歴史 711 |

2020（令和2）年　3月24日　文部科学省検定済
2021（令和3）年　1月10日　印刷
2021（令和3）年　1月23日　発行

著作者：安井俊夫他34名（別記）
発行者：株式会社学び舎　　代表者：千葉　保　東京都立川市錦町3-1-3-605
印刷者：大日本印刷株式会社　代表者：北島義斉　東京都新宿区市谷加賀町1-1-1
発行所：株式会社学び舎　　〒190-0022　東京都立川市錦町3-1-3-605
　　　　　　　　　　　　　TEL 042-512-5960

定価　　文部科学大臣が認可し官報で告示した定価（左記の定価は，各教科書取次所に表示します。）

〈近畿地方の拡大図〉

琵琶湖

安土城跡

銀閣（慈照寺）
京都御所
延暦寺
金閣（鹿苑寺）
八坂神社
京都（平安京）⊙
大津
伏見

平等院鳳凰堂
宇治

柳生ほうそう地蔵

平城京跡
奈良（平城京）
東大寺
唐招提寺
興福寺
黒田荘跡

神戸（兵庫）⊙
大阪⊙
大阪城跡
（石山本願寺）

法隆寺
唐古・鍵遺跡
纒向遺跡
藤原京跡
飛鳥寺跡

堺⊙
大仙古墳

千早城跡

吉野

琴似屯田兵村兵屋跡
札幌

五稜郭跡
松前
シベチャリ
大平山元遺跡
函館
十三湊
シャクシャインの戦い
三内丸山遺跡

日　本　海

隠岐

佐渡島

秋田

酒田

胆沢城跡

石見銀山遺跡
下関
萩
原爆ドーム
広島
尾道
瀬戸内海
大分
福岡の市
生野銀山遺跡
敦賀原子力発電所
鳥浜貝塚
金沢⊙
米騒動
魚津
新潟
長谷堂
中尊寺
平泉
三閉伊一揆
気仙沼

野尻湖遺跡
多賀城跡
仙台

立志社
高知
松茂
敦賀
菅浦

旧開智学校
野麦峠
松代大本営跡
岡谷
若松城跡
旧富岡製糸場

藤原純友の乱
桛田荘跡
金剛峯寺
阿弖河荘跡
四日市
名古屋
津
関ヶ原の戦い
岡谷
甲府
八幡塚古墳
岩宿遺跡

福島第一原子力発電所

東山動物園
登呂遺跡
焼津

筑波山

下田

伊豆諸島

| 0 | 100 | 200 | 300 | 400 | 500km |

〈九州北部の拡大図〉

壱岐

下関
壇ノ浦の戦い
八幡製鉄所

博多湾
志賀島
福岡（博多）
板付遺跡
名護屋城跡
大宰府跡
菜畑遺跡
吉野ヶ里遺跡

江田船山古墳
熊本城跡
熊本

長崎
出島オランダ商館跡
原城跡

島原・天草一揆

対馬

五島列島
壱岐
平戸

鹿児島
薩英戦争

屋久島
種子島

鉄砲の伝来

与那国島

八重山列島

奄美群島

首里城跡
那覇
ひめゆりの塔
沖縄島
魂魄の塔
港川人
平和の礎

歴史地図

昔の国名と国境  ▶

（蝦夷地）
えぞち

（陸奥）
むつ

東山道
とうさんどう

出羽
でわ

（羽後）
うご

（陸中）
りくちゅう

陸奥
むつ

（羽前）
うぜん

（陸前）
りくぜん

佐渡
さど

能登
のと

越後
えちご

（岩代）
いわしろ

（磐城）
いわき

北陸道

山城
やましろ

丹後
たんご

加賀
が

越中
えっちゅう

上野
こうずけ

下野
しもつけ

常陸
ひたち

山陰道
さんいんどう

隠岐
おき

因幡
いなば

若狭
わかさ

飛驒
ひだ

信濃
しなの

武蔵
むさし

但馬
たじま

越前
えちぜん

美濃
みの

甲斐
かい

下総
しもうさ

備中
びっちゅう

伯耆
ほうき

近江
おうみ

相模
さがみ

上総
かずさ

山陽道
さんようどう

出雲
いずも

美作
みまさか

丹波
たんば

伊勢
いせ

遠江
とおとうみ

駿河
するが

安房
あわ

石見
いわみ

備後
びんご

備前
びぜん

播磨
はりま

三河
みかわ

伊豆
いず

長門
ながと

安芸
あき

淡路
あわじ

大和
やまと

尾張
おわり

対馬
つしま

周防
すおう

讃岐
さぬき

阿波
あわ

紀伊
きい

伊賀
いが

志摩
しま

東海道
とうかいどう

壱岐
いき

伊予
いよ

和泉
いずみ

河内
かわち

筑前
ちくぜん

豊前
ぶぜん

土佐
とさ

摂津
せっつ

幾内
きない

肥前
ひぜん

豊後
ぶんご

南海道
なんかいどう

筑後
ちくご

肥後
ひご

日向
ひゅうが

西海道
さいかいどう

薩摩
さつま

大隅
おおすみ

琉球
りゅうきゅう

| 0 | 200 | 400km |